큰 믿음을· 믿음은 없게 .

(707) 377 - 4047

누가 연락 드림.

2009년 4월 16일

그땐 그 길이
왜 그리 좁았던고

김 진 • 이연택 공저

그땐 그 길이
왜 그리 좁았던고

초판 1쇄 ǀ 펴낸날 2009년 3월 20일

지은이 · 김 진 · 이연택
펴낸곳 · 해누리기획 ǀ 발행인 · 이동진
편집주간 · 이동진
편집디자인 · 윤나리
디자인 · 조효경
마케팅 · 김진용 · 김승욱

등록 1998년 9월 9일(제16-1732호)
주소 121-251 서울시 마포구 성산1동 239-1번지 성진빌딩 B1
전화 02)335-0414 · 0415 ǀ 0502-569-0588 · 3698
팩스 02)335-0416 ǀ 0502-569-0589
E-mail ǀ sunnyworld@henuri.com

ISBN-978-89-6226-006-9 03800

그땐 그 길이
왜 그리 좁았던고

김 진 • 이연택 공저

차 례

프롤로그

우리는 누구나 각자의 세계에 산다. 그 세계는 항상 복잡다단하다. 그래서 한 가지 사건을 놓고도 느낌이 다르고, 해석이 다르고, 받는 감동 혹은 충격도 제각각이다. 따라서 각자마다 하고 싶은 이야깃거리가 따로 있다.

그동안 많은 이들이 나혜석과 관련해 숱한 이야기를 했다. 어머니에 관한 이야기에 관심이 없는 자식이 있을쏜가. 학술적 고증을 통해 어머니의 삶을 비교적 객관적으로 보았던 책도 있었지만, 어떤 글은 어처구니없을 정도로 왜곡을 일삼기도 했다. 이미 나혜석은 역사적 인물이 되었으니 앞으로도 그에 대한 이야기는 계속될 것이다.

내가 하고 싶은 이야기도 있다.

1920년 말기부터 1930년 중엽까지 한반도를 떠들썩하게 한, 소위 '나혜석' 게이트로 말미암아 나의 생모인 주인공은 사회에서 매장 당하는 신세가 됐다. 그러나 역사의 흐름은 급변하여 남존여비의 사상은 퇴조하고 여성의 인권을 강조하는 사회가 됐다. 근래 나혜석 붐이 한국에서 일어나는 것은 이와 무관하지 않을 것이다.

이 움직임의 공통점 하나는 나혜석 사건에서 치명적 타격을 받은 다른 주인공 김우영에 대한 이야기는 빠져있다는 사실이다. 어머니로 인해 세상의 웃음거리가 되고 그 상처로 일생을 휘청거리며 산 아버지의 모습을 난 잊을 수 없다. 내 이야기의 출발 동기다.

1957년 9월 아버지는 회고록을 냈다. 이상하게도 거기에는 나혜석의 이름이 없다. 그와의 이혼에 관해서 "…… 가정에는 불미한 사건이 발생하였다.…"고만 적었다. 할 말이 정말 많을 때 할 말이 없지 않던가. 기독교신자로 신실하게 살려고 애썼던 그는 끝까지 생모를 용서하지 못한 것일까? 궁금증이 풀리지 않는다.

내 기억의 아버지는 항상 풀이 죽어 있었다. 말투가 어눌하고 더듬는 때가 많았다. 그런데 젊은 시절의 김우영을 기억하는 옛친구들은 이구동성으로 유쾌한 대웅변가 김우영을 증언했다. 무엇이 그의 호기를 빼앗아 갔는가.

이 글을 시작했던 것이 어느덧 4년 전이다. 이야기의 플롯을 세우고 그것을 전개하면서 적절한 표현과 추리를 구사한 공저자의 사고력과 필력은 나를 여러 번 감탄케 했다. 그래도 누군가의 인생을 총체적으로 들어올리고 엮어낸다는 작업이 여간 어렵지 않았다. 필을 든 우리 두 사람이 머뭇거리고 있을 때 재촉하고, 힘들어할 때 격려한 두 여인의 공이 절대적이다.

이 글에 나오는 인물들은 이미 세상을 떠났고 그들과 친분이 깊은 사람들도 이제는 만나볼 수가 없다. 나의 기억과 누나 나열의 기억도 제한적이고 그나마 가물거린다. 이야기 연결을 위해 어떤 부분은 픽션이 불가피했다. 가명과 가설이 일부 사용된 것도 독자들에게 양해를 구해야 할 일이다. 만약에 잘못 안 사실이나 표현이 있다면 후에라도 알려주기 바란다. 그 책임을 통감할 것이다.

이 글을 쓰면서 나는 뒤늦게 인생공부를 많이 했다. 누가 옳다 그르다, 혹은 무엇이 옳다 그르다는 판가름에 종사하는 것이 어렵다는 것을 새삼 깨닫는다. 타인의 삶에 대해 비판하고자 한다면, 내가 겪고 본 것이 전부일진대 그 사람만이 가진 독특한 성질과 번민, 괴로움을 헤아리긴 불가능하리라. 그런 면에서 내가 만년에 어머니와 절친했던 일엽스님의 아들 일당스님을 만나게 된 것을 다행으로 생각한다. 일당스님은 어머니가 수덕사에서 자식을 위해 불공을 드리던 모습, 자식을 만나고 싶어 몸부림치던 모습을 생생하게 전해줬다. 나는 그를 붙들고 한바탕 눈물을 흘렸다.

어머니의 비참한 말년을 상상해보면 가슴이 아프다. 자신의 선택으로 인했지만, 어느 누군들 결과를 미리 알 수 있단 말인가. 다만 고인의 명복을 빌 뿐이다.

보잘 것 없는 이야기지만 탈고하는 마음은 만추지감이다. 아버지의 영전에 바치니 평생 무거웠던 마음이 이제는 한결 가볍다.

2009년 3월,
김 진

1. 너무 길었던 여행

어머니와 아버지가 여행에서 돌아왔다.

생후 3개월 때 나를 떼어놓고 해외로 나간 두 사람이 1년 9개월 만에 드디어 부산항으로 들어온 것이다.

그동안 나는 숙부 댁에 맡겨졌고 어머니 대신 숙모의 젖을 빨고 있었다. 나보다 여섯 살 위의 누나 '나열'과 두 살 위의 형 '선'은 할머니가 돌봤다.

부산항에서 두 사람은 곧바로 할머니 댁을 찾았다. 형 내외가 왔다는 전갈을 받은 숙부와 숙모도 나를 데리고 단숨에 달려왔다.

3남매 중 누나만이 부모를 겨우 알아보았다. 형도 아버지와 어머니를 기억하지 못했다. 아버지가 품에 끌어안으면 얼마 안 있어 할머니에게 팔을 벌리고 그리 가겠다고 떼를 썼다. 낯가림이 없었던 나만 어머니의 가슴에 멀뚱히 안겼다.

거의 2년만에 자식을 눈앞에 둔 부모의 심정이야 말해 무엇할까. 3남매는 번갈아 치켜올려지고 안겨졌다. 아마 우리는 떨떠름하고 약간은 겁먹은 표정을 지었겠지만 두 사람에게는 오히려 그게 안쓰럽고 더 애틋했을 것이다. 꽉 끌어안았다가 다시 떼어 얼굴을 보고는 또 끌어안았다. 뺨을 비벼대고 입맞추고 이번엔 다른 쪽 뺨을 비벼댔다.

아무리 일생에 단 한번 올까말까 할 기회였다지만, 졸망졸망한 세 아이를 품에서 떼어놓던 일이 어느 부모에겐들 쉬울까….

눈물을 흘리며 어머니가 말했다.

"너희들에게 참으로 미안하구나. 다시는 너희를 두고 떠나는 일이 없으리라."

"자식 생각하는 년이 그렇게 긴 세월을 집을 비우냐?"

함께 눈시울을 적시던 할머니가 어머니를 나무라는 소리는 거의 고함에 가까웠다.

"죄송해요, 어머님."

"죄송하다면 다냐. 자식새끼들 다 팽개치고, 죽었는지 살았는지 소식도 없다가 불쑥 나타나 죄송하다면 되는거냐구."

"죄송해요, 어머님."

"인간들이 아니어. 도대체 사람들이면 이럴 수 있는가. 하기야 내 너희들 진작에 없는 것으로 간주했었다. 이게 필시 귀신들이지."

할머니는 아버지와 함께 어머니가 해외여행을 가겠다고 했을 때 기꺼이 허락했었다. "남자야 세상 구경을 해야 크지만 올케는 당연히 집에서 애들을 길러야 하지 않느냐"고 고모가 펄펄뛰고 반대했지만, 할머니는 모든 일은 다 기회가 있는 법이라며 고모를 타일렀었다.

그러나 서너 달 예정이었던 해외여행이, 결국에는 2년 가깝게 늘여진 형국이었다. "나간 김에 미국까지 들러 오겠다"는 일방적인 통보에 할머니는 기가 막혔다. 배은망덕하다고 생각했다.

그렇다고 다른 방도가 있는 것도 아니었다. 그저 알아서 돌아올 때까지 기다릴밖에. 시어머니 사정은 고사하고 아이들 걱정조차 없는 며느리도 미웠지만 그런 여편네를 끼고 함께 나돌아다니는 아들에게는 더욱 화가 났었다. 돌아오기만 하면 이 둘을 그냥 두지 않겠다고 벼르던 할머니였다.

손자손녀를 기르면서 할머니는 여러 번 생각을 했다.

시간이 지나면서 화는 가라앉았으나 도무지 며느리는 이해할 수가 없었다. 아들이야 남자니까 세상 밖 일을 중시 여길 수 있겠지만, 젖먹이까지 떼어 놓고 그런 장세월을 외유하는 어미가 도대체 세상에 어디 있단 말인가. 별종도 대단한 별종 아니겠는가. 그렇지 않고서는 이런 류의 일이 있을 수 없다고 생각했다.

체념하고 손자손녀에 정붙이고 살던 할머니는 기별없이 갑자기 들이닥친 아들부부가 반갑기도 했지만 이방인처럼 느껴지기도 했다. 마치 가까스로 찾아놓은 평온을 깨는, 침범 당하는 기분이었다.

아이들을 부둥켜안고 울고 있는 며느리를 보고 있자니 괘씸한 마음이 불같이 되살아났다.

"며칠만 늦었더라면 이 아이들 내가 길거리에 던져버릴 요량이었다. 어미, 아비 없는 자식들이 할미 손에 자라든, 거지새끼로 자라든 무슨 차이가 있겠더냐?"

"정말 잘못했습니다, 어머님."

아버지가 이번엔 할머니 앞에 머리를 숙였다.

"너도 마찬가지여. 한쪽이 그러면 한쪽이라도 좀 나은 구석이 있어야지. 그래, 같이 한통속이 돼서 그렇게 싸돌아다니기냐? 왜 벌써 들어왔어? 아주 거기서 붙어 살지."

"면목이 없습니다."

"도대체 궁금한 게 있다. 너희들 바깥 세상 구경이 얼마나 재미있었는지는 모르겠지만, 그렇게 싸돌아다니다가 문득 새끼가 보고 싶었던 적이 없더냐?"

"…………"

할머니의 역정은 그 정도에서 끝났다. 오랜 세월 시시때때로 치밀어 올랐던 아들 부부에 대한 분노에 비하면 너무 미미한 것이었다.

할머니는 한가지 일로 오래 씨름하는 성격이 아니었다. 더구나 어쩔 수 없는, 다 지난 일을 가지고 계속 찧고 박고 한들 무슨 소용이 있겠나. 정말 잃은 듯 포기하고 있었던 아들이 돌아온 반가움도 할머니를 진정시키는데 한 몫 했다.

어머니보다 아버지가 할머니에게 더욱 미안해했다.

그런 한편 몹시 속이 상했다. 아이들까지 이렇게 놔두고, 이런 질책을 각오하고 나갔던 해외여행에서 도대체 무엇을 얻었단 말인가. 얻기는커녕 잃기만 했다.

특히 여행 중에 일어난 예기치 못한 두가지 사건은, 아버지를 몹시 힘들고 지치게 했다. 그 사건은 아버지의 일생을 휘젓고 뒤바꾸는, 그야말로 결정타가 됐다.

하나는 프랑스에서 어머니가 최린과 가깝게 지낸 일이었다. 당시 아버지는 공무를 겸해 혼자 주변국가를 방문중이었다. 어머니는 혼자 프랑스에 머물게되었는데, 이때 최린의 안내를 받게 됐다.

최린은 삼일독립운동 때 독립선언문에 서명한 33인중 한 명으로, 복잡하고 힘든 국내를 피해 프랑스에 머물고 있던 중이었다. 어머니 나혜석도 독립운동에 박마리아 등과 함께 여성참여를 주도했었고, 이 일로 수개월 감옥살이까지 했었다.

수 만리 떨어진 이국에서 만난 한 동포라는 큰 얼개보다는, 아마, 어쩌면 목숨까지 잃어버릴지 모른다는 각오 속에 삼일독립운동에 뛰어들었던 동지적 의식이 두 사람을 급격히 가깝게 했을 것이다.

아무튼 아버지가 프랑스로 다시 돌아왔을 때, 나혜석과 최린의 소문은 당시 프랑스의 한인들 사이에 파다했다.

그러나 아버지는 그런 소문에 적어도 겉으로는 무심한 척했다. 소문을 확인하려고 하지도 않았고 또한 어머니도 최린을 단순한 지인, 친절한 안내자 정도라고 말했을 것이다. 무엇에 대해 구질스럽게 연연하는 것을 매우 싫어했던 아버지는 일단 어머니의 말을 믿기로 했다. 그러나 어머니에게 다짐을 받아 두었다. 다시는 최린과 만나지도 말고 연락도 하지 말라고 했다. 어머니 나혜석도 그렇게 하겠다고 약속했다.

아버지는 최린이란 인물에 대해 크게 실망하고 말았다. 처음 프랑스에 와 최린을 만났을 때 그를 정작 반가워했던 사람은 아버지 김우영이었다.

아버지는 일본관직에 있었지만, 동포애가 깊었고 조국의 독립에 대한 갈망도 컸던 사람이다. 그럼에도 자신이 남과 어울려 뭔가 큰일을 도모하지 못한데 대한 갈등과 자책감이 마음 한구석에 깔려있었다.

그는 그래서 더욱 최린 같은 사람을 존경하고 있었다. 그리고 아버지는 대의명분과 정의를 내세우며 큰 몸짓을 하는 사람들은 도덕성과 윤리성도 그에 걸맞게 당연히 갖추고 있다고 믿었던 듯 싶다.

사실여부를 떠나서라도, 아버지는 귀에 들어온 소문만으로 판단컨대, 최린의 책임이 크다고 생각했다. 언어, 풍습이 전혀 낯선 곳에 홀로 놓여진 여자에게 안내를 자처하고 나선 남자. 그의 자상함과 친절함은 남을 위한 도움행위가 아닌 의도된 접근이었을 뿐이었다. 엄연히 남편이 있는 유부녀에게 관심을 갖는 것이 김우영 같은 남자에겐 도무지 납득되지 않는 일이었다.

유럽여행을 마칠 즈음해서 귀국 예정을 변경해 미국으로 여행을 떠난 것은 어머니가 원한 바이기도 하지만, 아버지도 적극 동의해 이뤄졌다. 최린과의 사건을 새로운 신천지 아메리카 대륙을 누비며 말끔히 씻어내고, 뭔가 새로운 기분으로 출발의 느낌을 갖고 싶은 충동이었다. 그런데 아버지는 미국에서 또 다른 충격적인 사건을 만난다.

대서양을 건너 뉴욕을 통해 미국에 들어간 아버지와 어머니는 그곳에서부터 기차를 타고 미국 대륙을 횡단해 로스앤젤레스로 가게된다.

뉴욕에서 로스앤젤레스까지의 대륙횡단은 먹고 자고 운전만 해도, 꼬박 열흘은 걸리는 거리다. 크고 작은 도시를 관통하는 열차에 보름이 넘게 앉아있던 두 사람의 눈에 비친 미국의 광활함이 어떠했을까.

만주에서 유럽으로 가는 길에 건넜던 시베리아 벌판과는 느낌이 많이 달랐다. 질리도록 거대한 땅덩이는 비슷했다. 그러나 시베리아는 온통 눈으로 덮인, 사람이 살지 못하는 동토였다. 아무것도 존재하지 않는 얼어붙은 땅은 그곳 사람들에게 축복이라기보다는 척박한 짐이었다.

그러나 미국은 달랐다. 빈 들이 지루할 만큼 지나면 영락없이 사람 사는 도시가 불쑥 나타났다. 도시의 분위기도 사뭇 다양했다. 빈 땅도 마음만 먹으면 얼마든지 사람이 살만한 곳이었다. 풍요롭다는 느낌이 들었다. 매사

새로운 것에 대해 신기해하는 예술가 어머니는 물론 아버지에게 매우 독특한 경험이었다.

그런데 외로웠을 것이다. 유럽에서 약간의 영어를 익혔지만 의사소통이 원활하지 않아 눈치로 지내야하는 여행이었다. 뉴욕만해도 십수명의 한인들을 만날 수 있었으나, 그곳에서 기차에 올라탄 이래 동양인은 거의 보이지 않았다. 보름동안 열차 안에서 아버지는 세 번쯤 동양인을 만났다는데 모두 중국인이었다. 그래도 자기처럼 키 작고 머리카락이 까맣고 코가 낮은 사람이 무조건 반가웠다.

중국 안동현에서 근무했던 덕에 중국말이 능했던 아버지는 만나는 중국인에게 마다 아는 중국말은 다 늘어놓았다. 그러나 그들은 몇 시간 지나지 않아 기차에서 내렸고, 다시 아버지와 어머니는 꿀 먹은 벙어리인양 입을 굳게 다물 수밖에 없었다.

앞에 앉은 사람이나 지나는 사람이 뭔가를 물으면 어머니와 아버지 두 사람은 서로 쳐다보며 질문을 헤아려 봤지만 그저 웃어만 보이는 게 고작이었다. 몇 번 그리 당하고 나니 그 다음부턴 가급적 사람들과 눈을 마주치지 않으려 애썼다.

언어보다는 고립된 분위기가 더 겁났다. 별수 없이 창 밖으로 시선을 둘 수밖에 없었다. 처음엔 열차의 속도만큼 뒤로 달리는 독특한 풍경을 따라 잡으려고 번번이 고개를 돌리기도 했지만 시간이 지날수록 황량하고 지겨웠다. 어서 목적지에 다다르고 싶었다.

이렇게 도착한 로스앤젤레스. 같은 우리말을 한다면 누구라도 부둥켜안을 만큼 동포가 그리워졌을 즈음이었다.

그런데 아버지는 이곳에서 한 동포의 칼부림을 만나게 된다.

아버지는 유럽에서 미국으로 떠나면서 로스앤젤레스에 있는 지인에게 통신을 보내 그곳에 도착하면 안내해줄 것을 부탁했었다. 박씨로 알려진 그 사람은 아버지가 중국 안동현 부영사를 지낼 때 여러차례 신세를 진 일이 있었으므로 이번 기회에 아버지와 어머니를 잘 접대하려고 계획을 세웠다.

박씨는 두 사람을 안내해 시내 구경을 시켜주었다. 그리고 아버지가 샌프란시스코로 떠나기 전날엔 동포들을 모아 환영 겸 환송 파티까지 열었다.

아버지와 어머니는 그 파티의 주빈인 셈이었다. 대륙횡단을 통해 미국이 얼마나 크고 넓은지를 제대로 깨달은 두 사람은 그 중의 한 곳 로스앤젤레스에 다수의 한인이 살고 있음에 감격하고 있었다. 게다가 자신을 위해 파티까지 열어준다니 이처럼 고마울 데가 있단 말인가 싶었다.

당시 미국 한인사회는 반일감정이 대단히 높았다. 당연한 일이었다.

일제치하의 조국에서야 탄압에 죽어지내야 했지만, 미국에 살고 있는 이상 그 아무 것도 거칠 것이 없었다. 특히 몇해 전 샌프란시스코에서 장인환이 일본국 외교자문역 미국인 스티븐슨을 저격한 사건이 발생한 이래, 한인들은 독립운동에 크게 고무된 상태였다.

아버지 김우영은 자신이 비록 일본의 관직에 몸담았어도 그 일을 부끄러워하지 않았다. 관직은 직업 자체로 그 이상, 그 이하도 아니었다. 그의 마음은 조국의 독립을 소원하고 있었고, 기회가 있을 때마다 동포들을 돕고 독립운동도 지원했었다.

파티에 참석한 대부분의 사람들은 그런 아버지의 상황을 이해하는 듯 싶었다.

파티에는 김우영 부부를 포함해 이십여명의 동포들이 참석했다. 아버지를 안내하고 파티를 주선했던 박씨가 이들 부부를 소개했다.

"수천만 리 바다를 건너 조국을 떠나온 우리들은 자나깨나 조국 생각에 여념이 없습니다. 그런데 오늘 그 그리운 조국에서 귀한 손님이 여러분 앞에 오셨습니다. 김우영 선생과 나혜석 여사이십니다.

이 두 분은 참 애국자이십니다. 김선생께서는 중국 안동현 부영사로 재직하면서 수시로 독립운동가들을 도우셨습니다. 외교관 신분으로 국경을 오가는 동포들의 편의를 쉽게 들어주셨습니다. 여기 선 이 사람도 선생의 도움이 아니었으면, 일경에 붙들려 큰 곤욕을 치룰 뻔했었습니다. 또 댁에까지 머무는 신세도 몇 차례 끼쳤습니다. 비록 불발되고 말았지만, 의열단 사건때는 상해에서 조국으로 무기가 들어가는 것까지 뒷일을 봐 주신 분입니다.

나혜석 여사는 삼일운동때 이 일을 도모하고 앞장섰다가 체포되어 감옥살이를 하고 나온 분입니다. 안동현에 계실 때도 몸을 아끼지 않고 독립운동이라면 적극 지원하셨습니다. 아마 이 두 분이 없었으면, 만주를 배경으로 독립운동을 펴는 동지들이 더 많은 역경과 고생을 겪고 또 희생됐을 것입니다. 또 나여사는 뛰어난 화가이십니다."

참석자들의 박수를 쳐서 김우영, 나혜석 부부를 환영했다.

박수가 잦아질 무렵 한사람이 갑자기 소리쳤다.

"그렇게 조국의 독립을 원하는 사람이 왜 일본의 앞잡이 노릇을 하는 겁니까?"

돌발사태로 분위기는 갑자기 찬물을 끼얹은 듯 조용해졌다.

"저는 앞잡이가 아닙니다. 저는, 우리나라가 일본에 강점 당하고 있는 현실에 무조건 반항한다고 독립이 온다고 생각하지 않습니다. 독립운동을 하는 분은 독립운동을 해야하고, 나같은 이는 또 그 안에서 할 일이 있다고 봅니다."

아버지는 전혀 예기치 못한 사태였지만, 자신의 평소 생각을 담담하게 피력했다.

"그게 앞잡이 아니면 뭡니까? 결국 일본의 일에 충실해서 저들의 제국주의를 유지시켜 주는 것 아닙니까. 일본제국에 얼마나 많은 사람들이 희생되고 고생합니까. 선생은 그 일본의 고위 관리입니다. 남들 감옥살이하고 고생하는 동안 호의호식하고 있지 않습니까"

이미 작심을 하고 온 사람은 갈수록 목소리를 높이고 있었고, 아버지는 낯빛이 변하고 있었다.

"이보쇼. 손님에게 이러는 건 예의가 아닙니다."

참다못한 주최측의 한사람이 저지에 나섰다.

"왜 그래요? 할 말 하게 내버려 둬요."

아버지를 비난하는 사람이 한사람은 아니었다.

"그런 말 하려면 여기서 나가요."

"저런 앞잡이를 싸고 도는 당신도 매국노요."

파티장엔 졸지에 고성이 오가고 주최측과 일부 참석자들 사이엔 몸싸움까지 벌어졌다. 그러는 와중에 한사람은 칼까지 빼들고 아버지에게 달려들었다.

다행히 아버지는 찔림을 면했지만 파티는 열리기도 전에 싸움이 됐고, 감격스런 마음으로 파티장에 갔던 이들 부부는 황당하고 참담한 심정으로 파티장이 아닌 싸움판에서 서둘러 빠져 나와야 했다.

그날의 사건은 아버지에게 큰 충격이었다. 하마터면 목숨까지 위태로울수 있었던 사건 자체도 충격적이었지만, 자신을 향해 그만한 분노를 가진 사람들이 있을 수 있다는 사실이 더 충격적이었다.

그날 밤 그는 잠을 이룰 수가 없었다.

'내가 일본을 이롭게 했던가? 그래서 조국의 독립이 더딘가?'

그러나 아무리 생각해봐도 그렇지 않은 것 같았다.

'안동현 부영사를 내가 하지 않았더라도, 그 누군가는 그 직책을 맡아 일했을 것이다. 십중팔구 일본사람일텐데, 그렇다면 뻔하지 않은가. 그러나 나는 그 직책에 있으면서, 위험까지 감수하면서 독립운동가들과 동포들을 도왔다.'

이렇게 생각에 이르자 억울했다.

그렇지만 한편으론 그들이 이해되는 것 같기도 했다. 박씨에 따르면, 미주지역 동포들은 참으로 어려운 환경에서 힘들게 일하면서도 독립운동을 위한 모금을 하고, 일본에 타격을 주기 위해 일본간장을 먹지 않는 캠페인을 펼친다고 하지 않던가.

'그들에게 어찌 내가 좋게 보이겠는가.'

혼란스럽고 착잡했다.

2. 종달새야, 너는 어디까지 오르니

여행을 마치고 돌아온 뒤 아버지와 어머니는 동래 할머니 집에 함께 기거했다. 당시 어머니는 임신 8개월로 신체적으로 매우 힘든 때였다.

나는 다시 숙부 댁으로 보내졌다. 숙부나 숙모는 나를 친자식 이상으로 길러주고 있었다. 두 사람은 원래 다정다감한 성격이기도 했지만 나에 대한 깊은 애정에는 또 다른 원인이 있었다. 숙부에게는 나와 태어난 때가 비슷한 아들이 있었는데, 얼마 지나지 않아 죽고 말았다. 맘 둘 곳을 몰라 무척 힘들어하고 있을 때, 마침 형님 김우영, 나혜석 부부가 세계여행을 떠나면서 나를 맡기게 된 것이다.

가끔씩 나는 숙부와 함께 할머니 댁을 가곤 했지만 나는 숙부와 숙모를 아버지 어머니라고 부르고 있었다. 그렇게 부를 뿐 아니라 그렇게 알고 있었다.

미국에서 봉변을 당하고 돌아온 아버지는 더 이상 일본관직에 몸담기를 거절했다. 해외여행까지 보내줬던 일본정부로서는 섭섭하고 불쾌한 일이었지만 단호한 아버지의 뜻을 꺾을 수는 없었다. 아버지는 서울로 올라가 변호사 개업을 준비했다.

식구들을 모두 부산에 놓아둔 채 혼자였던 아버지는 한달 남짓 준비 끝에

변호사 사무실을 열었지만 별로 수입이 없었다. 거의 2년 가깝게 수입은 없이 외유를 했던 탓에 아버지는 이미 재정이 거덜난 상태였다. 친인척의 도움으로 변호사 사무실은 겨우 열 수 있었으나 식구들의 생활비는커녕 본인의 처신도 힘들만큼 벌이는 신통치 않았다.

그렇게 된 데는 아버지의 성격도 원인인 듯 싶다. 아버지는 자신에게 맡겨진 일은 꼼꼼하고 책임있게 마무리하는 사람이었지만 일을 맡겨달라고 남에게 부탁하거나 손을 내밀지는 못했다. 2년 가까운 사회적 단절도 한몫 했다. 현실을 파악하는 시간이 필요했고 업계가 김우영이라는 사람을 받아들이는 것도 마찬가지였다.

그러나 아버지는 실망하고 초조해 있었다. 일본 유학을 마치고 돌아왔을 때의 상황이 재현되는 불안감이 들었다. 법학공부를 마치고 변호사시험에 합격한 후 귀국해 나혜석과 결혼한 직후 그는 변호사 사무실을 열었었다. 그러나 변호사로서의 그의 커리어는 순탄하지 못했다. 결국은 차선으로 선택한 것이 안동현 부영사직이었다.

차제에 그 일을 그만두고 이젠 다시 변호사 사무실을 연 것이었다. 그런 만큼 각오도 굳었는데 현실은 예상과 영 달랐다.

어머니 나혜석은 그녀대로 어려움을 겪고 있었다. 남편도 없이 동래 시댁에서 생활을 하면서 경제적 빈곤, 시누이와의 불화, 자신의 커리어를 불투명하게 하는 환경 등으로 괴로워했다. 더욱이 선진 유럽과 미국을 돌아보고 온 그녀로선 자신의 눈앞에 놓인 현실이 참으로 답답했다.

남편이 하루속히 자리잡아 서울로 올라가기만 학수고대하고 있었다. 하지만 소용없는 일이었다. 오히려 시댁에는 사업에서 실패해 어려워진 다른 친지들까지 몰려들어 함께 살아야 하는 처지가 되고 말았다.

어머니는 처음 아버지와 결혼을 할 때 시부모를 모시지 않겠다는 조건을 내걸었던 사람이다. 아무리 남편과 둘만이 오붓하게 살고 싶더라도, 또 신여성으로 자유롭게 자신의 일거리를 찾아 나서기로, 대놓고 그런 조건을 내세우는 건 당돌한 처사였다. 형편을 보아가며 서서히 진행시켜도 될 일을 노골적으로 결혼조건에 명시한 것이다. 그즈음 김우영이라는 남자는 나혜석이라는 여성과 결혼을 위해서라면 죽기라도 할 만 했었으니 그만한 조건이야 열 개라도 약속했을 터였다.

해외여행을 떠나기 전까지 두 사람은 그렇게 살 수 있었다. 그러나 여행에 재산을 모두 쓰고 왔으니 시댁 신세를 오히려 고마워 해야 할 형편이 되고 말았다.

나혜석은 어려서부터 부유하게 자랐다. 똑똑하고 재능이 많아 부모의 사랑을 듬뿍 받으며 성장했다. 본인이 원하는 것은 무엇이든지 하고 산 셈이다. 여고 졸업 후에는 일본 유학을 떠났다. 당시 조선여성의 일본 유학이란 그 수가 한 손에 꼽을 정도밖에 되지 아니하였다. 결혼해서는 외교관 부인으로 살았다.

이런 환경에서 지내온 그녀에게 갑자기 닥친 경제적 빈곤, 구차한 생활은 견디기 어려운 일이었을 것이다. 현실이 괴로울 때 사람은 추억을 그리워한다지 않던가.

시댁의 형편을 보아도, 남편을 바라보아도 희망이 안 보이는 그녀에게 낭만적 분위기의 파리는 뼈저린 그리움의 대상이었다. 그리고 그때 만났던 사람 최린을 생각해냈다.

나혜석보다 먼저 귀국한 최린은 당시 천도교 도령으로 다시 복귀, 왕성한 활동을 펴고 있었다. 남편의 처지와 비교할수록 최린은 더 능력있어 보였을 것이다. 또 그에게 연락하면 뭔가 방도가 있을 것으로 생각했다.

결국 나혜석은 파리에서의 스캔들을 덮으면서 남편과 했던, 다시는 최린과 연락하지 않겠다는 언약을 깨고 말았다.

나혜석은 후에 이일을 두고 경제적으로 너무 어려워 단순히 도움을 달라는 차원이었다고 밝히고 있으나 궁색한 변명이었다. 현실도피가 간절했던 그녀의 마음은 크게 흔들리며 자유분방한 파리의 추억에서 헤어나지·못하고 있었다.

그러나 추억에 젖어 쓴 여자의 편지는 어리석을 뿐이었다. 그 편지를 최린이 받았는지 아니면 받지 아니하였는지는 분명하지 않다. 여자의 편지는 최린 측근에 의해 공개되고, 당연히 여자의 남편 김우영도 이 사실에 접하게 된다.

엎친 데 덮친 격이었다. 그렇지 않아도 어려웠던 그의 변호사 사무실은 어머니에 대한 소문이 퍼지면서 더욱 어려워졌다.

김우영이 견딜 수가 없었던 것은 사무실이 어려운 것보다 그에게 쏟아지는 세상사람들의 비웃음이었다.

아내도 간수하지 못하는 사람이 무슨 남을 변호한다고….

치욕적인 비아냥에 김우영의 강한 자존심은 차라리 죽음이 나을 만큼 상처입고 말았다. 부산으로 단숨에 내려온 그는 나혜석에게 이혼을 요구했다.

그녀는 이혼할 수 없다고 버텼다. 자신이 약속을 지키지 못한 것에 대한 잘못은 인정하지만, 실제로 최린을 만나지도 않았으며 생활에 도움을 얻기 위한 한 통의 편지였다고 말했다. 아무리 변명을 해도, 아무리 잘못을 빌어도 이번엔 남편의 마음을 조금도 움직일 수 없었다. 그래도 버틸 때까지 버텼다.

"아이들을 이렇게 놔두고 나는 결코 떠날 수가 없습니다. 애들을 봐서라도 한번만 용서해 주시오."

"더 이상은 용서할 수 없소. 이미 당신은 부부의 정리를 깬 사람이요. 내, 파리에서 일이 있었을 때 그때 바로 헤어졌어야 옳았소. 내가 어리석어 당신에 대한 미련을 버리지 못하고 지금까지 왔소. 결국은 이렇게 될 것을 가지고…."

"내가 다 잘못했어요. 마지막으로 한번 기회를 주세요. 이번에는 내가 무슨 짓을 한 게 아니잖아요. 하도 상황이 답답해서 당신에게나 내게 도움이 될까해서 편지 한 장 썼던 것입니다. 내가 집을 나가면 아이들은 어떻게 됩니까? 또 나도 아이들이 그리워서 살 수가 없을 것입니다."

"그립다고? 당신에게 아이들에 대한 정리가 언제부터 그리 많았소? 그런 사람이 자식을 어미의 살점을 떼어가는 악마라고 했소?"

아버지는 아이들에게 기대는 어머니의 애걸까지 가증스럽게 여겼다. 거기엔 당시에는 말하지 않았지만, 어머니가 첫 딸을 낳은 후 발표한 〈모(母)된 감상기〉에 대한 불만도 배어있었다.

어머니는 참으로 독특한 사람이었다.

무릇 사람이란, 생각이 그러해도 행동과는 어느 정도의 간극이 있기 마련이다. 그것은 어쩔 수 없이 사고와 삶의 이중성을 가져오기도 하지만, 사회적인 일정한 틀이나 사람들끼리 어느새 공유 또는 묵인한 규범을 유지하는 장점도 있다.

그런데 어머니는 생각이 그러하면 그렇게 행동하고 사는 사람이었다. 그런 면에서 정직하고 순수한 사람이었다.

첫 딸 나열을 낳아 기르기를 1년 남짓했을 때 신문에 발표한 〈모(母)된 감상기〉도 나혜석다운 글이었다. 그녀는 임신에 대한 후회와 산고를 치를 때의 느낌을 소상히 적었다. 고통의 순간을 '아이는 어미의 살점을 떼어가는 악마'와 같다고 까지 표현했었다. 아버지는 이 부분의 글을 못마땅히 여기고 오랫동안 마음에 둔 듯 했다. 아이들 때문에 이혼을 하지 못하겠다는 아내의 말은 그래서 믿기지 않았을 것이다.

그러나 어머니는 정말 아이들 때문에 이혼에 동의하지 못한 듯 싶다.

모(母)된 감상기도 그녀의 솔직한 당시의 심정이었지만, 그 후 아이들을 기르며 쏟은 정성과 사랑도 또한 정직하고 순수한 것이었다. 자식들과 떨어진 후 어머니가 자식들을 그리워했던 모습은 여러 차례 목격됐다.

나도 훗날 갑자기 학교로 찾아와 나를 불러놓고 우두커니 서서 눈물만 흘리고 있던 초췌한 어머니의 모습을 기억하고 있다.

어머니는 아버지의 태도가 도무지 누그러지질 기미가 안보이자 함께 살고 있던 할머니에게 매달렸다. 어느 시어머니가 이런 며느리를 예뻐할 수 있을까. 그렇지만 어쩐 일인지 할머니는 어머니 편을 들어주었다. 그러나 할머니의 말에도 아버지는 완강했다. 아들을 설득하다 못한 할머니는 어머니에게 "차라리 이혼하고 너는 나와 함께 살자."고까지 하셨다.

아버지는 여러 차례 부산으로 내려와 어머니에게 이혼을 요구했고 어머니는 그럴 수 없다고 맞섰다. 그럴 때마다 집안은 아수라장이 됐다. 나야 숙부집에서 있었으니까 그 난리를 겪지 않아도 됐지만, 내 위의 누나와 형은 어린 나이가 감당키 어려운 깊은 상처를 반복해 받았다.

27

결국 어머니는 해외여행을 다녀온 이듬해인 1930년 11월 아버지와의 혼인관계를 10년만에 청산하게 된다. 그때 내 나이는 만 4세였다.

어머니는 이혼 후에도 한동안 할머니 댁에 머물렀다. 언제까지 머물 수 있는지는 알 수 없었다. 그러나 자주 4남매를 한자리에 모아 음식도 해 먹이고, 책을 읽어주고, 노래를 가르쳐 주기도 하였다.

나는 그때 어머니에게 배운 '히바리'(종달새)라는 일본노래를 지금도 기억한다.

"종달새, 종달새, 노래하면서 너는 어디까지 오르니.

높은 구름 위인가, 소리는 들리는데 보이지 않는 종달새…"

지금은 그 노래의 의미가 그냥 지나쳐지지 않는다.

어머니야말로 종달새 같은 존재는 아니었을까. 끊임없이 자신의 노래를 불러야 사는 의미가 있었고, 그러는 사이 본인도 모르는 곳까지 날아가야 했던, 그리고 혹독한 시련을 만났던.

어머니는 특히 건강이 좋지 않았던 큰아들 선에 대해 마음을 많이 썼다.

그러나 선은 열두살 때 병사한다. 집을 나가야 했던 어머니는 그 자리에 없었다.

아들 선은 어머니를 많이 그리워했다. 이를 옆에서 지켜본 할머니는 무척 괴로웠다. 아마 이 일 때문에 할머니는 세상을 떠날 때, 유언처럼 아이들은 어미가 기르는 거라고 말씀하셨을 것이다.

어머니가 언제 당신의 첫 아들 사망소식을 들었는지는 알 수 없다.

그러나 파혼의 끝자락에서도 그렇게 연연하고 안타까워하며 놓지 못했던 아들이 먼저 세상을 떠났다는 소식. 아마 어머니의 삶 중에서 가장 큰 충격이었을 듯 싶다.

또 자신이 끝까지 자식 곁에 머물지 못해 얻은 결과로 치부해 통한의 눈물
을 여러 날 흘렸을 것도 분명하다.

3. 아버지 집으로 들어가다

숙부 댁에서 자라는 동안 나는 그분들이 나의 친부모인 줄만 알고 있었다. 숙부는 참 부지런한 사람이었다. 큰 잡화상을 경영하면서도 한편으로 논과 밭을 구입해 직접 곡식을 재배하기도 했다. 그러면서도 매우 다정했던 분이다. 후에 그분이 나의 아버지가 아닌 것을 내가 알았을 때 받은 충격이란.

내게 있어 어릴 때 기억이란 크게 두 줄기다.

하나는 생모 생부에 대한 것이다. 이것은 마치 뜬금없이 만난, 오래된 사진 한 장면과 같다고 할까. 이를테면, 사건을 확인시키는 사진이 영 낯선, 도무지 실감되지 않는 상황 같은 것이다. 필시는 내가 너무 어렸기 때문일 텐데, 그래서 감정의 기억은 참으로 미미하다. 그런데 후에 몰랐던 사실을 하나둘씩 알게되면서 또 나이 들어가면서, 당시 감정의 회귀현상이 일어나곤 했다. 내가 지금 이 나이에 이런 글을 쓰는 일도 그런 회귀현상이 없었으면 불가능했을 것 같다.

그리고 또 다른 기억은 숙부 숙모에 대한 것이다. 아침 일찍 공기총을 가지고 사냥을 나가는 숙부를 따라다녔던 기억, 부산 시내에 가서 물품을 구입해 마차에 싣고 오던 일 등등은 마치 잊지 못하는 영화의 한 장면만큼이나 선명하다.

숙부 댁에는 죽은 아들을 빼놓고도 7남매가 있었다. 그럼에도 불구하고 나를 받아 친자식처럼 기르신 분이다. 오히려 친자식보다 나를 더 예뻐하신 듯 하다. 내가 이 집의 진짜 식구가 아닌 것을 알고 나서 생각해봐도 숙부나 숙모나 그리고 사촌 형제 자매들이 나를 별달리 차별한 일은 도무지 없다.

또 다른 숙부 한 분은 동래 온천장에서 금천관이라는 여관을 하고 계셨다. 목욕탕을 겸하고 있는 이곳에 나는 자주 놀러갔다. 어느 날 나는 그곳에서 목욕을 하다가 당시 나로서는 알쏭달쏭한 이야기를 듣게 된다.

목욕탕을 청소도 하고, 원하는 손님의 등도 밀어주는 한 중년 남자가 있었는데, 그가 갑자기 내게 물었다.

"너는 언제 친아버지와 어머니가 계시는 곳으로 가니?"

나는 처음엔 언제 집으로 돌아가느냐는 소리로 들었다. 내가 갑작스런 그의 질문에 대답을 하지 못하고 우물쭈물 거리고 있자 그 남자는 목욕탕에 있는 다른 손님을 보고 마치 자랑이라도 하듯 말했다.

"이 아이의 부모가 누군지 아십니까?"

그러더니 이번에는 의아해하는 손님에게 목소리를 갑자기 낮춰 쑥덕였다. 여러 말 중에서 내 귀에 들어온 것은 '높은 관직', '유명한 화가'라는 말이었다. 나는 영문도 모른 채 듣고 있었지만, 아니라고 따져들지도 않았다. 그 말은 숙부나 숙모를 두고 하는 말은 아닌 것이 분명했다. 다른 사람들은 나를 신기한 듯 쳐다보는 눈치였다. 이상한 느낌이 들기는 했지만 별로 괘념치는 않았다. 농담이려니 생각도 했다. 누가 뭐래도 내게 아버지는 숙부였고 어머니는 숙모였다.

"진이야, 우리 내일은 전라도 광주에 계시는 큰아버지 댁으로 놀러 간다."

내가 8살이 된 어느 날 저녁식사 상을 앞에 두고 숙부가 한 말이었다. 나는 영문도 모르고 좋아했다. 나는 그게 어디가 되든 숙부를 따라나서는 일이라면 무조건 좋아했다.

"누구누구 가나요? 형들도 같이 가죠?"

"아니란다. 이번엔 우리 진이와 나, 단 둘이서만 가지."

"왜요?"

나는 그저 궁금해서 물었지만, 숙부는 좀 허둥댔다.

"음, 그냥."

"어머니도 안 가세요?"

"응, 나도 안 간다. 이 엄마는 집에서 할 일이 많아요."

숙모도 평소와는 좀 다른 데가 있었다. 왠지 안색이 좋지 않았고 금새 울고 난 듯 눈 주위가 불그스름했다. 숙부와 숙모는 이날 식사를 드는 둥 마는 둥 서둘러 끝냈다.

다음날 아침 일찍 숙부와 나는 집을 나섰다. 이런 경우 숙모는 보통 떠나는 모습까지 지켜보며 잘 다녀오라고 했다. 그런데 이날 따라 그녀는 보이지 않았다. 이른 아침 일을 떠났다고 숙부가 설명했다.

나는 그때가 숙부 집을 떠나 생부의 집으로 가는 것이라는 것을 알지 못했다. 내게 깊이 정을 주었던 숙모는 차마 나를 배웅할 수조차 없었던 것이다.

광주 큰아버지 댁에 도착하고 나니 오후가 되었다. 큰아버지는 직장에 나가 안 계셨다. 그런데 한 부인이 나와서 숙부와 인사를 나눴다. 어린 내 눈으로도 그 부인의 화려함을 느낄 수 있었다. 숙부는 잠시 다녀올 곳이 있다고 자리를 뜨셨다.

이런 모든 일들은 갑자기 내게 일어났다. 뭔가 이상하다는 느낌이 들었을 때 생면부지의 그 부인이 내게 말했다.

"김진이라고 했지? 너는 나를 잘 모르겠지만 나는 네 얘기를 많이 들었단다. 나는 네 어머니란다."

이건 또 무슨 말인가. 나는 그저 멍하니 서 있을 수밖에 없었다. 복잡한 생각이 머리를 가득 채웠다.

나는 평소 무슨 일에든 물어보는 것이 많았다. 그래서 질문박사라는 별명까지 얻고 있었다. 그런데 정작 모든 게 불확실하고 의문투성이인 이때는 단 한마디도 물어볼 수가 없었다. 다만 기억나는 말이 있었으니, 목욕탕에서 등 미는 중년남자에게서 들었던 것이었다. "이 아이의 어머니는 유명한 화가"라. 내 앞에 서있는 이 여인이 내 어머니라는 말인가. 어릴 적이었지만 내 생각에 그 여인이 화가 같지 않았다. 그저 눈물만 글썽이던 나는 울음을 터뜨리고 말았다. 그 여인은 내 우는 모습을 한동안 묵묵히 지켜보고만 있었다. 한참을 울고, 쉬었다가 또 울었다. 여인은 마치 내가 우는 것은 예정에라도 있는 듯 아무렇지도 않게 집안일을 했다.

마침내 내가 울음을 그쳤을 때 여인은 내게 다가왔다.

"이제 다 울었니?"

여인은 내게 최대한으로 인자한 모습을 보이려고 애쓰는 듯 싶었다. 아무 말도 않고 있는 나에게 그녀는 설명을 시작했다. 필경은, 내가 숙부 집에 맡겨진 사정과 그동안 집안에서 일어났던 일, 아버지와 어머니가 이혼한 일, 자신이 아버지와 결혼하게 된 일 등을 설명했을 터인데, 내게는 다 어리둥절하고 꿈꾸는 듯한 이야기였다. 다만 내 인생에 뭔가가 급격히 달라지고 있다는 직감만 확실했다.

저녁이 되어 아버지가 돌아왔다.

"그동안 진이 잘 지냈느냐?"

나는 그 말에 대답도 못한 채 다시 울먹이기 시작했다. 날이 어두워지자 숙부 댁 식구들이 그리워지고, 이 집에서 묵어야 한다고 생각하니 무서워지기 시작했다. 나는 돌아가겠다고 떼를 썼지만 소용없는 일이었다.

아버지는 내가 네 아버지라는 말을 하지 않았다. 조용히 나를 지켜보고 가끔씩 고개를 끄덕이며 괜찮다는 말만 되풀이했다. 나는 아버지를 여전히 큰아버지라고 부르고 있었고 아버지는 그 말에도 '오냐' 대답하셨다.

나는 며칠동안을 밥도 제대로 먹지 않은 채 울며 지냈다.

아버지는 그런 나를 측은하게 여겼다. 퇴근해서 돌아오면 아버지는 곧바로 새어머니에게 "진이가 오늘은 어땠냐"고 묻곤 했다. 새어머니의 대답은 언제나 작은 목소리여서 내가 알아듣기 힘들었지만 그 뒤로 이어 나오는 아버지의 목소리는 대개 같았다.

"시간이 지나면 나아지겠지. 너무 조바심을 내지 말고 잘 대해 주시오."

그 집엔 누나와 동생이 있었다. 사실인즉 나의 친누이, 친동생이었다.

이들은 내가 숙부 댁에서 자라는 동안 할머니 댁에서 자랐다. 숙부나 숙모와 함께 내가 할머니 댁을 방문할 때 가끔씩 만나기는 했지만 우리가 친남매 지간으로 공유한 것은 없었다. 어린 그때는 몰랐지만 참 서글픈 일이었다.

나보다 여섯 살 많았던 누이 나열은 그 이상으로 조숙했다. 감수성이 한참 예민했을 10대 소녀 때 아버지와 어머니의 불화 소용돌이를 그대로 지켜본 탓일까. 말수와 웃음이 적었다.

나열은 내가 친동생임도 알고 있었고, 왜 내가 이제에 와서 아버지 집으로 돌아오는 것인지도 알고 있었다. 그러나 그녀는 나에게 결코 그런 설명을 하지 않았는데, 그리해도 내가 이해하지 못할 것이라 짐작한 탓도 있었으리라.

나열은 조용하고 행동이 사려 깊은 편이었다. 집에 잘 적응하지 못하는 나를 도와주려고 애썼다. 그리하는 누이 덕에 나는 동래 숙부 댁에 대한 그리움을 서서히 엷게 하면서 새 생활에 적응하고 있었다.

새어머니의 이름은 신정숙이었다.

거창 출신으로 장안에서는 이름있는 기생이었다. 아버지에게 그녀를 소개한 사람은 바로 동래 고모였다. 고모는 어머니 나혜석과 끝까지 불화했다. 더구나 어머니가 여행에서 돌아와 근처 할머니댁에 살게 되면서 둘의 사이는 더 나빠졌다. 고모는 아버지가 어머니와 이혼하는데 거의 주동적 역할을 했다고 해도 과언이 아니었다.

이혼 후 아버지가 혼자 살게 되자 신정숙을 소개했고 두 사람의 결혼에 적극적이었다.

고모의 말대로라면 새어머니는 전통적 예의범절에 밝고 요리에 식견이 있는 사람이었다. 그러나 나는 그녀와의 관계가 항상 소원했다. 특별히 불편해진 계기가 있었던 것은 아니었지만, 평소 작은 목소리였던 그녀가 아버지에게 갑자기 언성을 높일 때면 여간 못마땅한 게 아니었다.

그녀는 걸핏하면 돈 얘기를 꺼내곤 했는데, 돈 얘기 뒤엔 빠지지 않고 어머니의 이름 나혜석이 거론됐다. "우리가 이렇게 넉넉하지 못한 것은 다 나혜석 그년의 탓"이란 말을 나는 여러 차례 들어야 했다.

나는 그때까지만 해도 생모의 이름이 나혜석인 줄을 몰랐다. 나중에 알게 되었는데, 아버지는 어머니가 잘 아는 사람을 위해 빚 보증을 섰다는 것이다. 그런데 그 사람이 사업 실패 후 도주하는 바람에 보증 섰던 빚을 아버지가 대신 갚는 중이었던 것이다. 그러니 아버지의 지위와 경제력을 보고 온 새어머니가 이 사실을 알고 가만히 있을 턱이 없었다.

새어머니가 그렇게 나혜석의 이름을 들먹이면 아버지는 "쓸데없는 소리"라며 더 이상 대꾸를 하지 않았다. 그래도 당분간 여자의 고성은 계속됐다. 그 옆방을 사용하고 있었던 나는 이런 날이면 공연히 불안해져 잠을 이루지 못했다. 동래 숙부 댁에 있을 때는 전혀 경험하지 못했던 일이었다.

그러더니 결국 아버지와 새어머니는 헤어지고 말았다. 아버지는 어머니와 헤어진 다음해인 1931년 신정숙과 결혼했으니, 7년을 그녀와 산 셈이었다. 두 사람 사이엔 자식이 없었다. 게다가 살아갈수록 생활과 사고에 차이점은 드러나고 있었다. 지식적 수준과 가치관도 크게 달랐다.

아버지는 어머니와의 이혼 상처를 그만한 세월에도 치유하지 못했다. 아버지는 더욱 말이 없어졌다. 만사를 귀찮아하는 사람 같았다.

입을 굳게 다문 채 직장에서 돌아오면 신문을 뒤적이다 이내 드러누워 눈을 감고 있는 날이 많았다. 학교에서 받아온 성적표를 내밀어도 그 내용을 건성으로 훑은 후 도장을 찍어 내게 다시 주었다. 공부를 잘했다, 못했다 도무지 언급이 없었다. 학교 등록금 통지서를 내놓으면 아무 말 없이 지갑을 열어 돈을 꺼내 내게 건넸다.

한번은 아버지 직장을 찾은 적이 있는데, 사무실에 들어가니 역시 비슷한 모습이었다. 두 발은 책상 위에 올려놓고 눈감고 계셨다. 직장에서조차 그러고 있는 아버지를 보자 나는 마음이 아팠다. 그리고 건강이 걱정되었다.

내가 인기척을 내자 아버지는 조용히 눈을 뜨고 나를 바라보고는 용무를 물었다. 반갑다는 기색도, 어쩐 일이냐고 궁금해하는 기색도 없었다. 학교에서 가져온 통신문을 내놓자 눈으로 주욱 읽더니 고개를 끄덕였다. 그러더니 다시 눈을 감고 팔짱을 끼었다.

훗날의 내 생각이지만 아버지의 그런 자포자기적 행동은 신정숙과 헤어진 것이 원인은 아니다. 신정숙과 사는 동안에도 떠나지 않는 나혜석에 대한 분노와 미련의 실체에 그는 고민하고 괴로워했을 것이다.

여전히 나혜석을 용서할 수 없다는 생각, 그러면서도 그가 뿜어낸 예술가적 향내와 인간적 매력에 대한 그리움 사이에서 괴롭게 갈등하는 자신을 잊어버리려는 듯, 달래려는 듯 눈을 감고 있었다.

4. 나는 나혜석이다

이혼한 후 어머니는 한동안은 동래 할머니 댁에 그대로 머물러 있었다. 아버지는 여전히 서울에 있고 어머니는 시댁에 있는 형국이니, 이혼하기 전이나 외견상 생활은 큰 차이가 없었던 셈이다.

어머니 나혜석은 여기에 희망을 걸었다. 이렇게 지내면서 아이들을 양육하고 시간을 두고 남편과의 관계도 회복할 요량이었다.

그러나 법적인 부부의 끈이 풀려진 두 사람의 간격은 당연히 더 벌어지기 시작했다. 아버지는 동래에 오는 일이 더욱 드물어졌고 "이혼하면 어떠냐. 나와 아이들과 같이 살면 되지"했던 할머니도 어머니를 대하는 게 아무래도 예전 같지는 않았다.

게다가 주변에서는 '이혼한 여자가 왜 시댁에서 사느냐', '며느리도 아닌 사람을 왜 두고 있느냐'는 등 당사자의 속내와 사정을 모르는 말들을 쉽게 내뱉고 있었다.

더구나 고모는 노골적으로 어머니를 멸시했다. 뿐만 아니라 기회가 될 때마다 할머니에게도 아들과 이혼한 여자가 어떻게 며느리냐고 따지고 들었다.

어머니는 자존심이 강한 사람이었다. 사회제도나 통념, 일반적 현상보다 자신의 생각과 그 자체의 가치를 더 중요시 여기는 사람이었다.

결과적으로는 이런 경향이 본인 자신을 파국으로 몰고 말았지만, 또한 그런 경향이야말로 자신을 버티게 하는 최후의 에너지와도 같았다.

볼 때마다 자존심을 뭉개는 시누이와 어머니는 자주 충돌했다. 그런 경우 절대적으로 불리한 사람은 어머니였다. 오히려 안 보이는 남편은 참아둘만 했다. 그러나 코앞에 살면서 걸핏하면 건너와 갖은 모욕을 다 주는 시누이를 견디기는 죽기보다 힘든 일이었다.

그런 와중에 어머니는 아버지가 서울에서 딴 살림을 차렸다는 소식을 들었다. 그 후 아버지가 동래에 내려왔을 때 어머니는 그 일로 따졌다.

"이혼할 때 약조한 것과 다르지 않습니까."

두 사람은 이를테면 조건부 이혼에 합의한 것이었다. 이혼 후 만 2년 동안 재가 또는 재취를 않기로 하고, 피차의 행동을 보아 복귀할 수 있기로 한 것이 그 내용이다. 이 조건은 물론 이혼을 하지 않으려고 애썼던 어머니의 요구에 의해 이뤄진 것이다.

"나는 2년 후에도 내 생각이 바뀔 것이라고 조금도 생각하지 않소. 그걸 뻔히 알면서 그 세월 동안을 혼자 지내는 건 어리석다고 생각했소."

실낱같은 한 가닥 걸침을 냉정하게 잘라내는 남편 앞에 어머니는 절망했다.

그 일 후에 어머니는 동래 할머니 댁을 떠나기로 마음먹었다. 그 결심을 알리자 할머니는 펄쩍 뛰면서 조금만 더 참으라며 어머니를 달랬지만 소용 없었다.

결국 집을 나서는 어머니에게 할머니는 4남매는 걱정하지 말라고 위로했다. 틈틈이 아이들을 보러 집에 오라고도 했다. 그러나 시댁을 나온 이혼녀가 다시 그 집을 찾는다는 것은 참으로 어려운 일이었다. 어머니는 아이들에 대한 그리움에 몇 차례 동래 할머니 댁 앞까지 왔었으나 미처 문을 두드리지 못하고 돌아가고 만다.

　나혜석은 봉천에 있는 오빠 나경석의 집으로 갔다.
　경석은 여동생 혜석을 유난히 아꼈던 사람이다. 여고를 졸업한 혜석을 두고 집에서 혼사가 계획되었을 때 경석은 아버지를 설득해 여동생을 일본 유학길에 오르게 했다. 그 또한 일본에 유학하던 중이었는데 혜석의 보호자 역할도 충실히 해냈다.
　혜석에게 김우영을 소개한 사람도 경석이었다.
　경석은 학업이 뛰어나고 착하고 순진한 김우영이 자신의 여동생을 행복하게 해줄만한 자격을 갖췄다고 생각했다. 그래서 두 사람의 결합을 누구보다도 기뻐했었다.
　그랬던 만큼 파경에 이른 두 사람을 보며 가슴아파했다.
　경석은 파경의 발단이 혜석에 있음을 알고 이를 못마땅하게 생각했으나 갈 곳이 없어 온 여동생을 따뜻하게 맞아주었다.
　"그래, 앞으로 어떻게 할 작정이냐?"
　"글쎄요. 아직은 아무런 생각이 없어요."
　"그렇다면 일단은 무조건 쉬거라. 그동안 너무 지쳤겠구나."
　"고마워요, 오빠."
　경석은 맥없이 방으로 들어가 문을 닫는 동생을 보면서 고개를 좌우로 저었다.
　얼마나 총기발랄하고 장래가 밝아 보이던 동생이었던가. 공부 잘했고 글

잘 썼고 그림에도 일각을 나타내지 않았던가. 외모도 매력적이어서 많은 남자들의 호감을 사던 자랑스런 동생이었는데…. 경석은 사람의 팔자가 그 사람의 재능이나 외모에 있지 않음을 뼈저리게 깨닫고 있었다.

나혜석은 이곳에서 피폐해졌던 심신을 추스렸다.

혜석의 삶은 마치 언덕 위에 서있던 수레를 미는 것과 같았다. 처음에는 스스로 밀고 당김이 본인의 의지대로 조종된 셈이었다. 또 그 일은 자신에게 주어진 특권이며 당연한 처사였다고 그녀는 생각했다.

그러나 어느 때인가 수레가 비탈길로 접어드는 순간부터 무섭게 구르기 시작했다. 혜석에게는 이를 멈추게 할 힘이 없었다. 아니, 내리막길로 들어선 수레 앞에서는 어느 누구도 속수무책이었다. 그 수레는 그를 몹시 다치게 한 후에야 평지에 달했다.

사실 어머니뿐 아니라, 아버지도, 우리 4남매도 크게 다쳤다. 다 부상자요 불구자 신세가 됐다.

오빠 집에 머물면서 혜석은 어느 정도 원기를 회복했다.

그녀는 지금까지 자신이 신문, 잡지 등에 기고했던 글과 소설, 시 등 작품을 하나도 빼놓지 않고 다시 읽는 기회를 이때 갖는다.

오래전에 자신이 썼던 글을 다시 꺼내 읽는 작업은 종종 신선감과 힘을 준다. 심혈을 기울이고 정직하려고 애썼던 글일수록 새삼스럽다.

그것은 어느새 잊고만, 열정적이며 다양한, 그러면서도 독특한 사고를 다시 입는 작업이었다. 더구나 혜석처럼 사회적으로 큰 반향을 일으킨 솔직한 글을 써댔던 사람에게는 더욱 그렇다.

아마 그는 자신이 과거에 썼던 글을 통해 헝클어진 자신의 삶을 재무장하고 자신의 뜻대로 사는 제2의 인생을 계획했을 것이다.

그 증거라도 대듯이 나혜석은 다음해에 열린 전국 미술대회 〈선전〉에서 '정원'이라는 작품으로 특선한다. 특히 〈선전〉은 나혜석이 한창 그림에 열중하던 젊은 시절에 수차례 특선한 대회였던 만큼 다시 복귀한 의미가 더 컸다.

시시때때로 그리워지는 아이들을 잊기 위해서도 혜석은 그림에 더욱 매달렸다.

오빠의 집에 조그맣게 두었던 화실에서는 신이 차지 않았다. 조선팔도에서 가장 아름답다는 금강산을 그리고 싶었다. 그녀는 자신이 소장하고 있던 그림을 팔고 오빠에게도 약간의 도움을 받아 금강산의 만상정으로 들어가게 된다. 이곳에서 무려 한달간을 머물면서 20여점의 그림을 완성했다.

얼마 안 있어 열린 미술대회 〈제전〉에 혜석은 '금강산 삼선암'이라는 작품을 제출했는데 입선작으로 꼽히게 된다. 권위 있는 미술대회에서 연거푸 수상한 후 혜석은 그림을 팔아 생활을 할 수 있을 정도가 됐다.

나혜석에게 화가로서의 절정기는 바로 이 시기가 아니었나 싶다. 이혼이 마음에 깊은 상처를 남겼지만 홀로서기로 화단에 이름 석자를 확실하게 새기는데 성공한 것이었다.

혜석은 〈제전〉 입선 후의 감상을 '삼천리'라는 잡지(1931년 11월)에 이렇게 적었다.

"하루 뒤, 일 년 뒤, 지나는 순간마다는 후회의 연속이었다. 그러나 그것이 하나가 된 큰 과거는 얼마나 느낌 있는 과거인가. 또 그 중에 마디마디를 멀리 있어 돌아다보니 얼마나 즐거웠던 때이었었나.

우리는 언제든지 우리 앞에 비추이는 현재의 환희로 살지 못함은 곧 가까운 과거를 현재로 만드는 까닭이었다. 그러므로 기실은 현재는 없어지고 만 것이다. 지나고 보니 이 같은 안전한 대로를 밟아온 것을, 그리하여 그 중도는 내게 없어서는 아니 될 것이 다 구비해 있고 그뿐 아니라 그때그때 전개해주는 생활이 다 나를 기쁘게 만든 것이요, 다 나를 진보시킨 것이었다. 그런데 왜 그때그때 과거에 있어서는 그다지 길이 좁았던고."

나는 어머니가 쓴 여러 글 중에서 이 글이 가장 마음에 남는다. 〈제전〉 입선 후의 감상으로만 읽기에는, 심오하기까지 한 철학적 내용을 담고 있다고 생각한다. 그리고 어머니의 글솜씨가 유감없이 발휘하는 것이기도 하다.

당시는 견디기 어려울 만큼 고통스러웠고 위태로웠던 과거의 일들이 지금와서 전체로 보니 내게 다 필요할 만 했다는 내용이나 현재를 즐겁고 행복하게 여기지 못하는 우리들의 문제는 현재가 아닌 과거를 살고 있기 때문이라는 지적, 지내보고 나니 위태롭고 험난하기만 했던 삶의 순간이 결국은 안전한 대로였다는 말에 어느 누가 공감하지 않을쏜가.

어쨌든 그런 글 속에 담겨진 나혜석의 마음은 단단하고 안정적으로 보인다. 마음뿐 아니라 생활 자체에서도 자신감을 찾아낸 듯 싶었다. 내친 김에 그녀는 일본으로 건너가 다시 미술공부를 하는 등 화가로의 길에 전부를 건다.

그런데 세상의 이치가 그러한가. 다 놓친 듯 싶었을 때는 뭔가 쥐어주더니, 뭔가를 쥐어보려고 하니 외면 당해 버린다. 나혜석의 케이스가 바로 그랬다.

〈선전〉특선, 〈제전〉입선 등 연속 수상으로 세상이 모두 주목했던 나혜석의 시대는 그 다음해부터 곧바로 저물기 시작했다. 1932년 〈선전〉에 출품했는데 무감사 입선에 그치고 말았다. 무감사 입선이란, 작품 평가보다 작가의 과거 수상경력이나 명망으로 주는 일종의 명예 수상이다. 그리고 작품에 대한 평이 좋지 못했다.

어머니 나혜석에게 부족한 점이 있다면, 나는 망설임 없이 절제를 꼽는다. 그녀에겐 뭐든지 마음에 생기는 것이나 사고하는 것을 터트리지 않고는 못 배기는 기질이 있다.

무감사 입선에다 작품에 대해 혹평을 받자, 그는 〈선전〉의 서양화 총평을 스스로 발표하고 〈선전〉자체를 평가절하 하는 글로 맞선다.

만일 나혜석이 이때 무감사 입선에 섭섭한 속내를 감수하고 차기의 기회를 별렀다면 그의 인생은 아마 크게 달라졌을 것이다. 그러나 하고픈 말을 다 내쏟은 나혜석은 화단의 이단아로 낙인찍히고, 결국 그 후에는 어느 미술대회에서도 수상하지 못하며 미술가로서의 활동도 차단당하게 된다.

따져보면 그의 삶 전체가 힘들었던 이유도 이런 절제 부족이 절대적이다.

설상가상이었다. 〈선전〉입선 실패 후, 이를 만회하려 금강산 해금강에 머물며 총력을 기울여 그렸던 작품 30여점을 놓아두었던 화실에 불이 나 거의 모든 작품이 재로 변하고 말았다. 나혜석은 이 그림을 그리는데 혼신을 기울였다. 그야말로 목숨을 걸고 몰두했다. 화가 나혜석의 예술 혼은 이 몇 달 동안 최고조에 달한 불꽃처럼 거침없이, 치열하게 타올랐다. 그런 만큼 그녀는 좋은 작품을 빚어냈을 것이다. 그러나 신은 그 작품이 세상에 나오는 것을 허락지 않았다. 재기의 날개를 푸드덕대며 어느 만큼 공중으로 치솟는 듯 싶었더니 그대로 추락하고 만다.

나혜석은 이 화재로 회복될 수 없는 상실감에 빠졌다. 차라리 이혼은 남편 김우영에 대한 원망과 자식에 대한 양육권 포기를 독하게 바닥에 깔고, 개인으로 혼자 서는 계기로 삼을 수 있었지만, 전력을 다한 작품의 전소는 그녀의 진과 혼을 빼 절망의 나락으로 밀어 넣었다.

　나혜석은 당장의 생계 유지를 위해 〈여자미술학사〉를 세워 미술 개인지도에 나서지만, 실패한 예술가에게 배움을 청하는 이는 드물었다.

　이제는 더 잃을 것도, 더 얻을 것도 없었다. 나혜석은 이때부터 미를 추구하는 예술을 포기한 듯 싶다. 대신 자신을 비롯한 사람들의 내면세계를 그대로 드러내는 글을 쓰기 시작했다. 어찌보면 당연한 외길 선택이었는지도 모른다.

　글은 독특한 경험일수록, 그리고 솔직할수록 폭발력을 갖는다. 1934년 8월에 나혜석이 발표한 '이혼 고백장'은 엄청난 사회적 논란을 불러 일으켰다.

　남편을 만나 연애하고 결혼하는 과정, 프랑스에서 최린과의 만남, 이혼에 이르기까지 자신이 겪었던 개인적인 생활과 심경을 있는 그대로 적었다. 그리고 당시 사회가 여성에게만 정조를 강요하는 불공평한 관념에 물들어 있다고 실랄히 비난했다.

　거의 동시에 최린을 '정조 유린죄'로 고소하고 손해배상청구 소송을 제기했다. 각 신문과 잡지는 이를 대서특필하고 이 일은 조선반도에 최대 화젯거리가 됐다.

　최린 측은 소송취하 조건으로 수천 원을 건넸다. 정확한 액수는 밝혀지지 않았으나 나혜석은 소송의 소기목적을 달성한 셈이었다.

그러나 이 일로 최대의 피해자가 된 이는 아버지 김우영이었다.

세간의 이목과 수근거림을 눈치채지 못할 어린 나이였지만 우리 4남매도 이때에 안은 상처를 일생동안 끌고 가야 했다.

어머니에게 아버지와 우리 4남매를 상처 주려는 의도는 분명히 없었을 것이다. 그러나 이런 파문을 고려해야 했고 식구를 배려해야 했고, 그래서 절제해야 했다. 그런데 불행히도 어머니는 절제를 인간적이지 못한 비겁함과 동일시하는, 성숙되지 못한 시각을 가졌다.

아니, 어쩌면 절제라는 덕목은 그나마 가진 자, 선택의 여지가 있는 자의 것인지도 모르겠다. 밀리고 밀려서 오기만 남은 똑똑한 신여성의 결단은 용기나 만용의 차원으로는 해석될 수 없을 터이다. 그리하지 않고는 도무지 억울해 살 수 없었던 필사의 몸부림은 아니었을까.

직계 식구들 뿐이 아니었다. 혜석을 아끼던 오빠 나경석을 비롯한 친정쪽 식구와 친지들도 이 사건으로 인해 망신스럽다며 더 이상 동생 보기를 거부했다. 시댁 쪽에서는 더 말할 나위 없었다.

5. 새는 밖으로 날고 싶어 운다

　어머니와 이혼 후 서울에서 변호사 개업을 하고 있던 아버지는 최린 고소 사건이 세상에 알려지면서 직격탄을 맞은 셈이었다. 그렇지 않아도 신통치 않았던 변호 수임은 완전히 끊겨버렸다. 법적으로는 이혼했으니 나혜석과 남이었으나 세상 사람들은 아버지를 나혜석의 남편으로만 볼 뿐이었다. 최린 고소의 발단이 된 파리에서의 사건 당시 아버지가 엄연한 나혜석의 남편이었던 사실은 분명했다. 또한 나혜석이 '삼천리'라는 잡지에 써대는 이혼 고백장엔 그의 이름이 수없이 거론됐다.

　아버지는 졸지에 세상 사람들의 수근거림과 반갑지 않는 관심의 눈길을 한 몸에 받게 된 처지였다. '마누라 하나 간수하지 못한 못난 남자'가 되어 버린 꼴이었다. 유부녀가 되어서 다른 남자와 로맨스를 가진 여자가 어찌 세상에 나혜석 하나 뿐일까. 그러나 나혜석은 세간 사람들의 화제와 관심의 중심에 서 있었다. 아버지 김우영은 속이 썩어 뭉개지고 있었다. 어떤 철없는 이들은 아버지를 위로한답시며 그의 앞에서 어머니 흉을 노골적으로 보기도 했다.

　김우영은 필요한 말 이상의 말은 피하는 성격이었다. 본인이 없는 자리에서 그의 말을 하는 것도 질색했다. 그는 아예 입을 다문 사람이 되었다. 말하기는 물론 사람들을 만나는 일도 꺼리기 시작했다. 변호사가 말을 않고 사람을 만나지 않는다면 더 이상 변호사가 아니었다.

당시 총독부에는 김우영이 일본 유학때 친분을 맺었던 일본인 친구가 요직에 있었다. 그는 진심으로 우영의 재능과 소신을 아끼고 지지하는 사람이었다. 우영이 변호사 사무실을 열고 고전할 때 수시로 들러 함께 염려하고 도울 일을 찾곤 했다. 그러다 그가 나혜석의 최린 고소사건의 와중에 휩싸여 자의반 타의반으로 변호사 일을 전혀 못하게 되자 관직에 다시 돌아오라고 권고했다. 미국 여행을 마치고 돌아올 때 다시는 일본이 지배하는 관청에서 일하지 않겠다고 결심했던 우영이었지만, 그에겐 그 길만이 열려있고 나머지는 다 막혀버린 셈이었다.

김우영은 1932년 다시 관직으로 들어갔다. 공무원으로서의 경험과 능력을 인정받은 그는 전라남도 이사관이 되어 광주로 이주했다.

그러나 새로운 직장이 우영에게 삶의 활기를 주지는 못했다. 호구지책, 그리고 사람에게는 그래도 뭔가 할 일이 있어야 하는 그런 수준이었다.

관청에서 김우영의 웃는 모습을 본 사람은 거의 없었다. 그의 업무 패턴은 널뛰기식이었다. 며칠은 넋 나간 사람처럼 아무 일 않고 자리에 앉아 생각에 잠겨있다간, 그 뒤 며칠은 무섭게 일에 매진했다. 일에 손대기 시작하면 아침 일찍부터 늦은 밤까지 몰두하였고 집에까지 일거리를 가져와 날밤을 새기도 했다.

아버지는 그곳에서 어느 정도 시간이 지난 후 그 동안 할머니 댁과 숙부 댁에 맡겨 길렀던 자식들을 불러 들였다. 맘 붙일 곳을 몰라 어쩔 줄 모르던 아버지는 자식들이라도 곁에 두면 좀 나을 것이라고 생각했는지도 모르겠

다. 그러나 병약했던 첫아들 선은 광주 아버지 집에 오지 못했다. 폐렴으로
목숨을 잃고 말았다.

아버지는 어머니와 헤어진 것에 대해 자식들에게 미안한 마음을 가지고
있었던 것 같다. 그래서 자식들이 원하는 웬만한 것은 다 들어주는 편이었
다. 크게 잘못한 일이 아니면 야단치는 법이 없었고 무언가 훈육을 할 때도
조용한 목소리로 친절하게 일러주었다.

남녀를 불문하고 자기 일은 자기가 책임져야 한다는 것이 평소의 가르침
이었다.

고등학교를 졸업할 무렵 아버지는 누나 나열에게 물었다. 집에 남아 있다
가 시집을 가겠느냐, 아니면 공부를 더 하겠느냐. 나열은 일본 유학을 가고
싶어했다. 당시 경제적 여유가 충분하지 못했지만 아버지는 나열을 일본에
보냈다.

이 일에 새어머니는 물론 반대였다. 나이가 찬 딸을 출가시키기는커녕 없
는 살림에 유학까지 보내다니. 그러나 아버지는 이 문제에 대해서만은 단호
했다. 아들이라고 더 가르치고, 딸이라고 덜 가르치는 것은 잘못이라고 생
각했다. 그전에 아버지는 남녀는 평등하다는 인식도 분명했던 듯 싶다. 어
머니 나혜석과의 만남부터 헤어짐까지를 들여다볼 때 더욱 그렇다. 어머니
의 의견을 무시한 경우는 거의 찾아볼 수가 없다. 속으로는 못마땅해도 크
게 그르지 않다고 생각되면 그 의견을 따르는 때가 많았다. 역설적으로, 그
렇기 때문에 아버지는 '이혼만이 방법' 이라는 생각에 도달했을 때 어머니의
애원을 두 번 다시 돌아보지 않고 외면했다고 생각할 수 있다.

일본관리로 일했지만 아버지는 민족주의적 사상이 분명했다. 중국 안동현에서 부영사를 지낼 때 독립 운동하는 사람들의 뒤를 많이 봐 주었듯이, 광주에서도 '계서'라는 조직을 만들어 조선의 고학생들을 후원해 주는 일을 했다.

계서는 광주지방을 중심으로 한 조선인 유지들의 친목단체를 표방하고 있었다. 아버지의 제안으로 시작된 이 단체는 약 30명의 회원이 있었다. 회원들 중에는 아버지가 일본유학 당시에 만난 사람도 있었고 의사, 변호사, 목사, 은행가, 사업가, 지주 등 다양한 사회 지도층 및 기득권층이 가입했다. 이들은 매월 한차례 모임을 가졌는데, 먹고 마시는 단순한 친목이 아니라 사회 전반적인 문제나 관심에 대해 강연을 듣고 토론하는 식이 주였다. 조선 독립을 대놓고 목표로 삼지는 않았으나 곧잘 민족주의 고양으로 끝을 맺는 적이 많았다. 그리고 모두들 경제적인 여유가 있는 이들이어서 매번 모일 때마다 일정액을 회비로 갹출했는데 이 돈으로 조선 고학생에게 장학금을 지급하기도 했다.

계서는 일본 경찰의 주목을 받았다. 그러나 결정적으로 적발해 낼 죄목이 마땅치 않았다. 회원 중에서 유일한 공무원이었던 아버지에게 경찰에서는 탈퇴를 종용했다. 그러나 아버지는 괘념치 않았다. 다른 회원들에게도 간접적인 압력이 많이 들어갔다. 그러나 계서 회원들은 친목단체임을 내세우며 계속 모임을 가져나갔다. 그러던 중 타지방에서 발생한 독립운동 사건을 빌미로 경찰은 계서 모임을 강제 해산했다.

역사적으로 남을 만한 사건의 주역은 아니었어도, 본인의 자리에서는 나름대로 최선을 다한 아버지가 단지 일본의 관리였다는 이유하나만으로 친일파로 분류되는 것에 나는 동의할 수 없다. 아들이 아버지의 공적을 들먹이는 것은 자칫하면 변명이나 자화자찬이 될 수 있겠다. 그러나 어머니 나혜석의 '신생활에 접어들면서'라는 회고나 의열단 사건으로 옥고를 치뤘던 유석현 전 광복회장의 증언, 송건호가 기록한 '의열단'은 아버지의 민족적 행동을 분명히 나타내고 있다. 또 아버지의 세 번째 부인이 된 양한나 여사는 철저한 기독교인이자 독립운동가였다. 그녀가 아버지를 친일로 여기지 않았음도 물론이다.

　나는 어릴 적부터 새를 유난히 좋아했다. 거리를 지나다가도 새소리가 나면 발을 멈춘다. 학교에서 집으로 오는 중간지점에 일본 노인이 경영하는 조류상점이 있었다. 나는 이곳의 단골이었다. 새는 한 마리도 사지 않았지만, 새를 무척 좋아하는 나를 노인은 귀엽게 본 듯 싶다. 어느 날에는 나를 데리고 새 사냥을 나갔다. 노인은 새를 산 채로 잡아 잘 훈련시켜 고객들에게 팔고 있었다.

　이날 나는 노인이 가르쳐준 요령대로 새를 몇 마리 잡게 되었다. 그것이 얼마나 큰 기쁨이었던지. 나는 노인에게 새장까지 얻어 신바람이 나서 집으로 왔다. 새장 안에 든 새를 바라보고, 그것들의 울음소리를 듣는 것이 얼마나 좋았는지 모른다.

　그런지 오래지 않았는데 하루는 아버지가 나를 불렀다.

　"진아, 너는 저 새들을 좋아하느냐."

　나는 아버지가 칭찬하는 줄 알고 큰소리로 그렇다고 대답했다.

　"그렇다면 저 새들을 새장에서 놓아주거라. 새들이 저렇게 안타깝게 우는 것은 새장 밖으로 나가고 싶기 때문이란다."

　나는 솔직히 그러고 싶지 않았다. 새들이 날아가면 나는 가까이 새를 구경할 수도 없고 그 울음소리도 들을 수 없다는 것을 알고 있기 때문이었다.

"네가 좋다고 새들을 가두고 있는 것은 별로 잘하는 일이 아니야."

할 수 없이 나는 새장 문을 열었다. 새들은 기다렸다는 듯이 공중으로 솟아 날아갔다. 서운했지만, 어쩐지 기분은 좋았다.

지금 와서 그 일을 기억하면 아버지의 말이 새삼스럽다. 새를 좋아하거든 새장에서 놓아주라는 말. 혹, 아버지가 어머니와 이혼을 고집한 것도 좋아하는 새를 놓아주기 위한 것은 아니었는지.

확인해 볼 길은 없다. 그리고 아내를 좋아하기 때문에 내놓을 남편은 세상 어디에도 없을 것이다. 그러나 10년을 함께 살면서 아버지로서는 감당하기 어려운 여자임을 실감했을 터였다. 역설적으로 그래서 좋아했고 결혼한 것도 사실이다.

논리적이고 이성적이었던 아버지는 곰곰이 오랫동안 생각했을 것이다. '나와는 너무 다르다. 다른 것은 고쳐질 수 있는 것이 아니다. 이대로 가면 모두가 어려워진다.'

6. 새어머니

나혜석과 헤어진 아버지는 다음으로 만난 신정숙과의 관계가 원만치 못했다. 그녀는 장안의 유명한 기생이었다. 사치스럽고 강한 성격의 소유자였다. 어릴 때였지만 내가 본 두 사람의 결혼 생활은 늘 서먹해 보였다. 나혜석의 경우는 아버지가 집요하게 좋아해 결혼한 반면, 신정숙은 거꾸로 그녀가 아버지를 좋아한 경우였다. 그러나 신정숙은 막상 결혼 후 아버지에 대해 몹시 실망한 듯 하다. 두 사람의 가치기준이나 사고의 방식은 별로 같은 것이 없었다.

내가 14세가 되던 어느 날, 새어머니는 자신이 집에 들어올 때 데리고 왔던 식모와 함께 집을 떠났다. 나는 당시만 해도 두 사람이 여행을 떠난 줄로 알고 있었다.

집안 일을 맡았던 두 사람이 떠나자 아버지와 우리 두 형제는 불편을 겪을 수밖에 없었다. 나열 누나라도 집에 있었으면 한결 나았으련만 그녀는 일본에 유학 중이었다. 그렇지만 나는 생활에 불편은 있었어도 마음은 편했다. 일곱 살 때 숙부 집을 떠나 광주 집에 처음 왔을 때부터 새어머니와의 관계가 줄곧 소원했기 때문이다.

새어머니가 특별히 내게 잘못한 것이 있어서는 아니었다. 오히려 그녀는 어머니로서 자식에게 해야할 일에 철저한 편이었다. 그러나 좀처럼 웃지 않는 무표정한 모습은 어린 나를 항상 긴장시켰다. 한번도 따뜻하게 안아주지 않는 계모 앞에 나는 한번도 투정을 부리지 않는 모범 아들이었던 셈이다.

우리 삼부자의 생활이 그리 길지는 않았다. 주변에서는 또 아버지에게 새 장가 들 것을 종용하기 시작했다. 마침 그때 나는 코에 종기가 돋아 수술을 받기로 되어 있었다. 며칠간 입원도 해야하는 처지가 되었는데, 아버지는 나를 친척이 많은 부산으로 보내 수술을 받도록 했다. 부산에는 아버지와 가까운 친구가 의사개업을 하고 있었다.

광주에서 송정리, 대전을 거쳐 기차를 갈아타고 부산까지 가는 혼자만의 길이 다소 외롭고 우울했지만, 병원 원장선생님은 나를 따뜻하게 맞아 주었다. 며칠 입원해 있는 동안 숙모, 고모 등 친척들이 자주 방문오셨다. 오는 사람마다 나를 반가워했다. 나는 그때가 얼마나 좋았는지 모르겠다. 마치 다른 세상에라도 온 듯했다.

퇴원할 무렵쯤이었는데, 고모가 나를 어리둥절하게 하는 소식을 전했다. 네 새어머니를 구했다는 말이었다. 나는 당황스러웠다. 새어머니를 구하다니? 그때까지만 해도 아버지의 이혼 사실을 몰랐다. 나는 궁금한 게 많았다. 그러나 고모는 불쑥 그 한마디만 던진 채 병실을 나갔다.

부산에서 광주 집으로 돌아오는 장시간에 나는 여러 생각에 잠겼다. 아무도 일러주지 않았지만, 아버지가 그동안 살던 새어머니와 헤어졌다는 사실을 알아챘다. 그래서 그녀가 떠날 때의 표정이 한갓 더 차디찼던 것을 기억해냈다. 또 다른 새어머니가 온다는 말은 반갑지 않았다.

'밥 해주고 빨래 해주는 새어머니가 없어도, 우리 식구끼리 사니까 편하고 좋았었는데…',

'나를 낳았다는 생모가 있다고 들었는데 그분은 어디에 계신가.'

갑자기 나는 생모에 대한 생각에 빠져들고 있었다.

왜 아버지는 어머니와 헤어지게 되었을까. 오래전 동래 목욕탕에서 들었던 말도 생각났다. 나의 어머니는 유명한 화가라고 하는데 도대체 어떤 사람일까. 궁금증은 꼬리에 꼬리를 물고 일어났지만, 내가 아는 것은 아무 것도 없었다. 그렇다고 누구를 붙잡고 물어볼 수도 없는 노릇이었다.

광주에 돌아온 뒤 보름쯤 되었을까. 학교에서 돌아오니 웬 낯선 여인이 나를 맞아주었다. 신식 옷차림의 여인은 선이 굵고 시원시원한 인상이었다. 미모는 아니지만 웃는 모습이 밝았다. 내 가방을 받아 마루에 올려놓고는 나를 그 자리에 앉으라고 하였다. 내 얼굴을 유심히 쳐다보더니 손으로 내 머리를 쓰다듬었다.

"진이는 아버지를 많이 닮았구나. 참 똑똑하게 생겼네."

나는 얼떨떨했다.

"누구세요?"

여인은 대답을 않고서 부엌으로 들어가더니 접시에 케이크를 한 조각 내왔다.

"이것 먹으렴. 네 아버지와 내가 결혼한 것을 기념하는 케이크란다."

그 여인의 이름은 양한나였다. 나는 부산에서 고모로부터 새어머니를 구했다는 말을 들었던 차라 그리 놀라지는 않았다. 그러나 궁금한 게 많았다.

55

어떻게 아버지와 만나게 되었는지, 전에 집을 나간 새어머니와는 아는 사이인지, 나의 생모에 대해서는 알고 있는지 등등. 그렇지만 나는 그런 질문은 함부로 하는 것이 아니라는 것을 알만한 나이였다.

우리집은 도청의 과장급 이상 관리들이 사는 관사 지대에 있었다. 이곳에 집은 제법 여러 채 있었지만 인적은 비교적 드문 편이었다. 살림을 위한 관사라 하더라도 길에서 서로 만나면 직장에서의 상하계급이 그대로 적용되다보니, 관리들은 일단 집에 들어오면 좀처럼 밖에 나가지 않는 편이었다. 그건 식구들도 마찬가지였다.

그런데 우리집 앞은 예외였다. 바로 옆에 당구장이 있었다. 도청의 업무가 끝나는 시각 조금후면 당구장이 붐비기 시작했다. 대부분의 당구장 손님은 도청에서 일하는 일본인들이었다. 집에 있으면 딱 딱, 낮게 들려오는 당구알 부딪히는 소리를 들을 수 있었다. 조금은 둔탁하고 불규칙하게 들려오는 그 소리가 싫지는 않은 편이었다.

학교에서 돌아오면 우리집은 언제나 조용했다. 아버지는 본래 말이 없는 사람이었고 나와 내 동생도 극성스럽게 뛰어다니는 그런 사내아이들이 아니었다. 그러다보니 어느새 나는 나직히 들려오는 당구알 소리에 익숙해져 있었다.

그런가 하면 우리집으로 들려오는 또 다른 소리도 있었다. 뒷문 건너편에 위치한 체육관에서 들리는 소리였다. 체육관에서는 검도와 유도를 가르치고 있었다. 수련생들이 지르는 기합소리, 죽도 부딪히는 소리, 마루바닥으로 쓰러지는 소리 등등. 별로 듣기 좋지는 않았다. 특히 사람마다 제각각 독특하게 질러대는 기합소리는 더 그랬다. 다행히 체육관은 내 방에서 제법 떨어진 곳이어서 그런 소음들이 아득했고 당구장 소리처럼 자주도 아니었다.

그런데 새어머니 양한나가 들어오고 나서는 또 다른 소리가 추가됐다.

"천부여 의지 없어서 손들고 옵니다. 주 나를 박대하시면 나 어디가리까 …."

독실한 기독교 신자인 그녀의 찬송가 소리였다. 그야말로 하나님 아버지에게 의지하고 사는 듯 했다. 식사 전에 꼭 기도하는 것은 물론이고 저녁이면 식구들을 불러모아 가정예배를 보곤 했다. 나와 내 동생에게는 가정예배가 곤욕스럽긴 했지만 예배 후에는 어김없이 나오는 맛있는 간식이 있어 꾹 참고 있었다.

아버지는 가정예배를 잘 받아들였다. 새어머니만큼은 아니지만 아버지도 독실한 기독교 신자였다. 역시 독실한 기독교 신자였던 할머니 밑에서 자라나 성경도 많이 읽었고 찬송가도 부를 줄 알았다.

새어머니는 낮에 혼자 있을 때도 틈만 나면 낮은 목소리로 성경을 읽고 찬송가를 부르곤 했다. 그러다 당구장에서 당구알 부딪히는 소리가 나기 시작하면 그녀는 목소리를 높였다. 어린 내가 보기에도 그건 의도적이었다. 그녀는 목청이 매우 좋은 편이었다. 여자의 소프라노 높은 음으로 크게 부르는 찬송가가 당구치는 일본인들에게 좋게 들릴 리 만무했다. 그것도 한두 곡으로 끝나는 게 아니었다. 새어머니는 아예 찬송가 책을 들고 한 페이지씩 넘겨가며 부르고 있었다.

한번은 참다못한 한 일본인이 집에 왔다. 내심은 그렇지 않았겠지만 그는 한껏 예의를 갖추고 새어머니에게 찬송가를 부르지 말거나 작게 부를 것을 요청했다. 새어머니도 그를 웃으며 맞았다. 그러나 "찬송가 소리나 당구장 소리나 피차 마찬가지다. 당구를 살살 칠 수 있겠느냐"는 답변에 그는 얼굴만 벌게 가지고 돌아갔다. 더 이상 항의할 수도 없었다. 싫든 좋든 그들은 찬송가 소리를 들으면서 당구를 칠 수 밖에 없었다. 새어머니가 그렇게 뻗댈 수 있었던 것은 아버지의 직위가 도청 내에서도 높은 축에 속했기 때문이기도 하다.

하루는 집에 백인 선교사가 찾아왔다. 오스트레일리아 출신으로 마산에 미션학교를 설립한 사람이었다. 그의 한국 성은 신씨였고 새어머니는 그를 신교장이라고 불렀다. 두 사람은 오랜 친분이 있는 사이었다. 선교사는 수일을 우리 집에 머물게 되었는데, 그 사이 새어머니는 근처 여러 사람들을 모아 몇 차례 떠들썩하게 예배를 보았다. 지금으로 치자면 부흥회를 한 셈이었다. 조선인들의 집회에 일본 당국은 신경을 곤두세울 때였다. 형사 여럿이 집에 들락거렸으나 새어머니는 아랑곳도 하지 않았다.

새어머니는 나를 기독교 신자로 만들려고 애썼다. 주기도문 또는 성경구절을 암기하면 대가로 용돈을 줬다. 그녀는 내게 무슨 일이든지 하나님의 은혜요 사랑이라고 말했다. 우리가 이렇게 밥 먹는 것도 잠자는 것도 다 감사해야 한다는 것이다. 그럴 때마다 나는 고개를 끄덕였지만 정말 그렇게 생각되지는 않았다. 더구나 하나님을 아버지라고 하는데 이해하기 힘들었다. 어떤 때는 따져 묻고 싶었지만 그랬다가는 야단만 맞을 것 같아 참았다.

집에서 가정예배를 볼 때 기도 순서는 언제나 새어머니 몫이었다. 가끔씩 새어머니는 나나 아버지에게도 기도를 해보라고 권했지만 우리는 그럴 때마다 못한다고 사양했다. 그녀의 기도는 지루할 정도로 길었다. 지루한 것은 그래도 괜찮았다. 새어머니는 기도할 때마다 "하나님께서 중국의 장개석 주석과 부인 송미령 여사를 도와주시고 그들이 하는 일을 축복해주시길 원한다"고 했다. 장개석 주석은 일본에게 있어 최대의 적이었다. 나는 세상물정을 잘 모르는 어린 나이였지만 그런 기도는 일제하에서 용납되지 않는다는 것쯤은 알고 있었다.

그런데 아버지는 거기에 대해 아무런 말이 없었다. 나는 마치 내가 무엇을 잘못한 장본인인양 불안해했다. 후에 알게된 사실인데, 양한나는 한때 중국에서 독립운동을 활발하게 했었고 당시 송미령과 교분이 있었다.

7. 병원비와 꿀통

　내가 열세 살이 되던 해 겨울 날씨는 몹시 변덕스러웠다. 눈이 오는가 하면 그 다음날엔 해가 나서 길에 쌓인 눈을 녹였다. 며칠간 봄날처럼 따뜻하더니 진눈깨비가 쏟아져 내렸다. 그런 다음에는 매섭게 추위가 들이닥쳤다.

　나는 며칠 전부터 방학이었다. 할 일이 없어 집에서 빈둥대던 중이었다. 같은 반 친구 이혁수가 찾아왔다.

　혁수는 내가 부산에서 광주로 옮겨와 처음 전학했을 때부터 나에게 호의적이었다. 나는 처음 전학 왔을 때 급우들에게 따돌림을 당하고 있었다. 거의 모두가 전라도 토박이인 학교에서 느닷없이 나타나 경상도 사투리를 쓰는 내가 받는 냉대란 어찌보면 당연했다.

　게다가 나는 일반인들의 주택지와는 구별된 도청 관사에 살고 있어 더욱 아이들과 친구하기가 어려웠다. 그런데 유독 혁수는 나에게 친절했다. 반에서 제일 덩치가 컸던 혁수가 봐주는 덕택에 더 이상의 곤란은 당하지 않았다. 자연히 나와 혁수는 단짝 친구가 됐다. 그만한 또래에서의 단짝친구는 거의 세상에서 가장 가까운 존재였다.

반색을 하던 나는 곧 웃음을 거둬야했다. 혁수의 눈가에 울음자국이 완연했기 때문이다.

"무슨 일이야?"

혁수는 나를 보자 다시 눈시울이 벌겋게 달아올랐다.

"어머니가 아프셔. 많이 아프셔. 어쩌면 돌아가실지도 모르겠어."

"뭐라구? 어디가 아프신데?"

나는 깜짝 놀랐다. 혁수 어머니는 건강하고 강해 보이던 분이었기 때문이다. 도저히 그 분이 아프시다는 것은 상상이 가지 않았다. 게다가 돌아가실지도 모른다니, 이게 도대체 무슨 말인가.

"벌써 며칠 째야. 일도 못 나가시고 아무 것도 잡수시지도 못해. 종일 누워서 신음만 하고 계셔. 몸은 불덩이처럼 뜨겁고. 진이야, 어떡해야 하니."

"병원에 모시고 갔었어?"

혁수는 고개를 가로 저었다. 그러더니 고개를 떨구었다.

"어머니가 안 가시겠대."

"그게 무슨 말이야? 그렇게 많이 편찮으시다면서."

그러나 나는 곧 알아차렸다. 돈 걱정 때문이었다.

혁수네 집은 학교에서 아주 가까운 거리에 있었다. 나는 그 친구를 안 지 얼마 지나지 않아서부터 그의 집을 자주 갔다. 가난하게 살고 있었다. 집도 조그마했다. 대문을 열고 들어서면 바로 몇 발자국 앞 정면에 집이 있었다. 한두 평이나 될까말까하는 마루를 중앙에 두고 왼쪽으로 안방, 오른쪽으로 건넌방이 전부였다. 혁수는 건넌방을 남자 동생과 함께 쓰고 있었고 안방은 혁수의 어머니와 누나 차지였다. 두 방의 크기는 엇비슷했는데, 그처럼 작은 방에서 혁수처럼 큰 덩치가 역시 덩치가 만만치 않은 동생과 함께 잘 수 있다는 것이 신기하게 느껴졌었다. 그래서 두 번짼가 그의 집에 놀러 갔을 때는 건넌방에서 혁수와 함께 누워 본 적도 있었다. 그래도 보기보다는 달랐다. 혁수와 나 사이를 충분히 떼어놓고도 벽과 내 몸 사이는 두 뼘이나 남았다. 그렇다고 하더라도 그 집에 비하면 우리 집은 열 배 이상 컸던 것 같다.

혁수는 아버지가 없었다. 4살 때 돌아가셨다고 했다. 혁수 어머니는 그때부터 3남매를 혼자 기르고 있었다. 이들 남매가 모두 두 살 터울이었다. 남편을 잃고 여섯 살, 네 살, 두 살 짜리까지 떠맡은 여자가 궁핍함에서 벗어날 방법은 없었다.

혁수는 자신이 열 살이 될 때까지 굶기를 밥 먹듯이 했다고 했다. 자기뿐 아니라 누나와 동생도 마찬가지. 어머니가 아무리 열심히 일해도 밥 한끼 배불리 먹을 수 없었다는 것이다. 그래도 지금은 그때보다 많이 형편이 좋아졌다고 했다. 먹고 싶은 것을 먹지는 못하지만 배곯는 일은 없다고 말했다.

그렇다고 하더라도 내가 혁수집에 가서 번번히 저녁을 먹는 일은 염치없는 일이었다. 나는 그의 집에서 십여 차례 저녁을 얻어 먹은 후에야 내가 그 집에 부담이 된다는 것을 알아챘다. 어느 날인가 밥 더 달라고 떼쓰는 동생을 혁수가 쥐어박았던 것이다. 급기야는 동생이 울음보를 터뜨리며 나에게 항의했고, 나는 미안하고 창피한 마음에 숟갈을 놓고 그 집을 나와야 했다. 뒷전으로는 동생을 나무라는 혁수의 큰소리가 들렸고, 그의 누나와 어머니가 형제의 싸움에 끼어 들 때쯤 나는 이미 대문 밖으로 몇 번 큰 걸음을 내딛고 있었다. 그 뒤로 나는 혁수 집에 갈 수가 없었다.

그래도 나는 그 집이 참 부러웠다. 그들은 조그만 집에서 소리치고 부대끼고 지지고 볶을 망정 서로의 사이엔 담 같은 것이 없었다. 거기에 비하면 우리 집은 썰렁하기 짝이 없었다. 내가 외롭다는 생각을 하기 시작한 것은 이즈음이었다.

한번은 혁수의 생일이었다. 평소보다 반찬 한가지 더, 떡 몇 조각 더 오른 상, 그 상 건너편에 앉아 아들을 바라보고 머리를 쓰다듬던 그 어머니의 미소 띤 얼굴을 나는 잊지 못했다. 나는 그날 밤, 한동안 잊었던 어머니를 기억해냈다. 그때만큼 내가 친어머니가 함께 살았으면 좋겠다는 생각을 간절히 했던 때는 없었다. 나는 그동안 생일상을 한번도 받아보지 못했었다. 두 새어머니는 내 생일을 알지도, 묻지도 않았다.

나는 친한 친구 어머니가 몹시 아프다고 하는데, 엉뚱하게 혁수 생일 때를 기억해내고 있었다.

"혁수야, 나랑 같이 너네 집에 가자."

나는 혁수의 반응을 기다리지도 않고 앞장섰다. 마치 혁수의 부탁이라도 받은 양 빠른 걸음을 내딛었다. 혁수도 워낙 겨를이 없었던지 아무 말 않고 나를 따라오고 있었다. 그 큰 덩치가 눈물을 훔치며 따라오니 왠지 나는 뭔가 큰 일을 하고 있다는 느낌이었다.

그러나 내가 혁수네 집을 간다고 해서 사실 달라질 것은 없었다. 아들이 간청을 해도 병원행을 거절하는 어머니가 아들 친구의 권유를 받아들일 일도 아니었다. 그래도 나는 혁수 어머니를 봐야 한다고 생각했다. 무슨 근거가 있는 것도 아닌데 내가 혁수 어머니를 병원에 입원시킬 의무가 있다고 느끼고 있었다. 혁수 집 앞에 도착해서야 나는 비로소 주춤거렸다. 너덧 걸음 뒤에서 따라오던 혁수를 앞장 세웠다.

혁수 어머니의 얼굴은 반쪽이 되어 있었다. 그렇지 않아도 컸던 눈이 움푹 파여 마치 얼굴에 눈만 간신히 남은 듯 했다. 처음에는 나를 알아보지 못하는 듯 싶었다. 눈만 껌벅이며 아무런 표정이 없었다. 참 많이 아픈 듯 싶었다. 그러더니 조금씩 나를 알아보는 듯 싶다가 급기야는 아주 엷게 웃음이 스쳤다. 혁수 어머니는 말하기를 몹시 힘들어했다.

나는 그날 혁수 어머니에게 무슨 말을 했는지 기억나지 않는다. 아마 나는 병원에 가셔야 한다고 말했을 것이다. 혁수 어머니는 고개를 가로 저었다. 나는 몇 차례 더 권했을 것이고, 혁수 어머니는 여전히 고개를 저었을 것이다. 다른 기억은 다 희미하다. 이런 것 같기도, 저런 것 같기도 한데, 분명한 것이 하나 있다. 내가 그 어렵다면 어려울 자리를 고통스럽게 생각하지 않았다는 것이다. 그것은 참 이상한 느낌이었다. 어렸던 나이였지만 나는 그 설명할 수 없는 특이한 경험을 오래 마음에 두게 되었다. 그 뒤 한참 세월이 지나서야 내 나름대로 그에 대한 이해를 한 움큼 쥔 듯 했다.

언젠가 내 딸 아이의 생일파티가 집에서 열렸을 때였다. 십여 명의 친구들이 초대됐었다. 두시간에 걸친 파티가 잘 끝나고 아이들은 데리러 온 부모를 따라 집으로 돌아갔다. 그런데 유독 한 아이만 늦게까지 우리 집에 남게 되었다. 그런 일은 참 드문 경우였다. 그렇다고 딸아이나 아내에게 물을 수도 없는 상황이었다. 그럼에도 불구하고 아이의 얼굴에는 우리 집에 늦게까지 머무는 것을 좋아하는 표정이 역력했다.

식구와 함께 저녁밥까지 먹은 후 아이는 자기 집으로 돌아갔고 나는 기다렸다는 듯이 아내에게 그 아이에 대해 물었다. 아이가 어릴 때 부모가 이혼했다고 했다. 그 뒤 그 아이는 아버지가 양육했는데 2년쯤 전 아버지가 재혼했다는 것이다. 그날 딸아이의 생일은 열두 번째, 그러니까 한국식으로는 열세 번째였다. 그 아이에게서 30여년전 혁수 집을 내 집보다 따뜻하게 느꼈던 내 모습을 보았다. 문득 그 아이가 불쌍했다. 내 딸에겐 세대를 넘어선 부러움이 새삼 일었다.

나는 혁수 어머니를 만나고 온 그날 저녁, 마치 그의 병세에 대한 책임이 아버지에게 있기라도 한 듯이 말했다.

"혁수 어머니가 많이 아프세요. 아버지가 입원시켜 주세요."

아버지는 어리둥절해 하셨다. 나의 말투나 내용이 도무지 평소의 나답지 않았기 때문이다.

"그게 무슨 소리냐?"

나는 낮에 혁수가 찾아왔던 일, 내가 혁수 집에 갔던 일, 그의 어머니가 말을 못할 정도로 아프다는 것, 그래도 돈이 없어 병원을 찾지 못하고 있다는 것 등등을 황급하게 말했다. 그리고 끝에는 '아버지가 도와주시지 않으면 혁수 어머니는 죽을지도 모른다'고까지 덧붙였다.

"무슨 병을 앓고 계시더냐?"

아들의 협박 아닌 협박에도 아버지는 평소와 같이 낮은 톤의 목소리였다. 나는 병명을 모르고 있었다. 그럴 수밖에 없었다.

"무슨 병인지는 모르겠는데요, 정말 많이 아프세요. 의사가 진찰을 해야 무슨 병인지 알 수 있잖아요. 가난해서 진찰도 못 받았어요. 아버지가 입원시켜 주세요."

지난번 코 종기수술로 병원에 입원했던 경험이 있는 나는 입원만 하면 모든 병이든 깨끗이 낫는다고 믿고 있었다. 아버지는 한참 나를 쳐다보더니 고개를 보일 듯 말 듯 끄덕거렸다. 그래도 뭔가 이상하다는 눈치였다. 그럼에도 아버지는 병원을 알아보겠다고 말씀하셨다. 다음날 점심때쯤 되어서 아버지는 집에 오셨다. 광주향리병원에 말을 해두었으니 그곳에 가서 진찰을 받고 입원을 하면 된다고 했다. 나는 단숨에 혁수 집으로 달려갔다.

혁수 어머니는 꼬박 이레를 병원에 입원했다. 퇴원 후에도 여러 차례 통원 치료를 받아야 했지만 뚜렷한 회복세를 거듭했다. 나는 거의 매일 혁수 집을 찾았다. 핑계는 혁수 어머니 병세를 살피기 위한 것이었지만 사실은 혁수 집에서 시간을 보내는 그 자체를 좋아했기 때문이었다. 그러던 어느 날 혁수 어머니는 우리 집에 오겠다고 말했다. 너무 큰 신세를 졌는데 그동안 염치없이 인사도 못했다는 것이다.

내가 그 말을 전해드렸을 때 아버지는 극구 사양했다.

"절대 오실 필요 없다고 말씀 드리거라. 건강을 되찾으셨으면 그걸로 인사를 대신한 셈이니까 일부러 오실 이유는 없다. 아버지가 펄쩍 뛰시더라고 꼭 전하거라."

나도 왠지 혁수 어머니가 집에 오는 것이 썩 내키지는 않았다. 그래서 나는 아버지의 사양을 충실하고 확실하게 전한 편이었다. 그러나 혁수 어머니는 그래도 사람의 도리가 그렇지 않다며 그로부터 며칠쯤 지났을 때 기어코 집을 찾아왔다. 일요일 오전이었다.

아버지는 예기치 못한 아낙네의 방문에 적잖이 당황했다. 혁수와 함께 온 그는 손에 크지도 작지도 않은 보따리를 하나 쥐고 있었다. 마침 새어머니는 집에 없었던 터여서 아버지는 혁수 어머니를 들어오시라는 말도 못한 채 쩔쩔 맸다. 혁수와 나는 저만큼 떨어져 이런 모습을 지켜보고 있었다. 혁수 어머니는 몇 차례 머리를 크게 조아렸고 덩달아 아버지도 고개를 숙였다. 혁수 어머니가 보따리를 내밀자 아버지는 손사래를 치며 뒤로 물러나셨고, 몇 차례 비슷한 상황이 벌어지는가 싶더니 혁수 어머니는 보따리를 바닥에 내려놓고 한 차례 더 머리를 조아린 후 빠른 걸음으로 뒤돌아 나갔다.

혁수 어머니가 가져온 선물은 새어머니가 돌아온 후 개봉됐다. 아버지는 여전히 찜찜해 하시면서 진이를 시켜 도로 돌려주면 어떠냐고 말했지만, 너무 성의를 무시하는 것도 예의가 아니라며 새어머니는 선물 보자기를 끌렀다. 마치 장독처럼 생긴 우유빛 자기그릇이었는데, 그 안에는 꿀이 들어있었다. 꿀은 매우 귀한 것이었다. 아버지는 가난한 집에 공연히 부담이 됐다며 또 한 차례 난처해했다.

신나는 건 나였다. 틈만 나면 찬장의 가장 높은 칸에 둔 꿀통을 내렸다. 꿀통으로 깊숙이 찔러 넣은 숟가락을 빼내 입안에 넣으면 아리도록 단 꿀맛이 온몸을 황홀하게 했다. 꿀통 속에서 숟가락을 빼고 나면 어느새 그 자국은 메꾸어졌기 때문에 나는 새어머니가 우리의 행각을 감쪽같이 모르고 있을 것이라고 생각했다. 그렇다고 꿀을 우리만 먹었던 것은 아니었다. 새어머니는 가끔씩 꿀물을 타서 아버지에게 드리곤 했었다. 어쩌다 꿀물은 우리에게도 차례가 돌아왔지만 원액을 맛 본 이상 싱겁기 짝이 없었다.

아무튼 그럭저럭 우리 식구들은 그 꿀통을 즐긴 편이었다. 그 통 안에 꿀이 절반 이상은 아직 남아 있던 어느 날, 전혀 생각지도 않게 꿀통과 관련한 사건이 벌어졌다.

　겨울답지 않게 포근한 오후였다. 방학의 중간쯤에 와 있는 나는 그날도 방
에서 별로 하는 일 없이 무료하게 시간을 보내고 있었다.
　느닷없이 '꽝' 하며 대문이 세게 열리는 소리가 들렸다.
　"세상에 별꼴을 다 보겠네. 은혜를 몰라도 유분수지, 이럴 수가 있어?"
　새어머니의 목소리였다. 보통 때도 큰 편이었던 목소리가 서너 배는 더 커
져있었다. 나는 화들짝 놀랐다. 당시 집에는 아무도 없었고 조용했기 때문
에 새어머니의 목소리는 그대로 나를 향한 것처럼 들렸다. 나는 벌떡 일어
나 방문을 열고 밖으로 나갔다.
　그런데 새어머니는 어느새 부엌문을 열어젖히고 무언가를 찾는가 싶더니
금새 꿀통을 들고 나왔다. 나는 또 한번 놀랐다. 도대체 무슨 영문인지 몰랐
다.
　"진이야, 너 나와 함께 혁수네 집으로 가자."
　새어머니의 얼굴은 벌겋게 달아올라 있었다. 나는 그녀의 화난 얼굴 앞에
왜 그러냐고 묻지도 못했다. 우물쭈물, 엉거주춤하자 새어머니는 다시 한번
재촉을 했다.
　"앞장서거라. 내가 가서 혁수 엄마를 만나야겠다. 도대체 그 여자가... 무
슨 그런 여자가 다 있냐? 은혜를 그런 식으로 갚는 사람이 어딨냐?"
　나는 갑자기 멍해졌다. 뭐가 잘못되어도 대단히 잘못된 느낌이 들었다. 심
장까지 두근거리고 있었다. 그러나 앞장서서 혁수네 집으로 가는 길 밖에는
아무 것도 내가 할 수 있는 일이 없었다. 힐끔 뒤돌아보면 새어머니는 기다
렸다는 듯이 손을 쳐들어 나를 더 재촉했다.

혁수 집이 보이는 골목길에 들어서자 나는 얼른 손으로 가르켰다.

"저기 저 집인데요."

그러자 그녀는 걸음이 더욱 빨라졌다. 이제는 내가 따라가는 형국이었다. 집 앞에 다다른 새어머니는 한숨 고르는 듯 싶더니 이내 대문을 밀고 들어갔다. 나도 황급히 뒤따라 들어갔다. 마침 혁수 어머니는 마당에서 뭔가를 하던 중이었다. 그는 느닷없이 문을 밀고 들어온 우리를 보고 다소 놀란 듯 했지만 곧 일어나서 인사를 했다. 나도 혁수 어머니에게 머리를 숙였다. 혁수 어머니가 연유를 묻듯 쳐다보자 장승처럼 서있던 새어머니가 입을 열었다.

"혁수 어머니, 이러실 수 있는 겁니까?"

"예? 무슨 말씀인지…."

"정말 몰라서 묻는 겁니까."

혁수 어머니는 나와 마찬가지로 새어머니가 왜 그러는지 정말 영문을 모르는 듯 했다.

"병원에다 돈을 내셨다면서요."

"예? 아, 예. 지난번에는 정말 감사했습니다."

"내가 지금 감사하다는 얘기 들으러 온 줄 압니까. 도대체 혁수 어머니가 왜 병원비를 내셨습니까. 진이 아버지가 다 처리해 놓은 병원비를 왜 뒤늦게 가서 내셨냐구요."

나는 아직도 무슨 말인지 잘 이해가 되지 않았다. 지난번 혁수 어머니의 입원건과 관련이 있는 것은 확실했다. 내가 아버지에게 부탁을 해서 혁수 어머니는 입원이 가능했고 그 뒤 완쾌됐다. 나는 모든 일이 다 잘 되고 모든 사람이 다 만족하는 줄 알았다. 그리고 혁수 어머니는 병원비를 낼 형편이

못되어 아버지가 도움을 준 것으로만 알고 있었다. 그런데 지금 새어머니는 혁수 어머니에게 왜 병원비를 냈느냐고 따지고 있지 않은가.

"너무 큰 신세를 졌습니다. 제가 형편이 되어 제 병원비를 낸 것입니다. 너무 섭섭하게 생각하지 마세요."

처음에는 머뭇거리며 당황하던 혁수 어머니였지만 평정을 찾아가는 듯 했다. 그러나 새어머니는 점점 언성이 높아지고 있었다.

"뭐라구요? 그렇게 병원비를 내고 싶었으면 처음부터 낼 일이지 뒤늦게 뭡니까. 좋아요, 내는 것까지도 좋아요. 그런데 왜 그런 말을 해요. 뭐요? 친일파의 도움을 받을 수는 없다구요? 죽어가는 사람 살려줬더니 그렇게 말해도 되는 거요?"

"아닙니다. 내가 그렇게 말하지는 않았습니다."

"그러면 우리 함께 향리병원에 갑시다. 혁수 엄마가 뭐라고 얘기했는지 들은 사람이 있으니까 직접 들어봅시다. 갑시다. 지금 당장 갑시다."

새어머니는 정말 혁수 어머니를 끌고 갈 기세였다.

"절대로 내 입으로 친일파라는 말을 하지는 않았습니다."

"그러면 뭐라고 했습니까."

새어머니의 목소리는 격앙되어 있었다. 혁수 어머니는 잠시 말이 없더니 뭔가 포기한 듯 담담한 표정으로 입을 열었다.

"치료비를 내려고 병원에 갔었습니다. 그런데 원장선생께서 받지를 않더군요. 진이 아버님에게 평소 신세를 지고 있었는데 이렇게 갚을 기회가 생겨 오히려 고맙다고 말씀하셨습니다. 그래도 제가 치료비를 내야한다고 강력하게 말했습니다. 원장선생께서는 저를 설득하려고 했습니다. 아무리 신세지는 것이 부담스럽다고 해도 그 분의 성의가 있는 것이니 참으라고 말입니다. 그래도 제가 버티자 원장선생은 진이 아버님이 얼마나 높은 관직에 있는 줄 아느냐, 그 분에게 잘못 보이면 큰일난다고 했습니다.

제 잘못이라면, 그 말을 그대로 삭히지 못한 것입니다. 나도 모르게 불쑥, 나는 일본에 충성하는 사람에게 잘 보일 일도 없고 더구나 도움을 받기는 더 싫다고 말했습니다."

"그게 친일파라고 말한 게 아니고 뭐예요."

"친일파는 일본을 위해 물불을 안 가리는 사람이라고 나는 생각합니다. 일본에 이익이 된다면 조선사람의 불이익은 얼마든지 괜찮다고 생각하는 사람이 친일파입니다. 나는 그런 생각에, 진이 아버지를 친일파라고 하지는 않습니다.

내가 만일 그렇게 생각했다면, 내 자식이 진이와 가깝게 지내는 걸 보지 않았을 겁니다. 나는 진이 아버지를 참 좋은 분이라고 생각해왔고 또 지금도 그렇게 생각합니다. 다만…."

혁수 어머니는 거기서 망설이더니 말문을 거뒀다.

"다만 뭡니까. 하던 말을 마저 해보세요."

"아닙니다. 그만 하겠습니다."

"좋은 분이라고 생각했다면서, 왜 안 받겠다는 치료비를 굳이 내는 겁니까. 도대체 이 살림에 그 돈이 얼만데."

"진이 어머님, 저희 이렇게 어렵게 살아도 그 돈 낼 수 있습니다. 친정오빠가 도와줘서 크게 빚지지 않고 해결했습니다. 너무 염려 않으셔도 됩니다."

"아까 하던 말 마저 해요. 다만 뭡니까. 좋은 분인데, 다만 뭐냐구요."

혁수 어머니는 새어머니를 한참 쳐다보더니 입을 뗐다.

"말씀드리죠. 다만 그곳에서 일하실 수 밖에 없는가에 대해 저는 안타깝게 생각하고 있었습니다. 한편으로는 이해를 하면서도 그랬습니다."

"이보시오, 혁수 어머니. 혼자서 그렇게 독야청청 하는 체 마십시오. 나도 한때는 만주에서 목숨 걸고 독립운동을 했던 사람이요. 일본의 일자만 들어도 혈기가 일었소. 그런데 독립운동을 하면 할수록, 이런 방식으로는 독립이 불가능하다는 생각만 깊어졌소.

만주에서의 독립운동은 계란으로 바위깨기와 똑같아요. 그곳에서 독립운동을 하는 사람들이 고생하는 건 이루 말할 수가 없어요. 그런데 그렇게 고생하는데 비해 얻는 건 정말 없었소. 정말 조국의 독립을 우리는 목표로 하고 있는지, 아니면 독립운동을 위한 독립운동인지 항상 갈등했소.

나는 대한제국이 독립하려면 하나님의 도우심 밖에는 없다고 믿게 됐소. 그리고 성과없는 피곤한 독립운동보다는 우리나라에 돌아와 살면서 하나님을 전도하고 독립을 위해 더욱 기도하는 것이 낫다고 판단했소. 진이 아버지도 조국의 독립을 원하는 사람이요. 나와 함께 하는 기도 제목도 독립이요. 그가 관청에서 일하는 것은 호구지책일 뿐, 일본에 대한 충성도 아니요, 친일은 더욱이 아니요."

혁수 어머니는 잠자코 새어머니 양한나씨의 말을 듣고 있었다. 새어머니의 목소리는 거의 보통 크기로 작아지고 있었다.

"아무튼 죄송하게 됐습니다. 병원비 문제는 이제 크게 탓하지 말아주십시오."

새어머니는 그제서야 쥐고 있던 꿀통을 생각난 듯 들어 보였다.

"이 꿀통을 반납합니다. 우리도 이걸 받을 수 없습니다. 그동안 이런 난리도 모르고 꿀을 고맙다고 받아먹었으니 우리가 바보 천칩니다."

"아닙니다. 이건 정말 성의입니다. 정말 감사한 마음으로 갖다 드린 겁니다. 이걸 다시 가져오시면 저는 어떡합니까. 절대 되돌려 받을 수 없습니다. 다시 가지고 가세요."

"혁수 엄마, 당신만 자존심 있고 우리는 자존심도 없는 줄 아시오? 우리가 혁수 엄마를 도와준 것은 아무 것도 없소. 괜히 왜 꿀을 받아 먹어요? 우리가 무슨 거지새끼도 아니고."

"양여사님, 제발 이러지 마세요. 제 뜻을 아시지 않습니까. 누가 저를 도와줬어도 저는 치료비를 제가 냈을 겁니다. 먼저 치료를 받게 해주신 것만 해도 큰 도움이었습니다. 만일 그때 치료를 받지 않았으면 저는 지금쯤 이세상 사람이 아닐지도 모릅니다. 순전한 감사의 뜻이니 거두어 주십시오."

"이 사람이 아프고 나더니 정신이 이상해졌나, 진짜 엉터리네. 이 통을 놓고 갈 때도 제멋대로 했다더니, 해결해놓은 병원비도 제멋대로 내고, 이번엔 자기가 가져다준 통을 돌려준다고 하는데 제멋대로 안 받겠다네."

새어머니는 꿀통을 땅바닥에 둔탁하게 내려놓았다. 혁수 어머니가 다시 꿀통을 들려고 하자 손을 탁 쳤다.

"더 이상 얘기할 거 없습니다. 우리는 이 집에 은혜를 끼친 것도 없고, 여기선 또 신세를 진 것도 없어요. 야, 진이야. 집으로 가자. 이 청정한 곳, 우리 같은 사람들은 올 곳이 못된단다."

새어머니는 앞장서 혁수네 집을 나섰다.

줄곧 새어머니와 혁수 어머니의 언쟁을 지켜듣고 있었던 나는 혁수네 집을 떠나 우리 집에 올 때까지 아무런 생각을 할 수 없었다. 내 머리 속엔 갑자기 불분명하면서 아주 큰 것들이 들어와 자리 잡은 듯했다. 많은 것들이 혼동됐다. 그리고 서글퍼졌다.

혁수네 집으로 갈 때보다 돌아오는 새어머니의 발걸음은 한결 무거웠다. 얼굴에는 아직 노가 가라앉지 않고 있었으나 아까와는 또 다른 얼굴이었다. 굳게 다물었던 새어머니의 입이 떨어진 건 집 앞에 다 와서다.

"진이야, 오늘 혁수네 집에서 있었던 일을 아버지에게는 말씀드리지 말거라."

나는 그 말을 듣는 순간 눈물이 팽 돌았다. 내가 잘못해 아버지에게 해가 됐다는 죄책감이 엄습했다. 내 방에 들어서자 고였던 눈물이 흘러내렸고 나는 영문 모를 서러움에 소리 죽여 한참을 울었다.

우선은 혁수 어머니가 야속했다. 나는 그녀를 새어머니보다 더 가깝게 생각하고 있었다. 그 집에 간 어떤 때는 친구의 어머니가 내 어머니였으면 좋겠다고 생각했다. 그렇다고 혁수 어머니가 내게 무얼 그리 잘 대해준 것도 아니었다. 자식의 친구니까 그에 걸맞게 했으리라. 그러고 보면 내가 혁수 어머니를 짝사랑한 셈이었다. 아마 나는, 그녀에게서 나는 생모의 냄새에 빠져든 모양이었다. 사실 그것은 혁수만 맡을 만한 것이었는데.

아버지가 일본 관직에 있는 것을 혁수 어머니가 문제 삼은 것은 내게 큰 충격이었다. 그제껏 나는 아버지의 직업에 대해 내심 자랑스럽게 생각하고 있었다. 그런데 친일이라니. 혁수 어머니는 자신이 한 말이 아니라고 했지만 새어머니는 분명히 그 말을 병원 원장에게서 들었다고 했다. 나는 모든 사람들이 아버지를 좋아한다고 생각했었다. 왜냐면 아버지를 만나는 사람마다 그에게 공손하게 인사했고 아버지 또한 그들을 돕는 일을 주저하지 않았기 때문이었다. 그런데 그게 전부가 아니었다. 더구나 혁수 어머니는 아버지의 도움을 되돌렸다.

이 일은 내게 아버지의 직업에 대해 생각하게 하는 첫 계기가 됐다. 그렇다고 대단한 갈등은 아니었다. 친일이니, 반일이니, 독립운동이니 하는 일들에 대해 제대로 생각을 정리하기엔 내 나이가 매우 이른 편이었다. 그저 친일은 나쁜 것이고 반일이나 독립운동은 좋은 일이라는 판단은 이미 있는 편이었거니와, 다만 꿈에도 연결치 못했던 아버지와 친일은, 나는 부정할지언정 다른 이들은 꼭 나와 같지 않을 수 있다는 자각이 든 것이다.

병원비 사건 이후 새어머니 양한나에 대해 나의 생각이 바뀐 것도 큰 변화였다. 그 이전에 나는 새어머니를 막연하게 예수쟁이라고만 보았는데 한때 목숨까지 내놓은 독립운동가였다는 사실을 알아챈 것이다. 특히 혁수 어머니와 만났을 때 자기 경험을 털어놓으며 거의 꾸지람에 가깝게 말하던 모습은 두고두고 인상적이었다.

그리고 병원비 사건을 아버지에게는 비밀로 한 것도 아버지에 대한 배려로 보였다. 혁수 어머니에게서 병원비를 받은 병원 원장은 이래저래 곤란한 입장이었는데, 새어머니가 아버지에게 말하지 말라고 당부하니 큰짐을 벗은 격이었다.

이 사건이 있은 뒤 며칠동안 새어머니의 심기가 편치 않은 것을 나는 느낄 수 있었지만 아버지는 다행히 모르는 듯 했다. 나도 며칠은 몹시 심각했지만 곧 평소의 나로 돌아왔다.

그 일로 혁수와는 소원해졌다. 그 뒤로는 그의 집에 가지도 않았고 개학 후 학교에서 만나도 모른 척 하게 됐다. 혁수는 내게 미안한 눈치였지만, 그렇다고 정식으로 사과를 한 일도 없었다. 지금 생각해보면 터무니없지만 나는 당시 혁수가 내게 잘못을 빌어야 한다고 생각하고 있었다.

그 다음해인 1940년 아버지가 대전으로 전근하면서 우리 집도 이사를 하게 되는데, 그때까지 나는 혁수와 말 한마디 나누지 않았다.

8. 내가 네 어미다

대전에서의 생활은 광주에서보다 많이 단조로왔다. 아버지는 새로운 부임지에 대해서도 별로 흥미를 보이지 않았다. 광주 관청에서 이사관이었던 아버지는 대전 관청에서는 참여관으로 승진됐다. 충청남도 산업부장을 보직으로 맡았다. 그래도 그는 덤덤해 했다.

새어머니는 대전에서도 기독교 전도에 몰입했다. 그녀는 아버지가 대전으로 부임하게 된 것을 하나님의 뜻으로 해석했고, 거기엔 자신의 선교적 사명이 있다고 믿고 있었다. 아닌게 아니라 새어머니에게 대전은 새 전도대상 지역이었다. 광주에서는 주변에 아는 사람들에게 전도할 만큼 했던 차였다.

나는 대전중학교 2학년에 편입됐다. 다시 외톨이 신세가 됐다. 워낙 성격이 사교적이지 못하기도 했지만, 광주에서 가장 친했던 친구 혁수와 서운하게 된 일도 영향이 컸다. 아버지의 관직을 못마땅하게 여기는 사람들이 있다는 사실의 충격이 아직도 남아있었다. 나는 일부러 친구들과 사귀는 일을 피하고 있었던 셈이다. 말없이 조용히 교실에 앉아 있다가 수업이 끝나면 곧장 집으로 오곤 했다. 서너 명쯤의 급우들이 내게 호감을 보이고 친절을 베풀었지만, 나는 마지못해 반응을 보이는 정도였다.

대전에서도 우리 식구들은 관사에 살게 되었다. 광주 집에 비하면 집 자체는 작은 규모였지만 구조는 더 현대식이었다. 식구들이 사용하는 현관과 손님을 맞을 수 있는 현관이 따로 있었다. 응접실과 서가가 아담했고 집 뒤로는 제법 구색을 갖춘 채소밭이 정원을 대신했다. 방이 모두 4개였다. 아버지와 새어머니가 가장 큰 방, 그 다음에 큰 방을 내가 차지했다. 대문 쪽으로 가까운 방에는 가사일을 돕는, 열여덟, 아홉 정도의 처녀가 하나 살게 되었다. 또 집 담장 안쪽으로 뺑 돌려 제법 키가 큰 포플러 나무들이 서있다. 아침과 저녁으로는 새들이 깃들었고, 지저귀는 소리도 적당히 듣기 좋았다.

대전으로 이사하고 세 달을 막 넘겼을 때 일본으로 유학 갔던 나열 누나가 돌아왔다.

미리 보내온 편지로 귀국 날짜를 알고 있었던 아버지는 나를 데리고 누나가 도착하는 날 부산으로 향했다. 나는 누나를 만난다는 기대보다는 내심 부산에 있는 숙부와 숙모를 만날 수 있을지 모른다는 기대가 더 컸다. 그러나 내 속내를 빤히 들여다본 듯 아버지는 다른 관청 업무가 있어서 숙부집에는 들를 시간이 없다고 말했다. 그건 참 이상하면서도 창피한 일이었다. 도대체 내가 숙부집에 가자는 얘기를 하지도 않았는데 아버지는 어떻게 내 속셈을 알았는지 불가사의했고 궁리를 들켜버린 나는 얼굴이 벌개질 정도였다.

사실 나는 광주에서부터 아버지에게 숙부집에 가 살고 싶다고 말하곤 했다. 솔직한 심정이었다. 내가 외로운 존재라는 것을 느끼면 느낄수록, 나를 친자식처럼 다정다감하게 대해주었던 숙부와 숙모를 그리워했다. 아버지는 가타부타 말하지 않았지만 나를 숙부집에 한번도 보내지 않은 것으로 미루어 내 요구를 별로 달갑게 여기지 않았던 것은 틀림없었다. 그렇더라도 부산까지 내려오는 길에 잠깐도 들르지 못한다니 실망이 이만저만이 아니었다.

배에서 내려 부두 안쪽으로 걸어들어 오던 나열은 아버지와 내가 손을 흔드는 모습을 보자 환하게 웃으며 뛰어왔다. 일본에 간지 3년 만이었다. 평소 표정의 변화가 없는 아버지의 얼굴에 반가운 기색이 역력했다. 나열 누이는 3년만에 어른이 다되어 있었다.

"아버님, 그동안 안녕하셨어요? 진이 너도 잘 지냈어?"

"오냐, 그동안 수고 많았다. 너도 건강하게 지냈느냐?"

"예, 아버님. 은혜 덕분에 공부 잘 하다 왔습니다. 고맙습니다, 아버님."

나열은 예절바른 딸이었다. 특히 아버지에 대한 그녀의 공손함은 각별했다. 일본에서 공부한 뒤에도 변함없었다.

"잘 왔다. 그래 공부가 힘들지는 않더냐?"

"처음에는 조금 그랬읍니다만, 거기 생활에 적응하면서는 괜찮았습니다. 아버님은 새로 옮기신 대전 관청에서 일하시기가 어떠세요?"

나열은 우리가 이사한 일을 알고 있었다. 아버지와 한 달에 한번씩 나누는 편지를 통해 들었던 모양이다.

"나는 괜찮다. 일이라는 게 어딜 가든지 뭐 크게 변할 게 있느냐."

"예, 이사하시느라 고생하진 않으셨어요?"

"다 잘됐다. 이사가 번거롭기는 하다마는 고생이랄 것까지는 없지. 나열아, 고모 댁에 들러 인사는 올리고 집으로 가자."

오랜만에 찾는 동래 고모의 집은 그대로였다. 예고없이 찾아온 우리들을 맞은 고모는 반가워 어쩔 줄을 몰랐다. 그러면서도 도대체 아무것도 내놓을 것이 없다며 연락없이 온 것을 탓하기도 했다. 고모가 서둘러 저녁식사 준비를 하려고 하자 아버지가 가로 막았다. 바로 올라갈까 하다가 나중에라도 아시면 섭섭해 할까봐 잠깐 들렀다고 말했다. 고모는 얼마만에 왔는데 바로 가겠다는 것이냐고 역정을 내셨지만, 아버지는 출장을 겸해 왔기 때문에 곧바로 가야한다며 나열과 나를 앞세우고 집을 나섰다.

"누님, 다시 오겠습니다. 서두르지 않으면 오늘 올라가기 어렵습니다. 내일은 아침 일찍 출근해야 되구요. 넉넉하게 시간을 내서 곧 한번 오겠습니다."

고모는 섭섭한 표정이 역력했다.

"고모님, 건강하시죠? 저희 또 올께요. 그때는 와서 오래 있다가 갈께요."

나열이 다시 한번 고모를 위로했다.

"너는 그래 공부는 제대로 한거여?"

고모는 이제서야 나열에게 일본 갔다온 안부를 묻는 셈이었다.

"예, 고모님. 공부 끝내고 온 거예요."

"그럼 이제 뭐 할건데?"

"글쎄요, 이제 뭐 할 일을 찾아 봐야죠. 생각 같아서는 학교에서 가르치는 일을 하고 싶은데, 그런 자리가 쉽게 나타날는지 모르겠어요."

"시집은 언제 갈꺼야?"

"아휴, 고모는… 제 나이가 몇인데 벌써 시집가요?"

"나이? 얘가 지금 무슨 소리야. 너, 시집가는 거 때 놓치면 이 고모처럼 된다. 네 할머니는 너만 했을 때 네 아버지를 낳았다. 네 어미도 일본 유학 갔다가 와서 곧바로 결혼했지 않았냐? 여자란 값이 한참 올랐을 때 남자를 만나는 게 최고다."

잠자코 앞서 가던 아버지가 걸음을 멈추었다. 서너 걸음쯤 뒤에서 아버지를 따라가던 우리들도 거의 동시에 걸음을 멈췄다. 천천히 뒤로 돌아선 아버지의 얼굴은 어느새 화난 표정이었다. 우린 영문을 몰랐다.

"누님."

아버지의 목소리는 격앙되고 거칠었다.

"도대체, 지금 무슨 얘기를 하고 있는 겁니까?"

고모가 놀란 토끼눈이 됐다.

"아니, 얘가 왜 이렇게 소리를 질러? 누가 무슨 얘기를 했다고…. 네가 보기엔 나열이 지금 한창 아니겠냐? 얼마나 예쁘냐, 지금. 또 유학까지 갔다온 인텔리 여성이고. 시집만 가려고 하면 남자들이 줄을 늘어서지 않겠어? 내가 무슨 틀린 말 했어?"

"나열이는 아직 어려요. 시집을 보낼 생각이 없습니다."

"너 유학 갔다가 돌아와서 나혜석이랑 결혼하겠다고 어머니에게 조르던 때가 엊그제 같다. 그때 생각하면 이른 것도 아니야. 너에게 좋은 혼처가 얼마나 많았냐? 그것 다 마다하고 나혜석에게 눈이 멀어 가지고선…. "

고모는 앞뒤를 재지 않고 생각나는 대로 말하고 있었다. 혼인을 아직 염두에 두지 않는다는 조카도, 나혜석에 빠져 결혼을 서둘더니 결국은 파경을 맞고만 동생도 안타까운 대상이었다. 아버지의 일그러지는 얼굴을 보고서 고모는 주춤했다.

"하기야 네 딸이니까 네가 알아서 해야지."

우리 네 명은 난처하고 어색한 분위기에 빠지고 말았다. 누군가 이야기를 더 붙일 수도, 정리해 둘 수도 없었다. 모두가 알만 한 이야기에, 느끼는 감정이 각각 다른 것인데, 서로 드러낼 수도 없고 못 본 척 지나칠 수도 없는, 참 당혹한 순간이었다.

정작 그런 분위기에 원인을 제공한 고모는 잘 가라는 말만 짧게 남기고 발걸음을 돌렸다. 나열 누나와 나는 엉거주춤 안녕히 계시라는 인사를 했고, 곧 아버지는 시간이 없다며 우리에게 갈 길을 재촉했다.

우리가 역에 도달했을 때 열차 출발시각까지는 꽤 시간이 남아있었다. 우리 남매를 맞은 편에 두고 앉은 아버지는 눈만 감은 채 아무 말이 없었다. 아버지 눈치를 살피며 주눅 들어 있는 내가 안됐는지 나열은 말을 걸어왔다.

"너는 학교 생활이 어떠니?"

"으응, 잘 지내고 있어."

"새학교로 옮긴지 얼마 되지 않았지? 공부가 힘들지는 않니?"

"괜찮아."

"새친구들도 많이 사귀고?"

"응? 으응."

"우리집 이사한다고 했을 때 네 친구들이 많이 섭섭해했겠다. 너랑 친했던 애, 걔 이름이 뭐더라… 아 혁수, 그래 혁수. 걔는 특히 더 그랬겠다. 너한테 늘 잘하던 친구 아니냐."

느닷없는 혁수 얘기에 나는 정신이 번쩍 들었다. 아닌게 아니라 나는 혁수를 잊고 있었던 터였다. 혁수에 대한 괘씸한 생각이 또 일어났다. 나열은 그것도 모르고 혁수네 안부를 계속 물었다.

"내가 일본에 갈 때만 해도 혁수네 집은 정말 어려웠는데, 지금은 좀 피었니?"

나는 누나에게 자초지종을 고하고 싶었지만 꾹 참고 있었다. 앞에 아버지만 없었더라면 나는 혁수네와 관련해서 일어난 일을 얘기할 수 있을 것 같았다.

"지금도 그 집은 그저 그래. 누나, 일본에 갔던 얘기 좀 해 주라."

나는 서둘러서 혁수 얘기에서 빠져나오고 싶었다.

"음, 일본 얘기? 글쎄 어디서부터 해야할지 모르겠는데, 음 한마디로 말하면, 우리나라보다 많이 개화되어 있더라. 공부할 것도 많았구. 일본사람들 생각도 우리 조선사람들보다 앞선다는 느낌을 받았지."

"조선사람이라고 일본사람들이 차별하지는 않았어?"

"그러는 사람도 있지만 친절한 사람도 많았어. 내가 볼 땐 조선에 있는 일본사람보다 일본에 있는 일본사람들이 더 나은 것 같더라. 그리고 공부한 사람일수록 공평해서 일본의 조선합방을 못마땅하게 생각하기도 하고."

나열은 일본에서의 유학생활을 매우 보람있어 하는 듯 보였다. 이런 저런 말끝에는 나한테도 유학을 권하기도 했다.

아버지는 팔짱을 낀 채 눈을 감고 있었지만, 우리 이야기를 다 듣고 계신 듯 싶었다. 기차에 올라서도 우리는 역에서 기다릴 때와 똑같은 배열로 앉게 되었는데, 그 중간에 창가가 있어 여전히 눈감고 계신 아버지만을 바라보지 않아도 된다는 것이 다행이었다.

마치 살아있음을 알리듯 요란한 기적소리를 두 번 올린 기차는 서서히 미끄러지기 시작했다. 창가에 붙어 앉은 나는 뒷편에서 나타나 앞쪽으로 아득하게 멀어지는 풍경을 신기하게 바라보고 있었다. 먼저는 역 플랫폼이 빨려들 듯이 나타나 사라지더니, 집들이 그러했고 전봇대도 튕겨지 듯 나타나 점점 키를 낮추다가 없어졌다. 철로 변에 서서 지나는 기차를 구경하는 사람들도 심심치 않게 나타났다가 덜컹덜컹 낮은 진동소리와 함께 새까맣게 멀어져갔다. 그들은 가만히 서 있는데 쑥쑥 멀어져 가는 게 신기했다. 철로 변의 사람들은 한결같이 손을 흔들어댔는데 그건 마치 그들이 떠나는 인사처럼 보였다.

 기차 창 밖에 한참 넋이 나가 있던 내가 제정신을 차린 것은 아버지와 나열 누나의 목소리 때문이었다. 어느 틈인지 두 사람은 얘기를 나누고 있었다. 나는 비로소 고개를 돌려 두 사람을 바라보았는데 두 사람 모두 힐끔 쳐다볼 뿐 내게 관심을 두지 않았다. 나 역시 두 사람의 대화에 낄 처지가 아니므로 다시 눈길을 창 밖에 두었다. 그래도 두 사람의 대화는 어느새 밝아진 내 귓속으로 들어오기 시작했다.
 "일본이 우리 조선보다 개화됐다고 보았느냐?"
 "예, 아버님. 제 눈에는 그렇게 보였습니다."
 "잘 봤다. 일본은 우리보다 수십년 먼저 서양문물을 받아들였다. 그들은 바다로 나가는 것이 주업이어서인지 몰라도 새로운 현상에 대한 호기심이 많은 사람들이다. 서양문물을 받았을 뿐 아니라 자기들에 맞춰 개조하는 작업도 일삼았다. 내가 일본에서 공부할 때도 너와 똑같은 생각을 했었다. 새로운 것에 대한 받고 물리침이 일본과 조선의 차이를 결국 이만큼 만든 것이다."
 "저도 그렇게 생각합니다. 일본의 식자층 중에서도 비슷하게 생각하는 이들이 많이 있었습니다. 그들은 지금이라도 조선이 개화되어야 한다고 말했습니다. 개화되지 않고는 세계적 흐름에 따를 수도 없고, 일본의 속국 신세에서도 벗어나지 못한다고들 했습니다."
 "다른 조선의 유학생들도 너와 같은 생각이더냐?"
 "대부분이 그러합니다."

"앞으로 조선의 장래는 너희처럼 외국에서 세상의 변화를 느끼며 공부를 하고 돌아온 사람들에게 달릴 것이다."

"그러나 공부하면서도 걱정들이 많습니다. 이대로 영구히 나라가 없어지는 것은 아닌가 불안해하고 있습니다."

"………"

"아버님 생각은 어떠하세요?"

"글쎄다. 강국이 주변의 약소국을 지배하는 것은 예나 지금이나 똑같다. 그러나 예전에는 국가간의 소식 유통이 원활하지 못한데 비해, 지금은 세계 각국이 서로 교류하면서 소위 국제질서라는 것도 어느 정도 잡히기 시작했다. 국제 질서는 또 다른 의미로 보면, 각국의 견제와 균형을 전제로 한다. 미국이나 유럽에서 보면, 일본이 아시아 전체를 지배하는 구조가 편할 수 없다는 말이지. 막연하고 희박하지만, 조선의 독립은 국제정세의 변화에 달려 있을 수도 있다."

"그런데 얼마나 걸릴지는 모르는 일 아닙니까."

"그래서 답답하다는 거 아니냐."

"………"

"답답하긴 하지만 나는 세월은 많은 것을 변하게 한다고 믿는다. 우리가 전혀 예상치 못했던 일들이 세월을 업고 등장하는 경우가 많거든. 나 개인을 예로 들어도 한 십여 년 전에 지금의 나를 상상이나 했을 터냐? 50년 전만 해도 누가 조선의 운명이 이렇게 될 거라고 예측했겠느냐. 지금 우리가 보면 이 나라의 장래가 암울해 보이고 원통하지만, 앞으로 5년 후의 일을, 10년 후의 일을, 20년 후의 일이 어찌될 줄 누가 어떻게 장담하겠느냐.

나열아, 말이 나온 김에 내, 너에게 이 말까지 하마. 내가 일본에서 유학하던 둘째 해에 한일합방이 이뤄졌다. 나는 그때 내 세상은 이것으로 끝이라고 생각했다. 나뿐 아니라 대부분의 조선 유학생들이 통곡을 했다. 청운의 꿈은 다 부서지고 학업은 무용지물이 되었다고 한탄했다. 차라리 중국에 가서 살겠다며 짐을 꾸리기까지 한 이들도 여럿 있었다. 나도 엄청난 혼동 속에서 학업을 자포자기한 상태였다.

그런데 나를 가깝게 대하고 돌봐주시던 몇 분이, 물론 일본인이지, 내게 이런 충언을 아끼지 않더라. 이럴 때일수록 실력을 닦으며 때를 기다려야 한다고. 이들은 비록 자기나라이긴 하지만, 타국에 대한 침탈을 비판하는 지식층 인사들이었다. 난 고민과 갈등 속에 그들의 충언을 받아들였다. 실제로 그런 상황에서 내가 할 수 있는 일이란 그저 공부밖에는 할 것이 없었다.

만일 그때 내가 그들의 충고를 외면했다면 어떻게 됐을까? 이도 저도 아닌 아무 것도 아닌 존재가 되었을 확률이 높다. 참으로 답답했지만, 온갖 관심을 공부에만 쏟았다. 공부만 하고 있다고 해서 문제가 해결되지는 않았다. 그때나 지금이나 세상이 답답하기는 마찬가지. 내가 공부할 때 놓였던 처지가, 한 세대를 지나, 네가 공부할 때까지 똑같다는 것은 오히려 더 답답할 수도 있겠다.

그렇지만, 나열아, 잘 들어라.

사람 중에 세월을 이기는 사람은 없다. 그래서 우리는 세월 앞에 무력하다. 또 그러하기에 세월을 따를 수밖에 없다. 세월은 변화를 반드시 동반한다. 그 변화를 사람들은 예견한다고 하지만, 전혀 그렇지 못했다.

나는 이 답답한 세월이 오래되면 될수록, 오히려 대변혁에 대한 기대감이 더 증대되는 느낌도 없지 않다. 조선 반도 내에서는 아무런 변화를 느낄 수 없지만, 실제로 국제정세를 보면 일본이 조선을 합방했을 당시와 지금과는 판이하게 달라졌거든."

나는 어느 샌가 창가만 향하고 있던 시선을 거두고 있었고, 나열은 아버지의 이야기를 묵묵히 들으며 머리를 약간 숙이고 있었다. 경청하는 태도인 듯 싶었지만, 한편으로는 뭔가 하고 싶은 말을 참고 있는 듯 보였다. 잠시 말을 멈추고 딸을 주시하던 아버지가 다시 입을 열었다.

"나열아, 이 아비가 일본 관직에 있는 것이 창피하더냐?"

"예? 아, 아뇨."

나열과 나는 아버지가 그렇게 말하리라고는 상상도 못했다. 나열은 황급히 손을 내저었다.

"나는 괜찮다. 또 내가 너의 대답을 들으려고 물어본 말도 아니다. 언젠가 때가 되면 내, 너희들에게 해야 할 말이 있겠지. 다만 이것만은 지금 말해두마. 이 아비는 일본 관직이 좋아서 있지는 아니하다. 싫으면 그만두면 되겠지만, 그럴만한 사정도 못된다."

"아버님, 그만 하세요."

나열은 그쯤에서 아버지의 말을 가로막았다.

"참, 제가 조선으로 돌아가려고 한다니까, 아버님 지인들께서 꼭 안부를 전하라고 하셨습니다. 특히 호시지마 지로 선생께서는 유별나게 아버님 안부를 챙기셨습니다."

"그분들이 그러시더냐? 다들 내게 진실하고 고마운 분들이지. 호시지마 지로는 고등학교때 나와 함께 공부한, 절친했던 친구다. 대학은 서로 달리 갔지만 장성해서도 내가 일이 있으면 늘 그 친구하고 상의했지. 아주 똑똑했던 사람이지. 틈틈이 찾아뵀었느냐?"

아버지도 화제를 바꾸는 딸이 고마웠던 것 같다. 다소 과장스럽게 밝은 목소리로 나열의 말을 받았다.

"자주는 못 뵈었습니다. 그래도 만날 때면 마치 저를 친딸처럼 자상하게 대해주셨습니다. 아버님과 함께 공부하던 시절의 이야기도 재미있게 들려주셨습니다. 또 아버님의 웅변실력에 대해서는 만나는 분마다 말씀하셨습니다. 저는 처음 듣는 말이라 좀 어리둥절했습니다. 평소에 거의 말씀이 없으셔서 믿겨지지 않는다고 하자, 당시 조선인으로 둘째라면 서러워할 정도였다고들 하셨습니다. 웅변뿐 아니라 평상시에도 말씀을 잘하시고 친절해서 주변에 많은 이들이 있었다고 들었습니다."

아버지는 희미하게 웃었다.

"다 지난 일이다."

아버지가 웅변에 능했다는 말에는 나도 내심 놀랐다. 그는 필요한 말 외에는 거의 하는 법이 없었다. 그나마 아버지는 말을 할 때면 같은 말을 자꾸 더듬는 습관도 있었다. 집에 있는 어떤 날은 하루종일 한마디도 않고 지내는 경우도 내 기억엔 여러 번 있었다.

기차는 제법 속도를 내고 있었다. 차창 밖으로 어둠이 꽤 내려앉아, 검은 물체로 변한 풍경들도 그만큼 빠르게 지나갔다.

"새어머니가 참 좋은 분이라고 들었습니다."

다소 길어진 침묵이 어색했던지 나열이 다시 말문을 열었다.

"음? 좋은 분은 무슨…. 누가 그러더냐?"

아버지는 전혀 기대치 않았던 새어머니 얘기에 약간 당황스러워했다.

"고모님한테 편지를 받은 적이 있습니다."

나열은 신정숙씨가 새어머니일 때 일본에 유학을 떠났다. 그때 신정숙씨는 나열의 일본유학을 무척 반대했었고, 이 일로 아버지와도 여러 차례 충돌이 있었다. 나열이 신정숙씨와 사이가 벌어진 것은 당연했다. 나열은 일본에서 아버지가 신정숙과 헤어지고 양한나와 재혼했다는 소식을 듣게 되었는데, 동래 고모가 알려준 모양이었다. 그런데 사실은 아버지가 생모 나혜석과 이혼한 후 신정숙을 둘째 부인으로 맞게 된 것도 고모의 중신 때문이었다. 이 일을 잘 알고 있는 나열이, 이번엔 좋은 새어머니가 들어왔다고 말하는 고모의 말을 그대로 믿지는 않았을 것 같다. 그러나 지금 집에 가면 만나게 될 새어머니가 신정숙씨가 아니라는 사실에 고무된 건 사실이었다.

"생각이 깊고 성격이 활달한 사람이다. 예수도 잘 믿고."

아버지는 새어머니를 그렇게 설명했다. 그러더니 내게 동의를 구해왔다.

"그렇지?"

나는 얼른 고개를 끄덕였다. 아니라고 할 계제도 아니었고, 또 사실이었다. 성격이 활달한 것과 예수를 잘 믿는다는 것은 두말할 나위없이 분명했다. 생각이 깊다는 것도 일전에 혁수네와의 사건을 경험하며 느꼈던 바였다. 다만 그 사건은 새어머니의 명령으로 아버지에게 비밀이었는데 아버지도 안 것이 아닌가 하는 걱정이 잠시 들기도 했다.

우리는 아주 늦은 시각 대전 역에 도착했다.

나열 누나가 집에 오고 나서는 집안 분위기가 많이 바뀌었다. 새어머니는 밖의 일로 여전히 분주했지만, 나열은 꼼꼼하게 집안 구석구석을 돌아봤다. 이사와서 아무렇게나 편한 대로 놓여진 가구나 물품이 자리를 잡기 시작했다. 나와는 도통 말이 없는 아버지도 딸과는 가끔씩 두런두런 얘기를 나누곤 했다. 나열 누나는 선천적으로 남에 대한 배려가 깊은 편인데다 싹싹한 성격이어서 새어머니와의 관계도 원만했다. 항상 외로운 편이었던 나나 동생에게도 누나가 집에 있는 것이 좋았다.

그러나 나열 누나는 그리 오래 집에 머물지 않았다. 하기야 일본에까지 유학 갔다온 사람이 집안에서 어찌 살림만 하고 있을까. 부지런히 직장을 알아보던 나열은 개성의 한 여학교에 교사로 들어가게 된 것이다.

머지않아 누나가 개성으로 이사를 가야한다는 것을 알고, 공연히 맘이 어수선했던 어느 날이었다. 내가 학교에서 두 번째 수업을 끝내고 휴식을 할 때였으니까 오전 10시쯤 되었을까.

책상에 앉아 다음 수업을 준비하느라 책가방을 뒤적거리고 있는데 친구가 오더니 밖에 나를 찾아온 사람이 있다고 말했다.

나는 아무 생각없이 교실 밖으로 나갔다. 그러나 밖에서 몇몇 학생들 외에는 아무도 볼 수가 없었다. 양쪽으로 뚫린 긴 복도를 180도로 휙 돌아본 나는 다시 교실로 들어가려다 뒤돌아섰다. 복도를 가로질러 왼편으로 한 10미터쯤 떨어진 곳에 남루하고 나이 들어 보이는 여인이 서있는 것이 보였기 때문이다. 그 여인은 나를 응시하고 있었다. 그러나 내게는 낯선 사람이었다. 여인이 내게 오라는 손짓을 했다. 그 여인이 나를 찾아온 사람임이 분명했다. 누구일까. 나는 눈을 동그랗게 뜨고 그에게 다가갔다.

"진이야, 내가 누군지 알겠니?"

나는 그와 눈만 마주친 채 아무 말 못하고 천천히 고개를 저었다. 순간, 내겐 이 여인이 오래전 어디선가 본 듯하다는 느낌이 스쳤다. 그러나 여전히 낯선 사람이었다.

"가까이 보니까, 네 아버지를 빼어 닮았구나. 어릴 때도 그렇더니."

"아주머니는 누구세요?"

"내가 네 어미다."

여인은 내 손을 꼭 잡았다. 충혈된 눈에서는 눈물이 흘렀다.

나는 아무 말도 생각나지 않았다. 놀란 토끼눈이 되어 어머니의 얼굴만 쳐다보고 있었다. 어머니는 울먹이면서 낮은 혼잣말을 했는데 나는 알아들을 정신이 아니었다. 사람이 혼이 나간다는 말을 그런 때 두고 하는 말인가 보다. 나는 그야말로 혼이 빠져서 서있었는데, 다음 수업을 알리는 종이 울리자 어머니는 "어서 들어가서 공부 잘하라"는 말을 남기고 뒤돌아 나갔다.

진짜 충격의 사건은, 그 당시에는 이게 사실인지 아닌지 제대로 구분이 되지 않는다. 덤덤하다가, 시간이 지나면서 한 순간 순간, 한 장면 장면, 한 마디 마디가 되살아난다. 그러면서 내면과 기억에 깊게 각인된다.

내 어머니와의 신기루 같았던 만남이 처음에는 내게 꿈꾼 듯했다. 그러더니 그 짧은 순간이 수십 개의 조각으로 나뉘어 선명하게 남았다.

내가 어머니 얘기를 나열 누나에게 한 것은 어머니가 나를 찾아온 날로부터 이틀 뒤였다. 망설였었다. 왜냐면 나열은 내게 어머니에 대한 이야기를 한번도 해 준 적이 없기 때문이다. 내가 어렸을 때 궁금해서 몇 번 물었어도 자기도 모른다고만 말할 뿐이었다. 그래서 사실은 나열에게 얘기하고 싶지 않은 마음도 많았다. 그런데 문득 나열이 머지않아 개성으로 이사한다는 사실을 떠올리게 된 것이다. 이사를 하고 나면 어머니 얘기를 영영 하지 못할지도 모른다는 불안감이 작용했다.

나열은 내 얘기를 듣고 매우 놀라워했다. 내게 어머니의 모습을 될 수 있는 대로 자세하게 얘기해보라고 했다.

화장기 없이 푸석하고 주름진 얼굴에, 뒤로 핀을 꽂았지만 여러 가닥 불규칙하게 흘러내린 머리카락. 구겨지고 구질스러워진 회색빛 브라우스, 무릎 밑으로 내려온 짙은 갈색 치마, 낡은 붉은 색 신발.

나열 누나는 나보고 더 자세히 얘기해보라고 다그쳤지만 난 그 이상 생각해낼 도리가 없었다. 나에게 남은 어머니의 모습은 내가 교실로 들어가려다 뒤돌아보는 순간 보게 된, 저만큼 선 모습이었다. 그리고 손짓하던 모습, 내가 가까이 가자 희미한 웃음과 울음을 같이 짓던 모습, 내 손을 쥐던 거친 손, 뒤돌아 빠른 걸음으로 멀어지던 모습 등이었다. 그러나 그런 모습은 설명할 수 없어 답답했다.

나열 누나는 내 얘기를 다 듣고 난 후, 또 예전같이 아무 말도 하지 않았다. 혼자서만 뭔가 골똘히 생각하는 눈치였다.

"누나는 일본에서 어머니 얘기 들은 거 없어?"

불쑥 튀어나온 내 질문에 우선은 내가 놀랐다.

지난번 나열이 일본에서 돌아오던 날, 대전으로 오는 기차에서 나눴던 아버지와 나열의 대화를 들으며 나 혼자 품었던 의문이 밖으로 튀어나온 것이다. 나열은 일본에 가서 아버지의 유학 당시의 지인들을 만났다고 했는데, 그렇다면 그들은 당시 함께 유학 중이던 어머니 나혜석도 아는 게 당연하지 않은가. 나열에게 아버지 얘기뿐 아니라 어머니 얘기도 했을 가능성이 높다고 나는 생각했다. 다만 아버지 앞에서 나열은 말을 삼가고 있을 거라고 생각한 것이었다.

놀래기는 나열이 더 놀랐다. 그녀는 아마 나를 예전과 같이 그저 어리기만 한 동생으로 여겨왔을 터다. 그리고 어머니 문제는 다 잊어버린 사내 머슴아이로 생각했던 모양이다.

"들은 바 없어."

나열은 잘라서 말했다. 그리고는 내게 이제 네 방으로 건너가라고 말했다.

"누나, 거짓말하는 거지. 어떻게 아버지 얘기만 듣고, 어머니 얘기는 못 들었어?"

방으로 건너가라는 말에 불쾌해진 나는 평소 나답지 않게 따지고 들었다.

"아니, 애가…. 들은 게 없으니까 없다고 하지. 또 들었어도 다 옛날 얘기고, 네가 지금 알만한 일도 아니야."

나열이 정색을 하며 내게 또렷이 말했다.

"뭘 내가 알면 안된다는 거야. 누나는 계속 그러더라. 나는 얘기했잖아. 어머니가 학교로 찾아 왔다고. 나는 다 말해주는데, 왜 누나는 말 안 해주는 거야?"

나는 어머니 얘기도 궁금했지만 나를 자꾸 어린애처럼 취급하는 나열의 태도가 매우 못마땅했다. 나열은 나를 방에서 내쫓다시피 했다.

"다음엔 나도 누나한테 어머니 얘기 안 한다. 또 학교에 나타나면 말 안 할거야. 그리고 어머니한테 궁금한 거 물어볼 거야."

나는 분풀이를 겸해 나열에게 대단한 결심을 공포했다.

9. 미술학사에 온 일엽스님

내가 어머니를 만난 것은 거의 10년만이었다. 어머니가 집을 나가야 했던 때는 내가 4살 때였다. 그만한 때의 기억은 더러 남기도 하지만, 대부분은 어느 샌가 지워지고 만다. 내가 기억하는 어머니는 노래를 가르쳐주었다. 이혼 후 할머니의 배려로 한 달여 집에 머물렀을 때였다. 힘들었을 터인데 노래는 고운 목소리로 가르쳐 주었다. 그의 얼굴에 들어찬 수심을 나는 알턱이 없었으므로, 어머니는 젊고 예뻤다.

어머니 나혜석에 대한 내 기억은 거기서 멈췄다. 학교에 느닷없이 나타난 그의 모습을 알아보지 못한 뒤에야 그간의 세월이 10년임을 깨달았다.

늙고, 남루하고, 떨리는 목소리, 건강도 영 형편없이 보이던 모습에서 나타나듯 나혜석은 그런 부침의 세월을 보냈다.

김우영과 이혼 후 최린을 정조 유린죄로 고소하면서 조선팔도 모든 남성에게 웃음거리가 된 나혜석은 그 일로 머물던 오빠 나경석의 집에서도 나와야 했다. 아무 곳에도 몸 하나 의지할 곳이 없는 신세가 되었다.

불행 중 다행이라면 최린에게서 소송 취하 조건으로 상당액을 피해보상금으로 받은 것이었다. 정확하게 얼마인지는 알려지고 있지 않지만 보상 요구액이 1만 2천원이었던 점으로 미루어 최소한 절반 이상은 받았을 가능성이 높다. 그 정도의 돈이면 당시로서는 거액에 해당하는 금액이다.

나혜석에게는 이 돈이 자신의 삶을 경제적으로 지탱해주는 마지막 수입이었다.

그는 이재에 밝지 못한 사람이었다. 예나 지금이나 여자가 혼자 생활을 유지하려면 돈의 수입을 생각해야 하고 지출을 생각해야 한다. 그것은 남자의 경우도 마찬가지지만, 사회의 경제활동이 남자 중심으로 돌아가고 있기 때문에 남자의 경우는 수입을 창출할 수 있는 기회가 여자보다 훨씬 많다. 그러나 여자는 그렇지 못하다. 더구나 나혜석 당시는 여성이 돈을 벌 수 있는 기회는 매우 드물었다.

나혜석은 최린에게 피해보상금을 받기 전에도 그림으로 돈을 꽤 벌었다. 그는 김우영과 이혼할 무렵 재산분할권을 주장했다. '이혼 고백장'에 보면, 당시 살고 있던 부산 집의 절반을 요구했다. 자신의 그림을 팔아 보탰다는 것이었다. 극도로 배반감을 느낀 김우영에게 어림도 없는 요구였지만.

이혼 후에도 일본에 건너가 제전에 입선한 후 그림 한 점에 300원을 받았으며 다른 미술 소품 등을 팔아 1,400원을 벌었다는 기록도 나온다.

화가로서 수입은 일정치가 않지만 그림이 호평을 받아 팔리기 시작하면 다른 직업으로는 도저히 따를 수 없을 만큼 많은 돈이 단시간 내에 들어올 수 있다. 그림을 그리는 작업이 쉽지는 않지만, 화가에게는 신나는 일이다. 더구나 그리기만 하면 많은 돈을 내고 사는 사람이 있다는 데야.

그렇지만 사실은 여기에 함정이 있다. 절망스런 바닥을 헤매고 있을 때 사람은 희망적이어야 살 수 있다. 언젠가는 내가 이 바닥에서 벗어나 비상할 수 있다는 소망이 없으면 그 절망을 이겨낼 방도가 없다. 그러나 상승의 즐

거움을 맛보고 있을 때 사람은 비관적이어야 한다. 최악의 상황을 대비하는 지혜가 필요하다. 지금의 안락함과 기쁨이 그리 머지않아 걷힐 수도 있다는 생각이 필요하다. 그러나 대부분의 사람들은 그렇지 못하다. 오르고 있을 때 내려갈 때가 있다는 인식은 극소수의 지혜 있는 자들만 가질 뿐이다.

그런데 그런 인식은 예술가에게 어울리지 않는 것도 사실이다. 예술은 상상과 느낌으로 채워진 감성 자체 아니던가. 따지고 재는 이성으로 무장한 자는 예술가가 될 수 없다. 더구나 나혜석처럼 생각이 자유롭고 절제가 없는 사람에게는 더욱 그렇다.

나혜석은 이혼 후 어려운 자신의 처지에서 "역경에 처한 자의 요령은 노력이외다. 근면이외다. 번민만 하고 있는 동안은 타임은 가고 그 타임은 절망과 파멸밖에 갖다 주는 것이 없나이다"고 선언했다. 그러함에도 그녀가 말년에 이르러 극심한 생활고에 시달렸던 사실은 안타깝고 가슴 아프다. 어찌보면 생활 패턴조차 어머니는 불꽃같았다. 생각이나 애정의 문제에 있어서 완급의 조절이 없었듯이 생활에서도 벌면 원하는 대로 쓰고, 없으면 굶고 마는 사람이었다.

김우영과 이혼 후 2, 3년간 나혜석은 상처를 잊으려는 듯 작품 활동에 왕성한 의욕을 보였다. 권위있는 미술대회에서 다수 입상했다. 금강산에 들어가 40여점의 그림을 그린 것도 이 시기다. 뿐만 아니라 글도 여러 편 발표했다. 그러나 표면적으로 드러난 성과와는 달리 나혜석은 자신과의 싸움에서, 생활 자체에서 어려움을 겪고 있었다.

예술적 가치를 명실공히 인정받는 수상 경력과 사람들의 평가, 인심은 괴리가 컸다. 나혜석은 심히 괴로웠다. 자신으로서는 이혼과 관련한 모든 건

건에 이유가 있었건만 사람들은 그것에 관심을 두지 않았다. 변명이 겨우 허락되어도 그 변명은 다시 변질되고 불어나 번지기 일쑤였다.

나혜석은 이혼 3년차인 1933년 2월 서울 종로구 수송동에 여자미술학사를 열었다. 관심있는 여성들을 모아 그림을 가르치고자 함이었다. 그해 3월 '삼천리' 잡지에 나혜석은 '여자미술학교 취의서' 라는 제목으로 글을 썼다.

"광과 색의 세계! 어떻게 많은 신비와 뛰는 생명이 거기만이 있지 않습니까? 갑갑한 것이 거기서 시원해지고, 침침하던 것이 거기서 환하여지고, 고달프던 것이 거기서 기운을 얻고, 아프고 쓰리던 것이 거기서 위로와 평안을 받고, 내 맘껏 내 솜씨껏, 내 정신과 내 계획과 내 희망을 형과 선의 상에 굳세게 나타내는 미술의 세계를 바라보고서 우리의 눈이 띄어지지를 않습니까? 우리의 심장이 벌떡거려지지 않습니까? 오늘날 우리에게야 이 미의 세계를 내놓고 또 무슨 창조의 만족이 있습니까? 법열이 창일이 있습니까?

더구나 무거운 전통과 겹겹의 구속을 한꺼번에 다 끊고 독특하고도 위대한 우리의 잠재력을 활발히 발동시켜서 경이와 개탄과 공축의 대박을 만인에게 끼칠 방변이 미술의 세계밖에 또 무슨 터전이 있다고 생각하십니까?

동무의 색시들아! 오시오. 같이 해봅시다. 브러시를 가지고 캔버스를 들고. 일체의 추를 미화하기 위하여, 일체의 암흑을 명랑화하기 위하여 어두침침한 골방 속으로서 나아오시오. 우리의 눈에서 우리의 손 끝에서 우리의 만들어내는 예술 위에 저 흐늘거리는 시대의 신경을 죄어줍시다. 갈 바를 몰라서 네거리에 헤매이는 만 인간의 신생명 충동을 길이 펴도 마름이 없는 구원의 미로 인도하여 봅시다."

나혜석은 이 글에서 자신이 생각하는 미술이란 무엇인가를 설명하기도 했지만, 사실은 구구절절이 조선 여성들에 대한 답답함이 배어 있다. 봉건주의적 남성중심의 사회에서 문화, 예술 생활은커녕 숨도 제대로 못 쉬고 사는 조선 여성들에 대한 안타까움이 물씬 풍긴다. 조선 최초의 여류화가로서의 여성 계몽에 대한 사명감도 엿보인다.

그러나 조선 여성들을 위한 미술학사는 너무 일렀다. 어느 분야든 선각자의 발걸음은 외롭고 고통스럽듯 나혜석도 그러했다. 내면에 이글거리는 예술에 대한 열정은 오히려 자신만을 더욱 괴롭히는 분신의 결과를 낳았다. 화가로서는 사형선고와도 같은 수전증이 엄습한 것도 이즈음이었다.

"나여사 계시오?"

미술학사를 열고 한 달 반 남짓 지난 어느 날이었다. 처음 문을 열고 몇몇이 미술수업에 대해 물어오기는 했지만 그때까지 정작 수업을 받기로 한 이는 아무도 없었다. 참으로 한가하고 무료하기 짝이 없던 어느 날이었다. 혜석은 실망과 걱정에 휩싸여있던 중이었다. 갑자기 들린 목소리는 중년여성쯤으로 여겨졌다. 어쩐지 낯익다고 생각했다.

"누구세요?"

문을 빼꼼 열고 방문객을 쳐다보던 혜석은 깜짝 놀랐다.

"나무아미타불 관세음보살"

"아, 일엽 스님!"

고개를 숙이며 합장하는 스님의 손을 나혜석은 그대로 뛰어나가 덥석 붙잡았다. 그는 손님이 반가워 펄쩍펄쩍 뛰었다.

"나여사가 미술학교를 차렸다는 소식을 듣고 나니 아무 일도 손에 잡히지 않더군요. 부처님에게 불공을 드리는 중에도 자꾸 생각이 나서 도저히 안 되겠더이다. 잘못하다가는 그간 겨우 티끌만큼 쌓아놓은 내 불공이 다 날아가 버릴 것 같아 내 오늘은 속세로 몸을 돌렸습니다. 아마 부처님도 이해하실 겁니다."

"일엽 스님!"

혜석은 농담반 진담반으로 인사를 건네는 일엽에게 아무 말도 하지 못하고 있다간 끝내는 그를 끌어안고 울음을 터뜨렸다.

"어허, 천하의 나여사가 이게 무슨 유약함입니까."

일엽은 그러면서도 혜석을 함께 끌어 안고 한 손으로 등을 도닥거렸다.

김일엽과 나혜석의 사이는 각별했다. 각별하다는 표현도 사실은 두 사람의 관계를 말할 때 너무 피상적이다. 한 사람이 다른 한 사람에 대해 친밀감을 느끼고 교분을 맺는 것은 흔한 일이다. 그리고 점점 교분이 깊어져 가장 친한 사이가 되는 사이도 그리 드문 일은 아니다.

그러나 두 사람은 제각각, 움직일 틈이 없는 벼랑과 같은 모퉁이로만 삶의 궤적을 이어갔다는 점에서 우선 운명적으로 같았다. 어찌보면 한 시대에 한 사람이면 족할 시련받이였다. 그러나 이 두 여자는 같은 해에 태어났고, 당시로는 몇 되지 않는 여자 일본 유학생이었다. 현실이나 관습, 주변의 기대보다는 자신의 개성, 사고, 기쁨을 더 귀히 여기는 것이 꼭 같았다. 그로 인해 자신의 삶 자체가 큰 시련에 봉착하는 결과도 같았다.

일엽의 본명은 원주. 1896년 평남에서 목사의 딸로 태어났다. 1918년 이화전문을 졸업하고 그 다음해 일본 유학을 떠났다가 한 해 공부한 뒤 1920년 귀국했다. 여성해방, 자유연애를 주장한 그는 여성잡지 '신여자'를 창간하고 편집인 겸 주간을 맡았다. 이 잡지를 중심으로 활발한 시작 활동을 편 그녀는 한국 최초의 여류시인이라는 평을 들었다. 오상순, 염상섭, 황석우

등과 함께 문예지 '폐허' 동인으로 활동하기도 했는데 나혜석과는 이때 처음 만났다.

두 사람은 같은 나이에다 일본 유학의 경험도 같고, 여성해방 및 자유연애에 뜻을 같이 하는 동지여서 쉽게 가까워졌다. 그후 김원주는 일본 황족과의 연애, 파경, 아들 출산 등 굴곡 심한 삶 끝에 1928년에는 불심으로 금강산 서봉암에 입산하기에 이른다. 그 뒤에도 작품 활동을 간혹 보이기도 했으나 1932년부터는 수덕사에서 수도생활에 전념하게 된다.

혜석은 이혼 후 피폐해진 몸과 마음을 자주 일엽에게 의지했다. 혜석에게 일엽은 자신의 사정을 유일하게 이해해주는 사람이었다. 일엽은 친한 친구로 그저 듣고 동정하는 차원이 아니라 스스로가 겪었던 사랑의 상처를 기억해내며 함께 아파하고 울었기 때문에 혜석에게 더할 수 없는 위로였다.

혜석은 미술학사를 열기 전 일엽을 찾아가 계획을 상의했었다. 일엽은 여자미술학사가 아직 조선 땅에서는 이르다는 생각이었다. 혜석에게 신중하게 생각해보라는 조언을 했었다. 그러나 적극적으로 말리진 않았다. 일엽의 생각에도 누군가가 예술에 대해 무지한 조선 여성들을 교육하는 일은 필요하다고 느꼈던 것이다. 비록 실패로 끝났지만 자신도 같은 맥락에서 '신여자' 잡지를 창간하지 않았던가.

일엽은 혜석에게 여자미술학사를 차리고 난 뒤의 근황을 얘기 듣고 나서, 혜석이 자신을 보자마자 끌어안고 펑펑 운 이유를 더 실감했다.

혜석에게 미술학사는 자신이 가진 것을 전부 내놓은 마지막 투자였다. 미술학사를 연 명분이 돈을 벌기 위함은 아니었지만, 이로 인해 생활의 궁핍함이 가속화되고 있었다.

"나여사, 힘을 내세요. 지금이야 초기니까 그렇지, 아, 앞으로 잘 알려지면 이 미술학사가 학생들로 차고 넘칠지 어떻게 압니까. 너무 낙심 말고 세월을 기다려 봅시다."

"스님, 아닙니다. 이 미술학사는 결코 잘 되지 않을 겁니다. 내 생각이 너무 짧았습니다."

"꼭 그렇다고 속단하기엔 너무 이릅니다. 이제 겨우 두 달도 되지 않았습니다. 미술학사가 열렸다는 사실을 아는 이들은 아주 극소수예요. 내가 나여사를 오늘 찾아오기 전, 여기서 멀지 않은 곳에 있는 한 사람을 만나고 오는 중인데 그 사람도 미술학사는 금시 초문이라고 했습니다. 원래 처음 씨를 뿌릴 때는 고생하는 법입니다. 그 뒤에 열리는 열매를 생각하면서 인내해야지요."

"미술학사를 연다고 했을 때 말리던 스님의 충고를 들었어야 할 일이었습니다."

"어허, 그때의 자신만만함은 어디로 가고 이렇게 나약하십니까. 나여사의 결정은 잘한 일입니다. 사람이 자기방식대로 살아야 사람이지, 남이 다 해본 것, 다 이뤄놓은 것, 그 뒤만 졸졸 따라다니면서 살면 그게 뭡니까. 사람에게 진짜 한이 되는 건, 남보다 못해서가 아니라 내가 나처럼 되지 못해서입니다."

"일엽 스님, 나는 이 조선 땅을 저주하고 싶습니다. 바로 스님의 말대로 내가 나되지 못하는 땅이기 때문입니다. 내가 미술을 가르치겠다고 했지, 언제 연애를 가르친다고 했나요? 이 땅에서 이혼한 여자가 할 일은 아무 것도 없습니다."

일엽은 갑자기 혜석의 입에서 튀어나온 이혼 애기에 당황했다.

"나여사, 무슨 일이 있었습니까?"

"무슨 일이 아니라 당연한 일이라고 해야지요. 이 땅에선."

혜석의 분에 찬 눈을 일엽은 가만히 바라보고만 있었다. 혜석은 스스로 분을 이기지 못하는 듯 시선을 한 곳에 두지 못하고 있었다.

"미술학사를 처음 열었을 때 네 명의 여성들이 찾아왔습니다. 모두 미술을 배우고 싶어하는 이들이었습니다. 나는 실로 반가웠습니다. 조금은 미술에 대한 이해가 있는 사람도 있고 전무한 사람도 있었지만 그들의 관심이 고마웠습니다. 처녀도 있고 결혼한 아낙도 있었지요. 나는 그날 이런 저런 대화를 재미있게 나누고 미술수업 일정도 짜주었습니다. 나는 첫 정식수업을 앞두고 많은 것을 준비했습니다. 정말 잘 가르치고 싶었습니다.

정식 수업날이 되었습니다. 그런데 두 사람만 나타났습니다. 나는 다소 실망했지만 그래도 상관 않고 수업을 시작하려고 했습니다. 그런데 그 두 사람도 정작 수업을 받으려고 온 것이 아니었습니다. 본인들은 미술수업을 받고 싶지만 집에서 크게 반대한다는 것이었습니다. 그 반대 이유가 다른 데 있는 것이 아니라 내가 이혼한 여자라서 그렇다는 겁니다.

며칠 후에는 또 다른 아낙이 미술을 배우겠다고 왔습니다. 처음 네 명에게 당한 경험이 있어서 아예 내가 먼저 말했습니다. 집에서 반대가 없겠느냐고. 그랬더니 그 여성은 반대가 있어도 괜찮다고 했습니다. 자기는 꼭 미술을 배우고 싶다고 말했습니다. 나는 그에게 미술을 가르치기 시작했습니다. 그러나 역시 오래가지 못했습니다. 세 번 째 수업을 하고 있는데 그 여성의 남편된 자가 학사로 찾아와 한바탕 소란을 피우고 여자를 끌다시피 데리고 갔습니다."

일엽은 안 봐도 본 것 이상으로 그 장면이 선명하게 상상됐다. 염려가 없었던 것은 아니었지만, 막상 그런 일이 일어났다니 가슴이 떨렸다. 옛날 같으면 자신이 아마 나혜석 본인 이상으로 흥분하고 울분했을 것이다. 지금은 그런 것 다 부질없이 생각하고 수행하고 있는 몸이지만 그래도 남의 일 같지가 않았다.

"나여사, 세상 인심이란 게 다 그만합니다. 그래서 믿을 게 아무 것도 없다는 거지요. 그런 일이 있었다니 내 무어라고 말을 해야할 지 모르겠습니다. 속세에 살면, 더구나 나여사 같은 사람은 크고 작은 풍랑이 늘 일기 마련입니다. 나 같은 사람은 결국 그 풍랑 못이겨서 불자가 된 게죠."

"스님의 말대로 나도 승려나 될까봅니다. 세상이 도무지 억울해서 못 살겠네요. 스님, 나도 스님따라 그냥 절로 들어갈까 봅니다."

"어허, 별 말씀을 다합니다. 이 땡중이 괜찮아 보이나 봅니다."

일엽은 여느 남자 못지 않게 시원시원한 성격이었다. 그의 삶 또한 혜석에 뒤지지 않는 가파른 굴곡으로 점철되었지만 얼굴은 언제나 밝았고 옅은 웃음도 깔려있었다. 혜석은 그것이 참 신기롭기까지 했다. 가벼운 사람인가? 생각하기도 했지만, 얘기해 볼수록 그는 아는 것이 많았고 사유의 폭도 매우 깊었다.

일엽은 혜석이 중이 될 수 없음을 알고 있었다. 혜석이 이혼으로 깊은 상처를 받고 그를 찾아왔을 때 불가에 들어올 것을 권유해 본 적이 있었다. 혜석에게 불도가 딱히 맞을 것 같아서 권한 일은 아니었다. 그가 그 어느 것 하나 편해 보이지 않는 여러 갈래의 길 복판에 서서 당황해 할 때, 한 길 더 선택의 여지를 얹혀 주는 수준이었다. 웬만한 사람 같으면 그런 상황에서 모든 것으로부터 훌훌 털고 떠날 수 있는 선택이 오히려 십상이 되는 것이 상례였다. 그러나 혜석은 불심에는 관심이 있었으나 불가에 들어가는 것은 자신에게 맞지 않을 것이라는 의심을 처음부터 지니고 있었다.

일엽은 그러는 혜석을 보면서 속세에 미련을 두고 있다는 안타까운 생각이 들지는 않았다. 오히려 자신은 못 견뎌 다 놓고만 세상 인연의 끈을 혜석만큼은 질기게 부여잡고 있음에 묘한 연민의 정을 느끼고 있었다.

"하기야 나 같은 이가 어찌 부처님만 바라보는 스님이 될 수 있겠습니까."

혜석은 스스로를 추스리려는 듯 자조적으로 말했다.

어느덧 하루가 다 가고 있었다. 혜석은 일엽에게 하루를 묵고 갈 것을 청했고, 그도 애초부터 그럴 작정을 하고 상경했던 차였다.

혜석은 미술학사 뒤켠으로 달린 단칸방에 기거하고 있었다. 일엽과 혜석은 이미 서너 밤쯤을 같이 지낸 처지였다. 그동안은 혜석이 일엽을 찾아와 절에서 보낸 밤이었고, 외지에서의 밤은 오늘이 처음인 셈이었다.

"스님, 사람은 죽으면 어떻게 됩니까. 업보에 따라 다시 태어난다지요?"

"그렇게 되겠지요."

"나 같은 사람은 어떻게 될까요?"

"………"

"극락세계는 정말 있는 걸까요?"

"………"

"앞으로 얼마나 더 살지는 모르겠지만, 이렇게 버둥거리며 살다가 죽는다면 나는 무엇으로 다시 태어날까요. 이승의 삶도 전생의 업보에 따른 것이라는데, 나는 무엇이었는지 궁금합니다."

하루일지언정 잠자리에 누워 누군가와 얘기할 수 있다는 것이 혜석에게는 큰 위안이었다. 더구나 세상에서 자신의 처지를 가장 잘 이해해주고 있는 일엽과 한 천장을 이고 누운 데야.

일엽은 혜석에게 할 말이 없었다. 사방으로 막혀진 혜석의 처지에 마음은 답답하고 착잡했지만, 오래전부터 혜석과 하룻밤을 지내려는 바램 같기도 하고 의무감 같은 부담을 내려놓는 것 같아 한편으로는 편안했다. 아침 일찍부터 온 먼 길에 피곤감이 몰려왔지만, 어둠 속에서 듣는 혜석의 목소리는 되레 정신을 들게 했다.

"스님은 잠을 잘 주무십니까. 다른 때는 혼자라서 잠이 오질 않더니 오늘은 좋아서 잠이 오질 않네요."

"잠을 잘 자야 건강합니다. 나여사는 잘 못 자나 봅니다."

"스님은 꿈을 자주 꾸십니까?"

"가끔씩은 꾸지요. 왜, 무슨 꿈을 꾸었습니까?"

"아니, 무슨 꿈을 꾸어서가 아니라… 이상해서요. 꿈은 왜 언제나 예상을 벗어나는지 모르겠습니다. 마음대로 꿈이 꾸어지지도 않지만, 꿈을 꾸면 등장하는 인물과 환경도 도무지 상상하기 힘든 조합으로 나타납니다. "

"그건 저도 마찬가집니다. 그래서 꿈 아닙니까."

"일엽스님, 저승이 꿈같지는 않을까요. 사람이 죽는 것이나 잠자는 것이 비슷하지 않습니까. 그저 호흡을 하고 안하고의 차이지요. 잠들고 깨지 않으면 죽는 것 아닙니까.

힘든 날 밤에 잠자리에 들 때면, 그냥 잠에 들어 깨지 않았으면 좋겠다는 생각을 하죠. 그렇게 되면 나를 발견한 사람들은 나를 죽었다고 할 것이지만, 나는 그저 잠들어 있는 것이죠. 또 그런 날 꿈은 좋을 때가 많아요. 이 세상에서는 닿을 수 없는 인물을 만나고, 동서양이 혼합되어 있고, 전부가 내 생각과 마음을 아는 이들이 나오죠. 꿈속에서도 이게 꿈이지 싶고, 깨지 않앉으면 좋겠다는 생각도 잇따릅니다."

일엽은 은근히 불안해졌다. 혜석이 정작하고 싶은 얘기는 꿈이 아니라 죽음에 대한 것이라고 느껴졌다.

"나여사, 꿈은 꿈이고 현실은 현실입니다. 아무리 꿈이 좋다고 해도 그것은 허무한 것입니다. 아무리 현실이 고생스러워도 꿈보다는 가치 있는 것입니다. 꿈과 죽음도 비교할 것이 못됩니다. 꿈은 산자의 것이지만 죽음은 더 이상의 그 무엇이 없는, 그저 죽은 자일 뿐입니다."

"그렇겠죠. 세상이 좀 원망스러우니까 내가 별생각을 다하나 봅니다."

"나여사."

일엽은 새삼 조심스럽게 혜석을 불렀다. 혜석은 대답 대신에 몸을 한두 차례 뒤척인 뒤 일엽쪽으로 누웠다.

"내 방정맞음을 용서하시오. 혹 이 미술학사가 끝내 안되면 어쩔 작정이십니까?"

혜석은 천장을 향하고 있는 일엽의 옆 얼굴을 유심히 바라보고 있었다. 혜석이 한참 말이 없자 이번엔 일엽이 재촉하듯 몸을 왼쪽으로 돌려 혜석을 향했다. 혜석이 다시 몸을 돌려 천장을 바라보는 것은 거의 동시였다.

"글쎄요. 생각해보지 않았습니다. 아니 생각해보아도 별 대책을 세우지 못했다는 것이 더 정확한 대답입니다. 이 한 몸 살아가기가 뭐 이리 복잡하고 힘든지…. 스님 같으면 어쩌시겠습니까."

"나야 목탁이나 두들기고 있으면 되겠지만 나여사는 그런 것도 없지 않습니까."

"스님 목탁을 놓고 가시지요."

둘은 쿡쿡 웃었다.

"하기야 말이 전혀 안 되지는 않네요. 나여사가 나빠질 대로 나빠져도 이 땡추중보다 못할 게 뭐 있습니까."

"스님, 너무 염려 마십시오. 어떻게 되겠죠. 학생이 없으면 내 그림이라도 열심히 그릴 생각입니다. 얼마 안 있어 제전이 두 차례 열리게 됩니다. 여기에 출품을 할 작품 작업에 곧 들어가야 합니다. 그러면서 세월을 기다리다 보면 좋은 일도 있는 날이 있겠죠."

일엽은 다소 안심됐다 실망스런 상황에서도 혜석이 자신이 몰두할 일을 챙겨두고 있다는 말에 자신의 걱정은 기우였고 고맙다는 생각까지 들었다.

일엽은 다음날 아침 일찍 길을 나섰다. 큰길까지 배웅하겠다는 혜석을 문 앞에 붙잡아 세워두고 성큼성큼 걸어갔다. 제법 여러 걸음을 걸어야 꺾어질 오른쪽 골목이 있었다. 눈으로 따라가며 배웅하던 혜석은 스님의 걸음이 가볍다고 생각했다. 오른쪽 골목으로 몸을 획 틀어 사라지면서도 단 한번도 뒤돌아보지 않는 그가 스님답다고 느꼈다.

학생이 없는 미술학사는 나혜석의 전용 화실이 됐다. 극소수의 미술원생이 있기는 했지만, 체계적으로 미술을 배우기 전에 길어야 서너 차례 나오고는 유야무야되는 경우가 수차례 있었다. 자연히 혜석은 자신만의 시간이 많아졌다. 그림 그리기에 전념했다. 약간은 청승스럽게 보이기도 하고 약간은 두려움에 눈길을 돌린 모습 같기도 한 자신의 초상화를 그려낸 것도 이 시기였다.

나혜석은 그러한 한참의 와중인 4월 '신동아' 잡지에 옛 애인 최승구를 추모하는 글을 게재했다. 다른 남자와의 관계로 이혼 당한 자신의 처지에, 결혼 전의 죽은 애인을 그리워하며 '원망스런 봄날'을 발표한 것을 보면 여간 독특한 배짱이 아니다. 나혜석을 아끼는 몇몇 이들은 펄쩍 뛰었다. 도대체 지금 최승구를 추모한다고 그가 살아나 나혜석을 기쁘게 할 일도 아니었다. 더구나 그를 그리워한다고 노골적으로 표현하니 그렇지 않아도 나혜석에 대해 고운 시선을 주지 못하던 세인들은 더 크게 비난할 것이 뻔하기 때문이다.

5월에는 제12회 조선미술대전에 2점의 작품을 냈다. 나혜석으로서는 나름대로 심혈을 기울인 작품이었다. 그러나 자신의 기대와 달리 낙선하고 말았다. 나혜석은 깊이 충격에 싸였다. 화가로서 자신의 입지를 확고히 하고 존재를 널리 선전하는 데는 미술전 입선이 필수조건이었다. 특히 나혜석처럼 미술학사를 열고 있는 경우, 입선 여부는 매우 중요할 수 밖에 없었다. 미술대전에 입선하는 것을 계기로 부진했던 여자미술학사의 전환점을 삼으려했던 계획은 수포로 돌아갔다. 나혜석은 이때의 충격으로 왼팔에 수전증까지 생기게 된다.

미술학사를 운영하려면 장소 외에도 최소한 미술재료와 기구가 필요했다. 당시로서는 흔치 않았던 물감이나 캔버스, 붓 등의 가격이 큰 부담이었다. 그해 말에 이르러서는 본인의 작품을 위한 재료도 조달하지 못할 지경에 이르렀다. 미술학사에 오는 학생들의 발길도 그즈음에는 완전히 끊어지고 자연적으로 미술학사도 문을 닫는 형국에 이르고 말았다.

경제적으로 어려운 상황에서는 글을 쓰는 것이 미술을 그리는 것보다 쉬웠다. 나혜석에게 있어 글쓰는 재주는 그림 그리는 재주에 비견해도 뒤떨어질 게 하나도 없었다. 미술학사를 문닫는 등 어려운 정황 속에서도 나혜석은 다음해인 1934년 1월 4일 '조선중앙일보' 현상공모에 '떡 먹은 이야기'

를 당선시켰다. 떡 먹은 이야기는 해학적으로 웃음 자아내게 하는 꽁트였다. 웃음이 남아있을 리 없는 나혜석이 '우스운 이야기' 부문에 당선작을 낸 것은 나혜석의 글재주를 증명하는 단적인 사례였다. 당선상금은 2원이었다.

그해 나혜석은 그림은 깊숙이 접어두고 전념을 다해 글쓰기에 매달렸다. 불혹의 나이 마흔을 코앞에 둔 때였다. '밤거리의 축하식- 외국의 정월', '다정하고 실질적인 프랑스 부인- 구미 부인의 가정생활', '날아간 청조', '여인 독거기', '총석정 해변' 등을 연이어 발표했다.

그러더니 8월과 9월에 걸쳐 '삼천리' 잡지에 조선팔도를 떠들썩하게 한 '이혼 고백서'를 발표하기에 이르른다.

남편 김우영을 대상으로 한 편지 형태로 시작한 '이혼 고백서'에는 자신이 김우영과 만나게 된 계기에서부터 결혼, 출산, 세계여행, 경제적 어려움, 시댁에서의 불화, 이혼 후의 생활 등을 적었다.

그때까지만 해도 나혜석의 이혼은 세간 사람들의 입에서 입으로 전해져 알려져 있었다. 구전이라는 것이 정확할 리 없다. 전하는 이들은 자신이 알지 못하는 궁금한 부분에 대해 멋대로 붙이기도 하고 흥미를 반감시키는 부분은 빼기도 했을 것이다.

나혜석이 글로 쓴 이혼 고백서는 이를테면 이혼의 본말에 대한 진실을 본인이 직접 밝힌 것이다. 루머처럼 떠도는 말들이 본인의 고백으로 문자화되자 사회적 파문은 대단했다. 나혜석은 이 고백서에서 최린과의 관계도 밝히는 한편, 후에 문제가 된 편지 사건에 대한 억울함도 호소했다.

이혼 후 4년 만이었는데, 고백서의 첫 부분에서 남편 김우영에 대한 그리움이 엿보인다.

"청구(김우영의 호)씨! 난생 처음으로 당하는 이 충격은 너무 상처가 심하고 치명적입니다. 비탄, 통곡, 초조, 번민- 이래, 이 일체의 궤로에서 생의 방황을 하면서 일편으로 심연의 밑바닥에 던진 씨를 나는 다시 청구씨- 하고 부릅니다.

청구씨- 하고 부르는 내 눈에는 눈물이 가득찹니다. 이것을 세상은 나를 '약자야' 하고 부를까요? 날마다 당(大)하고 지내던 씨와 나 사이, 깊이 이해하고 자실하고 자부하던 우리 사이가 몽상에도 생각하지 않았던 상처의 운명의 경험을 어떻게 현실의 사실로 알 수 있으리까.

모두가 꿈, 모두가 악몽, 지난 비극을 나는 일부러 이렇게 부르고 싶은 것이 나의 거짓없는 진정입니다.

'선량한 남편' - 적어도 당신과 나 사이에 과거 생활 궤로에 나타나는 자세가 아니오리까. '선량한 남편' -사건 이래 얼마나 부정하려 하였으나 결국 그러한 자세가 지금 상처를 받은 내 가슴속에 소생하는 청구씨입니다."

어찌보면 전투적으로 살아온 나혜석답지 않은 하소로 들린다. 아마도 홀몸으로 버틴 4년의 삶은, 그녀에게 그의 표현대로 김우영은 선량한 남편이었음만 확인시킬 만큼 혹독스러웠는지도 모르겠다.

그런 다음 나혜석은 '결혼까지의 내력'이라는 소제목을 달고 김우영과 자신과의 만남, 연애, 결혼에 이르는 과정을 적었다. 이어서 '11년간의 부부생활', '주부로서의 화가 생활', '시어머니와 시누이', 'C와의 관계', '가정은 역경에', '이혼 전후', '이혼후', '어디로 향할까', '모성애', '금욕생활', '나는 재기하련다', '조선사회의 인심' 등의 순서로 써 내려갔다.

소제가 보여주듯이 나혜석은 이혼 고백서 전반에는 결혼에서 이혼에 이르기까지의 사건을 위주로 했으며 후반부에서는 이혼 후 자신의 의지와, 이혼 후 더욱 끓어오르는 모성애, 자유인으로 여성이 살아갈 때 느끼게 되는 욕정과 금욕 결행, 처자가 마치 남자의 전유물처럼 취급되는 불평등한 조선사회에 대한 통렬한 비판 등을 담아냈다.

그리고 종장에는 다시 '청구씨에게' 쓰는 편지 형태를 취했다. 여기에서도 초장과 마찬가지로 김우영에 대한 애정 담긴 미련을 나타냈다.

"감정의 순환기가 10년이라 하면 싫었던 사람이 좋아지고 좋았던 사람이 싫어도 지며, 친했던 사람이 멀어도 지며 멀었던 사람이 친해도 지며, 선한 사람이 악해도 지고 악했던 사람이 선해도 지나이다.

씨의 10년 후 감정은 어떻게 될까. 이상에도 말하였거니와 부부는 세 시기를 지나야 정말 부부 생활의 의미가 있다고 하였습니다. 나는 이미 그대의 장처 단처를 다 알았고, 씨는 나의 장처 단처를 다 아는 이상 상호보조하여 살아갈 우리가 아니었던가?

하여간 이상 몇 가지 주의로 이혼은 내 본의가 아니요 씨의 강청이었나이다. 나는 무저항적으로 양보한 것이니 천만 번 생각해도 우리 처지로 우리 인격을 통일치 못하고 우리 생활을 통일치 못한 것은 부끄러운 일입니다.

아울러 바라는 바는 80 노모의 여생을 편하게 하고, 네 아해의 양육을 충분히 주의해 주시고, 나머지는 씨의 건강을 바라나이다."

그렇다고 나혜석이 이혼 고백서를 통해 김우영의 마음을 돌려보려고 한 것은 아니었다. 만일 그러했다면 이혼 고백서를 발표하고 어느 정도의 기간을 두고 김우영의 눈치라도 살필 일이었다. 그러나 마치 생사 결전을 앞둔 사람이 비장한 고백을 통해 각오를 다지듯이 나혜석은 이혼 고백서를 탈고함과 동시에 최린을 상대로 위자료를 청구하는 소송을 제기한다. 그렇지 않아도 이혼 고백서로 인해 논란이 점점 거세지고 있는 즈음에, 누구도 생각 못했을 '정조 유린' 위자료 청구 고소를 시작했다.

10. 여류화가 나혜석씨 최린 상대 제소

나혜석은 남녀가 평등한 권리를 갖고 있다고 생각하는 사람이었다. 봉건주의적 조선사회에 환멸하고 서구사회에 칭찬을 아끼지 않은 이유도 같다. 프랑스에서 만난 최린의 언행으로 미루어 그의 생각이 자신과 같다고 생각했다. 따라서 남편에게 이혼 당하고 혼자 어렵게 사는 것을 원인 제공자인 최린이 모른 척하고 있는 것은 견딜 수 없는 불평등이었다. 아니, 불평등 전에 파렴치한 일이라고 분노했다.

나혜석은 남편과 헤어진 뒤, 경제적으로 어려움에 봉착하자 최린에게 도움을 청했다. 그러나 사회적으로 승승장구하며 명성을 가진 인사가 된 그는 나혜석을 의도적으로 피하고 있었다. 따지고보면, 나혜석의 이혼에 결정적인 이유가 된 편지 공개도 결국은 최린의 책임이었다. 나혜석은 최린에 대해 분노를 넘어서 환멸하며 복수를 벼르고 있었다.

나혜석은 말을 놓고 지낼 정도로 친분이 두터웠던 소완규 변호사를 찾아가 이 소송을 부탁했다. 소변호사는 나혜석의 요청을 처음 들었을 때, 시일이 너무 오래되었고 정황도 나혜석에서 유리하지 않다고 판단해 난색을 표했다.

"그렇다고 저렇게 뻔뻔한 인간을 그냥 놔둘 수는 없어. 소변호사는 내가 최린 때문에 어떤 대가를 치루고 있다는 걸 잘 알고 있잖아. 자기가 뒷일은 알아서 다 감당하겠다고 철석같이 약속하곤 지금은 완전히 무시야. 어떤 방법이든 강구해줘."

"글쎄, 시간을 갖고 생각해 보자구. 나여사 처지를 보면 당장이라도 걸어야 되겠지만, 법적 소송은 신중해야 하거든."

소변호사는 소송 자체보다 이 소송으로 인해 일어날 파장에 대해 걱정을 하고 있었다. 그렇지 않아도 이혼 고백서로 인해 세상이 떠들썩하던 참이었다. 그리고 최린에 적용시킬만한 죄목도 마땅치 않았다. 나혜석은 정조 유린을 들고 나왔지만 법정에서의 승소를 확신할 수 없었다. 소송이 세상에 알려지게 되면 대부분의 사람들은 나혜석을 비웃을 게 뻔했고, 게다가 패소하는 경우 나혜석과 자신은 망신만 당하고 마는 꼴이 되는 것이다.

소변호사는 이래저래 핑계를 대면서 나혜석을 주저앉힐 생각이었지만 나혜석의 복수심은 식을 줄을 몰랐다.

소변호사는 어렵게 입을 뗐다.

"이봐, 나여사. 내가 당신 편인 줄은 알지?"

나혜석이 그 다음 말이 뭐냐는 듯이 정색을 했다. 소변호사가 멈칫거리자 나혜석은 엷게 웃음을 보였다.

"그러니까 내가 이런 어려운 부탁하는 거 아냐?"

"이봐, 나여사. 내가 지금 말하는 거 잘 들어. 친구로서 진정한 조언이야. 만일 이 말을 듣고도 여사가 소송을 고집하면 내가 시작할게."

나혜석이 고개를 끄덕였다.

"최린이가 참으로 괘씸하기는 한데, 죄목이 신통하지가 않아. 여사는 정조 유린으로 걸자고 하지만 사실은 어려운 일이야. 소송에서 중요한 것은 무엇보다 물증이고, 물증이 없으면 보편적 정황이 뒷받침되어야 하거든. 최린이의 경우는 물증도 없고, 그 정황도 보편성이 없는 편이거든. 그렇게 되면 소송에서 이길 확률도 희박해.

또 세상 이목도 문제야. 내가 알기로 정조유린 죄목 적용은 조선 사상 최초의 일일꺼야. 어차피 소송이 세상에 알려지게 될 테고, 그렇게 되면 입 있는 조선의 백성들은 모두 한마디씩 거들거야. 결국 나여사만 한번 더 피해자가 될 수밖에. 그렇게 생각들지 않어?"

의외로 나혜석의 반응은 빨랐다.

"소변호사, 나도 생각할 만큼 생각하고 나서 부탁하는 거야. 나를 생각해 주는 마음은 고마워. 그렇지만 내가 여기서 더 피해자가 되면 얼마나 더 피해자가 되겠어? 또 망신을 당하면 얼마나 더 당하겠어? 최린을 봐. 저런 자가 어떻게 천도교의 최고 지도자야. 저런 자에게 당한 내가 바보 천치지만, 오히려 물 만난 고기처럼 활개치는 저 꼴을 그냥은 놔 둘 수가 없어.

내게 소송의 목적은 분명해. 첫째는 남녀관계의 일에서 언제나 여자만 피해자가 되는 이 사회에 대한 경종이야. 경종이 아니라도 좋아. 반항이라고 해도 좋고 반발이라고 해도 좋아. 나 같은 여자도 있다는 것을 남자들이 알아야 해.

두 번째는 최린에 대한 응징이야. 나도 소송에서 꼭 이길 수 있다고 생각하지는 않아. 그렇지만 최린이 결코 편치는 못할거야. 출세하는데 지장 있을걸. 나는 이미 세상사람들에게 만신창이가 된 몸, 거기에 한 대 더 맞는 격이지만, 백옥처럼 깨끗한 선생 최린에게는 구정물을 뒤짚어 쓰는 망신이 되지 않겠어?

이기고 지는 것이 상대적이라면, 망신의 정도도 똑같이 상대적이야. 잃을 것 없는 나와 잃을 게 많은 최린과의 싸움은 무조건 내게 유리해. 안 그렇게 생각해?"

소변호사는 나혜석의 결심이 돌아설 여지가 없다고 판단했다. 이리 된 바에는 흔쾌히 나혜석의 소원을 들어주는 게 낫다고 생각했다.

최린에 대한 고소장은 9월 19일 오후 정식으로 법원에 접수됐다. 소변호사는 고소장을 접수시키면서 동시에 언론사에도 공개했다. 그 다음날 신문은 이를 대서특필했다.

9월 20일자 조선중앙일보는 '천도교 신파 대도정 최린씨 걸어 제소, 원고는 여류화가 나혜석여사, 정조유린, 위자료 청구' 라는 제목으로, 같은 날 동아일보는 '여류화가 나혜석씨 최린씨 상대 제소, 처권위해에 대한 위자료 1만 2천원 청구' 라는 제목으로 각각 보도했다. 두 사람의 사진도 위아래로 나란히 실렸다. 이 사건은 조선팔도에서 단박에 최대의 화젯거리로 떠올랐고 일본열도에까지도 적잖은 파문을 일으켰다.

많은 사람들이 문자화된 스캔들에 경악을 했지만 누구도 최린만할 리 없었다.

최린은 나혜석이 자신을 고소했다는 사실을 신문에 실리기 2시간 앞두고서야 알았다. 최린과 친분이 있는 동아일보 한 간부가 전해준 것이다. 그러나 귀뜸 정도로는 신문에 어떻게 나오는지를 가늠하기 힘들었다. 긴장을 하고 신문을 기다리고 있었다.

신문을 펴든 최린은 기절초풍할 지경이었다. 처음에는 자신의 눈을 의심했다. 어떻게 이런 일이 있을 수 있단 말인가. 신문에 실린 자신의 얼굴이 실감나지 않았다. 그 밑에 실린 나혜석의 사진이 오히려 낯익었다. 이런 일은 있을 수도, 있어서도 안 되는 것이었다.

최린은 사색이 되어 동아일보로 뛰어 들어갔다. 그는 동아일보 최고 경영진과 줄이 닿아있었다. 돌던 윤전기가 멈추고 소송 기사는 삭제됐다. 그러나 다른 기사로 대치될 수도 없는 상황이었다. 동아일보는 최종판에서 소송 기사가 차지했던 지면을 백지로 내보낼 수밖에 없었다. 그러나 이미 1, 2판은 발행이 되어 배달까지 나간 상태였다. 또 조선중앙일보는 미처 손을 쓸겨를도 없었다.

명예와 체면을 목숨처럼 여기던 최린으로선 어떤 대가를 치르고라도 이 소송을 중지시켜야 했다. 더구나 천도교 신파 내에서 최고의 지도자로 떠오른 자신이 송사에 휘말리는 것은 치명타 중에서도 치명타였다.

최린은 자신의 어리석음을 탓했다. 사실인 즉은, 나혜석의 이혼 고백서를 남모르게 여러 차례 읽은 터였다. 그리고 안도했었다. 거기에는 자신의 실명이 거명되지도 않았을 뿐 아니라 자신에 대한 섭섭함도 찾아볼 수 없었다. 오히려 전 남편 김우영에 대한 연민이 분명하게 느낄 수 있어 나혜석과의 관계는 이 글을 계기로 완전히 정리됐다고 생각했다.

이보다 수개월 전엔 나혜석이 유럽으로 가겠다고 여행비용을 요구해 왔으나 묵살했다. 그리고 나니 약간은 찜찜함도 없지 않았던 터였는데, 이후 이혼 고백서를 읽고 그런 느낌도 씻을 수 있었다.

그런데 이게 무슨 날벼락이란 말인가. 최린은 부랴사랴 변호사를 선임해 합의를 시도했다. 소송에서의 위자료 청구액은 1만 2천원이었다. 소완규 변호사는 최린 측이 합의하자고 달려들자 내심 다행이라고 생각했다.

나혜석도 최린이 이렇게 쉽게 백기를 들 거라고는 예상하지 못했다. 한편으로는 최린에 대한 실망감이 더했다. 세간의 이목과 비난을 이렇게 무서워하는 겁쟁이가 어떻게 민족의 지도자로 일컬어지는가. 삼일운동 때는 어떻게 33인 중에 한 명이 될 수 있었는가. 한심스럽기 짝이 없었다. 그런 자의 꼬임에 넘어갔던 자신도 덩달아 한심스러웠다.

합의금은 청구액의 절반인 6천원으로 타결됐다. 그러나 액수는 외부에 알리지 않기로 했다. 나혜석은 합의금을 받고 소송을 취하했다. 경제적으로 심한 압박을 받고 있던 나혜석에게는 단비 같았다. 구질스런 생활을 단번에 벗고 새로운 삶의 기반을 마련하는 기회가 됐다.

다음해 봄에 나혜석은 수원 서호 근처에 집을 구입했다. 경제적인 여유가 그에게 다시 그림 그리기를 허용했다. 나혜석은 이때처럼 그림 그리기가 자신에게 평온을 준 적이 없다고 생각했다. 아무런 부대 목적이나 걱정 없이 그리고 싶은 그림을 묵묵히 그리고 있노라면 행복하기 이를 데 없었다. 스스로 평가하기에도 이때 그린 작품은 편안했다.

10월에 이르러서는 서울 진고개 조선관 전시장에서 소품 개인전을 열었다. 나혜석은 이 전시회에서 최근에 그린 그림을 포함해 자신이 갖고 있던 작품 2백여점을 전시했다.

전시회를 앞두고 나혜석은 가슴이 설레었다. 따져보니 지난번 개인전은 14년 전이었다. 결혼 바로 다음해에 경성일보사 내청각에서 열었던 개인전은 대성황이었다. 지금의 처지가 그때와는 영 다르지만, 전시회를 앞둔 흥분과 기대는 예전보다 되레 더 큰 듯 싶었다.

그러나 결과는 참담했다. 일부러 멀리서도 찾아온 지인들을 제외하면 일반 관람객은 그 수가 몇 되지 않았다. 나혜석은 다시 절망의 늪에 빠지고 만다. 이태 전에는 어렵사리 출품한 조선미술대전에서 낙선했다. 이제 자신의 미술은 끝난 것이나 마찬가지라고 생각했다. 도대체 무엇이 문제란 말인가. 나혜석은 이해할 수가 없었다. 작품이 더 원숙해졌음에도 등을 돌리는 사람들이 그저 원망스러울 뿐이었다.

그러나 나혜석의 개인전 실패는 그림 자체에 있지 않고 나혜석의 글에 있었다. 최린에게 합의금을 받아낸 이후 나혜석은 더 거칠게 없이, 생각나는 대로 글을 발표하고 있었다. '신생활에 접어들면서', '아껴 무엇하리 청춘을', '구미여성을 보고 반도 여성에게', '독신여성의 정조론' 등에서 나혜석은 조선사회의 인습에 얽매인 정조관념 해체를 주장하는 글을 연속적으로 써댔다.

그 결과 세상이 갖는 나혜석에 대한 인식은 극도로 냉소적이었다. 남성뿐 아니라 여성들도 그의 주장에 공감하는 이는 없었다. 나혜석은 스스로 외치는 소리에 스스로를 결박하는 결과를 낳고 만 것이다. 사람들은 그의 개인전을 관람한다는 것이 어쩐지 그의 생각에도 동조하는 듯 하다고 느꼈던 것이다.

이후 나혜석은 붓을 완전히 놓고 만다. 만 40세였다.

11. 선수암 그리고 수덕여관

선수암에 오르는 일이 다소 힘들기는 하였지만 일엽은 매일 어김이 없었다. 아침 불공을 드리고 나서 10시쯤 선수암으로 향하곤 했다. 궂은 날만 빼놓고 2년을 넘겼다. 길이 따로 없는 비탈 산기슭으로만 40여분간 열심히 오르면 선수암 암자에 도달하게 된다. 이제는 어느 정도 익숙해진 산행이지만 처음에는 몹시 힘들었다. 부치는 체력도 그러했지만 마음을 몹시 어지럽히는 여러 가지 세속스런 잡념들이 더 그랬다.

그는 어려서부터 유난히 산을 좋아했다. 산에 오르면 어두워짐을 걱정할 때쯤 되어서야 내려오기가 일쑤였다. 불제자가 되기 전까지 그가 지녔던 자유스럽고 낭만에 찬 생각은 대부분 산과 더불어 만들어진 것이었다. 수덕사에 들어와 산을 오르는 일은 그에게 기쁨이면서 고통이었다. 세월이 흐르면서, 불심이 쌓이면서, 일엽은 이젠 제법 무념의 산행을 익힌 터였다.

앞만 보고 올라와 선수암에 마침내 이르러, 올라오던 방향으로 몸을 트는 순간은 언제나 짜릿했다. 저만큼 밑에 수덕사 전경이 네모 모양으로 다 드러나고 그 밑으로 산세를 따라 울창한 숲과 골짜기가 이어진 장관은 일순간에 정신을 맑게 했다. 고개를 조금 더 치켜드니 시선이 간신히 닿는 아스라한 곳 끝으로 연두색 평야가 속세처럼 깔려 있었다.

아직 가을이라 하긴 일렀지만 어느 편에서 만들어졌는지 모를 바람은 꽤 시원했다. 한줄기 훑고 지날 때마다 필경은 흔들리는 나뭇잎이 만드는 게 분명할 소리가 다가오는 듯 싶으면 어느새 작아졌고 사라졌나 싶으면 다시 몰려왔다.

수덕사를 왼쪽으로 두고 비스듬하게 방향을 잡은 일엽은 암자에 앉았다. 다리를 꼬고 앉으니 나른함이 눌리면서 평소보다 훨씬 더 뻐근함이 느껴졌다. 산행 발걸음도 어쩐지 무거웠었다. 일엽은 밤새 잠을 설쳤음을 그제 생각해냈다.

어제 저녁 늦게 찾아온 혜석은 다짜고짜 프랑스로 떠나겠다고 했다. 수송동 미술학교를 방문한 이래 통 혜석의 소식을 모르고 지냈던 일엽은 어리둥절했다. 혜석이 최린 고소사건을 말해줬을 때 일엽은 자신의 귀를 의심할 정도로 충격이었다. 혜석이 다시 보였다. 자초지종을 듣고 나서는 다소 정신을 차리기는 했지만 문득문득 혜석이 딴사람처럼 낯설어 보이기도 했다.

프랑스로 가겠다는 혜석의 처지가 이해가 안 되는 것은 아니었지만 일엽은 만류했다. 프랑스는 혜석의 인생을 송두리채 뒤집는 단초가 된 곳이었다. 혜석이 그곳에 잠시 체류하면서 빠졌던 파리의 분위기는 신기루였지 실상이 아니었다. 일엽은 자신이 프랑스를 직접 가 보지는 않았지만 그 점은 장담할 수 있었다.

그건 비단 파리만이 아니라 어디라도 마찬가지라고 생각했다. 그건 생각이 아니라 자신의 경험이기도 했다. 일본 동경에 유학하던 그때, 어쩐지 침착하고 말끔했던, 혹은 일종의 피해의식 또는 열등의식이 부채질했을지도 모를 그 분위기에 얼마나 휩쓸렸던가. 지금 와 생각하면 어리석고 부질없었다. 그래도 일본은 가깝기나 하고 언어소통이 수월하다. 도대체 프랑스 말 한마디 제대로 하지 못하는 혜석이 혈혈단신으로 어떻게 프랑스에서 살아가겠다는 것인지.

혜석은 결심이 굳은 듯 했다. 자신에게 동의를 구하러 온 것이지 상의를 하러 온 것이 아니었다. 아니 어쩌면 통보를 하러 왔을 것이다. 그럴수록 혜석의 결정이 잘못된 것이라는 일엽의 반대도 강해졌다. 다시 거기에 반발하는 혜석도 거세졌다.

"나여사, 프랑스에 가면 반드시 후회합니다. 그곳에 나여사가 좋아하는 미술도 있고 낭만도 있고 자유도 있는 것 압니다. 그러나 산다는 일을, 다른 것 다 고사하고 좋아하는 몇 가지에 건다는 것은 미숙한 일입니다. 오히려 고생스럽고 괴로운 일에 덜 부딪히며 사는 법을 모색하는 게 현명한 일입니다. 십 수 년 전에 나여사가 보았던 파리는 환상이외다. 그때는 나여사도 젊었고 또 외교관부인 신분이었소. 지금 가서 살려고 하는 파리를 그때와 같을 것이라고 생각하는 것은 착각입니다."

"스님조차 왜 나를 막으려고 하십니까. 내가 이 구차한 땅에서 이렇게 구차하게 살아가야 할 이유가 도대체 뭡니까. 비겁한 남자들, 비굴한 겁쟁이들 투성이, 여자를 칭칭 동여매는 이 숨막히는 나라보다 못할 땅이 이 세계 있겠습니까. 이런 일을 스님이 더 잘 알지 않습니까."

이날 밤 두 사람은 한때 목소리까지 높였다. 서먹한 분위기까지 갔다가 나중에 헤어질 즈음엔 다시 화해가 되기는 했지만 혜석의 프랑스행에 관해선 이견이 여전했다.

혜석을 수덕여관 근처까지 배웅하고 돌아온 일엽은 제대로 잠을 이루지 못했다. 다시 낯선 혜석의 얼굴이 보였다. 혜석이 무섭다는 생각까지 들었다. 자신은 그에 비하면 겁보라는 생각도 들었다.

고단한 육신을 타고 잠이 밀려 왔다가 다시 썰물처럼 쫓겨가곤 했다. 다행히 새벽불공 시간을 맞출 수는 있었다. 정신이 다른 때만큼 맑지 않은 것이 오히려 다행이었다. 바쁜 아침 일정에 피곤한 정신을 집중시키려고 애를 쓰다보니 어젯밤의 혜석과의 일을 잊을 수 있었다.

선수암은 일엽이 자유하는 곳이었다. 오르는 순간까지는 수도자였지만, 그리고 다시 내려가는 발걸음이 시작되면 다시 수도자로 돌아가지만, 여기에 머무는 동안은 누르고 외면했던 모든 생각을 피하지 않았다. 불도에 들어왔으나 끊임없이 일어나는 상념들이 있었다. 그것들을 외면하려고 애썼지만 그럴수록 점점 더 질겼다. 별의별 방법을 다 궁리하던 일엽에게 선수암이 해결책이 되었다. 불심을 닦을 때 떠오르는 모든 잡념은 선수암에 올라가서 생각하기로 하고 미루려고 했다.

그런데 그 방법이 효과를 본 것이다. 선수암에 올라 미뤘던 생각들을 하나씩 정리했다. 세상을 지그시 내려다보며 불공 때 자신을 괴롭혔던 여러 잡념을 정면으로 대하면 대부분의 경우 그런 것들은 저절로 부질없어졌다. 선수암이야말로 더 할 수 없는 일엽의 수도장이었다.

어젯밤 혜석의 일은 어찌된 것인가. 내가 왜 그렇게 간다는 혜석을 붙잡으려 했을까. 속세를 등지고 산다는 내가, 속세의 일을 좌지우지하는 일에 어찌 그리 깊이 간여하려는가. 나의 삶이 버거워 그 업보를 깎으려고 부처님의 제자가 되길 자처한 자신이 타인의 삶의 무게에 관심을 두는 일은 무엇이며, 또 그런들 그 인생에 무슨 도움을 줄 수 있단 말인가. 혜석이 이 땅에 머문다고 해도 떠나는 것보다 낫다는 보장은 무엇인가. 또 낫다는 것은 무엇이며 못하다는 것은 무엇인가. 나는 혜석을 온전하게 걱정하는가. 혹은 가는 실 한 올만큼이라도 그와의 인연에 집착하고 있지는 않은가.

선수암에서 내려다보는 만상은 모두 그대로였다. 위치도, 형태도, 색깔도, 냄새도 어제 이곳에서 바라본 것과 똑같았다. 그런데 자신의 생각만 분주하게 바뀐 것이다. 생각은 내 마음과 머리에서 만들어지는 것인데 그 생각을 맘대로 잡을 수 있는 사람이 있다면, 그는 이미 부처의 경지에 충분히 이르렀다는 큰스님의 말씀이 떠올랐다. 그런데 우리는 어떠한가. 내 생각은 놓아두고 남의 생각을 잡아보려고 애쓰지 않던가.

일엽은 어젯밤 나혜석과 나눈 이야기를 기억해봤다. 큰스님의 말 그대로였다. 자신은 혜석의 생각을 바꿔보려는 어리석음에 매달려 있었다. 혜석을 위한 조언이었다고 할 수 있겠지만 결국은 내 생각을 잡지 못한 결과였다.

일엽은 자리에서 일어섰다. 선수암에서 내려오는 발걸음은 가벼웠다. 그날 밤 일엽은 수덕여관으로 혜석을 찾아갔다.

혜석은 다음날 아침 일찍 떠날 예정으로 짐을 꾸려놓고 있었다. 일엽은 자신을 보자 혜석의 얼굴에 순간적으로 스치는 반가움을 읽는다.

"벌써 떠나시렵니까."

"가야지요. 스님의 뜻도 알고 그랬으니 이곳에 더 머물 이유가 없습니다."

"내 뜻이 어땠기예요?"

"그렇게 서있지만 말고 앉으시지요."

일엽은 손으로 방바닥을 짚으며 벽쪽에 등을 기대어 앉으면서도 눈은 혜석에게서 떼지 않았다. 혜석은 잃어버릴 것도 없는 단출한 짐을 되풀고 확인한 후 다시 묶는다. 일엽은 혜석의 과장된 몸짓을 물끄러미 바라본다.

"나여사, 프랑스로 가세요."

그제서야 혜석이 일엽을 제대로 쳐다봤다.

"내 진심입니다. 어제는 내가 뭔가에 홀려 판단이 흐렸던 모양입니다. 나여사의 말을 곰곰이 되새겨보니 내 생각이 짧았습니다. 엉성하기 짝이 없지만 그래도 세상과 인연을 끊고 사는 땡중 처지인데, 그만 사사로움이 너무 많았습니다. 게다가 나여사에 대한 배려도 짧았구요."

혜석의 표정이 밝아지더니 피식 웃음까지 터뜨렸다. 일엽은 자신이 떠나려는 혜석의 마음을 편하게 해주어 다행이라고 생각했다. 그러나 혜석의 대답은 의외였다.

"일엽스님, 솔직히 자신이 없어졌습니다. 스님을 만나러 갈 때까지만 해도 프랑스에 가면 모든 것이 해결될 줄 알았습니다. 나 역시 어제 수덕사에서 돌아와 많은 생각을 했습니다. 프랑스의 미술은 세계 최고입니다. 그렇지만 이 조선에서 온 이름없는 여자화가와는 그 간극이 조선에서 프랑스만큼이나 여전히 멀 것입니다. 프랑스는 자유가 넘치는 곳입니다. 그러나 그것도 그곳에 사는 프랑스인을 위한 것입니다. 아무리 자유가 주체할 수 없이 넘쳐나도 그 땅이 내 땅이 아니면, 이미 나는 자유인이 아닐 것입니다. 지금 가서 프랑스말을 배운다는 것도 어렵죠. 스님 말이 다 맞는 것 같습니다. 정말 어찌해야 할지 모르겠습니다."

일엽은 혜석의 말에 미안하기도 했지만 내심은 기뻤다. 혜석이 프랑스로 가는 문제에 이성적 사고를 하기 시작했다는 확신이 들었기 때문이다.

"나여사, 프랑스에 간다, 안 간다가 결론도 아니고 전부도 아닙니다. 가서 나여사가 편안할 수 있고 혹은 몹시 고생할 수도 있습니다. 여러 가지 상황을 잘 고려하는 게 중요합니다. 문제가 될 게 있으면 대책도 세우고 만일의 경우에도 대비하고. 나여사가 지금 프랑스를 가겠다 말겠다를 결정할 필요는 없어요. 조금 더 시간을 두고 생각해보면 답이 나올 겁니다."

"스님, 여러 가지로 답답합니다."

"밖의 공기가 상큼하던데, 우리 나갑시다."

수덕여관은 바로 옆에 대나무 숲을 두고 있었다. 여관 정면과 대나무숲이 직각을 이루는 형태였는데 그 모서리 부분에는 우물이 하나 자리잡고 있다. 시와 철을 따라 그 우물 맛이 달랐다. 그래서 대부분 동네 사람들은 수덕여관의 우물이 살아있는 생수라고 좋아했고, 일부는 숱한 세월, 숱한 수덕사 중들의 공력이 녹아들어 영력까지 생긴 물이라고까지 과찬했다. 이런 이들이 주야로 들러 우물을 퍼담아 갔다. 수천이 정말 좋은 모양이었다. 아무리 퍼내 가도 우물물은 줄지 않았다.

두레박을 내려 한 움큼 길어 올린 물은 두 사람이 나눠 마셨다. 냉기가 콧등을 타고 이마로 올라왔다.

"스님, 역시 수덕여관의 우물 맛은 일품입니다."

"나여사가 수덕여관에 가끔씩 오는 것은 이 땡중을 보러오는 것이 아니라 정작은 이 물맛 때문이라는 말도 있습니다."

"스님은 이제 정말 도가 트신 모양입니다. 나만 아는 그런 비밀도 캐내실 줄 아는 걸 보니 말입니다. 그만하시고 속세로 돌아오셔도 되겠습니다."

두 사람의 웃음소리가 얕은 바람에 떠는 대나무 잎새 소리와 섞이고 있었다.

"일엽스님, 나는 스님이 부럽습니다. 나도 그렇게 살 수 있으면 참 좋겠습니다."

"나여사, 나는 나여사가 부럽습니다. 지치지도 않고 꺾이지도 않는 여사의 의지와 용기가 정말 부럽습니다. 언젠가도 얘기했지만 나는 그런 것들을 포기한 사람입니다. 정확하게 말한다면 그것을 내가 원해서 버린 것이 아니라 내 힘에 너무 부쳐서 그것이 두려워 놓아버린 사람입니다. 보통사람들은 나를 구도자라고 하고, 여사를 세인이라고 할 것입니다. 그러나 내 눈에는 나여사야말로 구도자로 보입니다. 나는 구도를 흉내내고 있을 뿐입니다.

억천만겁 시간 속에 이승의 삶은 점 하나입니다. 나여사를 내가 곁에 둔 것은 기묘하고 기묘하고 또 기묘한 인연입니다. 나여사가 불자가 되지는 않았지만 내가 여사를 보고 불공에 더 전념하니, 불자의 스승된 이에게 어찌 공덕이 없겠습니까. 힘내서 원하는대로 꿋꿋하게 사세요. 부처님의 자비가 여사에게 각별합니다."

침묵하던 나혜석이 입을 열었다.

"스님, 사람이 죽으면 어떻게 됩니까."

똑같은 물음이었다. 일엽이 미술학사를 찾았을 때도 혜석은 그렇게 물었었다.

일엽은 혜석의 그런 물음이 또 불안했다. 혜석이 정말 궁금해하는 것은 죽은 다음의 세계가 아니라는 생각이 들었다. 지금의 삶이 너무 힘들다는 말로 들렸다. 그래서 못들은 척 넘겼다. 혜석도 일엽의 그런 심중은 짚은 듯 되묻지 않았다.

"스님은 아들 생각이 안 나십니까."

그런데 이어진 질문은 전혀 기대치 못한 것이었다. 대나무 잎을 두 손가락으로 쓸어 내리고 있던 일엽스님의 손이 순간적으로 떨리면서 석고처럼 멈췄다. 그가 고개를 돌려 혜석을 응시했다. 혜석의 눈이 각오한 듯 기다리고 있었다.

"그런 물음은 어리석은 것입니다."

"죄송합니다."

일엽에게는 출가 전에 둔 아들이 하나 있었다. 철이 든 후 모친의 행방을 알아챈 아들은 수덕사를 찾아왔다. 일엽은 아들을 피했다. 그러나 모친을 만나겠다는 아들의 집념도 대단했다. 결국은 세 번째 수덕사를 찾아와서는 일엽을 만나게 된다.

일엽은 만난 아들을 박절하게 대했다. 나는 이미 세속을 정리한 사람이니 아들도 없다고 말했다. 마침 그때 혜석이 수덕여관에 머물고 있었다. 일엽의 아들도 수덕여관에서 며칠을 머물게 되었고 혜석과 일엽의 관계를 알게 됐다. 혜석도 일엽의 아들인 것을 알고 각별하게 대했다. 그 아들은 혜석을 어머니라고 불렀다.

그런 일이 있어도 혜석은 일엽에게 그 아들의 이야기를 묻어두고 있었다. 일엽도 나혜석과 아들 사이의 교분을 알았지만 덮어두고 있었다. 그런 사이에서, 혜석의 입에서 나온 아들 얘기는 금기를 깨는 일이었다.

"나여사, 아이들 생각이 많이 나는 모양이군요."

일엽이 혜석의 미안함을 풀어주려는 듯 부드럽게 말했다.

"………"

여관 대문에 걸린 희미한 석유등 불빛이 간신히 건너오고 있었다. 그래도 일엽이 혜석의 눈이 흐려지는 것을 보기엔 충분했다.

"나도 아이들과 절연할 수 있으면 좋겠습니다. 좀 잊었다 싶다가도 어떤 때는 자식들이 죽을 정도로 보고 싶습니다. 그러면 며칠씩 아무런 일도 손에 잡히지 않습니다. 견디다 못할 때는 찾아가기도 했습니다. 집 근처에 가서 숨어 아이들이 지나가길 하루종일 기다렸습니다. 처음에는 설레는 마음으로 기다리다, 시간이 지나면서는 부끄러워지기도 했습니다. 그러다가 막상 아이가 지나가면 제대로 보지도 못하고… 그리고 돌아오는 길은 비참하기 짝이 없었습니다.

스님, 자식과의 인연은 무엇입니까. 어떤 어미는 자식이 그리워 헤매고, 어떤 아들은 어머니가 그리워 헤맵니다. 어미는 생명을 걸어 매놓고 낳았고 자식 또한 죽을 힘을 다해 어미의 살을 찢고 세상에 나왔습니다. 이 세상의 어떤 관계가 죽음보다 더 두터운 어미와 자식의 인연보다 우선한답니까.

그런데 나는 그렇지 못합니다. 그런 자식들이 다 내게 등을 돌립니다. 그 자식들을 세상에 내놓으면서 내 산고도 결코 다른 어미보다 경하지 아니하였거늘, 어미는 없고 아비만 있다 합니다. 아이들 때문에 그렇게 매달렸는데 허사였습니다. 그러면 나도 잊어야 맞는 이치가 아닙니까. 그런데 잊어지지가 않습니다. 잊어지지도 않고 볼 수도 없고, 아 자식은 정말 내게 고통입니다."

혜석은 봇물 터진 듯 쏟아내고 있었다. 일엽은 나혜석이 프랑스행을 망설이는 마지막 이유도 자식들 때문일 수 있다는 생각이 들었다. 그러나 이 일에 있어서는 일엽도 거들만하지도 않았다. 다만 자식에 대해 냉혈한처럼 초연한 자신을 부러워하는 혜석에게 뭔가를 설명해야 했다.

"나여사, 나와 여사는 같은 사람이지만, 다른 사람입니다. 나는 출가한 사람입니다. 불교에서 출가 전과 출가 후의 삶은 이승과 저승만큼이나 확실하게 다르게 봅니다. 출가 전의 인연은 출가와 동시에 없어집니다. 지우고 다시 시작하는 겁니다. 특히 불도를 닦는데 업보가 되고야 말 혈연은 더욱 그렇습니다. 내게 아들이 없다함은 그런 연유입니다."

"스님, 무지한 저도 그리 들어 알고 있습니다. 사실은 제 마음속으로 출가 했다고 쳤습니다. 아이들에 대한 그리움이나 매정한 남편에 대한 미움이 솟구칠 때면 나는 출가한 사람이라고 스스로 다짐했습니다. 그런데 그리 되지 않았습니다. 아니, 남편에 대한 분노는 잊을 만 했습니다. 내가 잘 한 것도 없지만, 그를 이제는 원망하지 않을 만큼 되었습니다. 그런데 자식은 그렇게 되질 않네요."

"출가한 이에게 가장 몹쓸 인연이 부모자식간이라고 합니다. 어찌보면 그 인연을 제대로 지우는데 나머지 이승의 삶을 다 소진시키는 셈입니다. 나여사는 출가하지 않았습니다. 만공스님이 제게 말씀하신 게 생각납니다. 만일 나혜석이 출가한다면 일엽보다 더 모질어야 견딜 수 있을 것이다. 아무나 출가하는 것이 아니다. 출가할 수 있는 성품은 정해져 있다. 혜석에게 출가를 권하는 일은 삼가는 게 좋겠다고 하셨습니다.

출가하지 않은 이가 출가한 듯 애쓰는 일은 정당하지 않습니다. 남편을 용서한 일은 참으로 잘 하신 일입니다. 그것은 출가하지 않더라도 그렇게 해야 할 일입니다. 그러나 자식들과의 인연을 애써 자르려고 하지 마십시오. 그렇게 되지도 않을뿐더러 나여사의 심성만 더 황폐해지고 말 것입니다.

용서하고 들으세요. 자식에 대한 그리움은 애정과 다른 겁니다. 그리움은 이기적이고 애정은 이타적입니다. 나여사가 아이들을 그리워하는 것은 결코 아이들을 위한 것이 아닙니다. 나여사를 중심으로 한 감정이지요. 물론 애정이 그리움의 원천이지요. 그러나 그 처음이 선하다고 해서 거기서 비롯된 모든 것들이 선할 수 없다는 말이지요. 사람은 이 세상에 태어나 숨쉬는 순간이 근본입니다. 그 어떤 생각이나 환경에도 노출되지 않은 선한 모습입니다. 그러나 자라면서 어떻게 됩니까.

그와 같은 이치라고 생각합니다. 나를 위해 무엇을 취해야만 이기가 아니라 나를 중심으로 중생과 삼라만상을 바라보는 것이 이기입니다. 부모가 자식을 그리워하는 것은 인지상정입니다. 그걸 나쁘다 할 일은 아니지요. 그러나 나여사처럼 그 때문에 삶의 전체가 흐트러지는 일은 자기 꾀에 자기가 넘어가는 어리석은 일과 같습니다."

생각의 여유를 주려는 듯 일엽은 거기서 말을 멈추었다.

자식을 그리워하는 일이 나를 위한 것이란 말인가. 혜석은 얼핏 수긍이 가질 않았다. 그렇지만 그 말에 부연 설명을 요구하거나 반박할 생각이 들진 않았다. 대신 어렴풋하고 막연했지만, 도움이 될 만하다는 생각이 스쳤다. 그러나 이런 류의 말은 시작도 끝도 없는 일이었다. 그래도 분풀이 하듯, 원풀이 하듯 속내를 드러내고 보니 후련했다.

"스님, 어쨌거나 저는 내일 상경하려고 합니다. 아직도 치우지 못한 짐이 미술학사에 남아있습니다. 전시회에 내걸었던 그림도 찾아야 하고…. 프랑스를 안 가더라도 내 주변은 좀 정리할 필요가 있거든요."

두 사람은 다시 안채로 돌아왔다. 객들의 방마다, 마치 그들의 수심인 듯한 희미한 불빛이 삐끗 새어나오고 있었다. 일엽은 방에 들어가기를 권유하는 혜석에게 손을 저었다. 큰스님의 눈치도 있고 해서 더 머물기는 곤란하다고 했다. 내일 다시 먼길을 가려면 푹 쉬어야 한다면서 오히려 혜석을 방으로 밀어 넣었다. 그러더니 상체를 구부려 머리만 방안으로 들어와 비밀을 말하듯 속삭였다.

"소승은 이른 새벽 불공 때면 나여사를 생각합니다. 지금은 내 수양이 워낙 미약해 아무런 도움이 되지 못합니다만, 조금만 더 기다려보세요. 언젠가는 부처님의 은덕이 여사에게까지 미칠 날이 오지 않겠습니까. 그때 딴청을 부리면 안됩니다, 하하."

혜석은 일엽이 고마웠다. 대문을 나서자 스님은 순식간에 사라졌다. 시커먼 대문 밖의 어둠이었지만 혜석에겐 한동안 일엽의 잔영으로 남았다.

수덕여관은 수덕사 입구에 위치하고 있었지만, 수덕사로 오르는 길과의 사이에는 도랑이 패여 있었다. 여름 장마철을 제외하고는 도랑에 물이 거반 차 오르는 경우는 없었지만 골이 넓어 바로 건너기엔 무리였다. 수덕사에서 수덕여관으로 오거나 여관에서 수덕사로 가려면 인가 쪽으로 이백여 보의 발품을 팔아야 도랑을 건너는 다리를 건널 수 있었다.

다리를 돌아 수덕사 언덕길로 들어선 일엽은 도랑 건너 왼편으로 나타난 수덕여관을 힐끔 바라봤다. 문가 쪽으로 위치한 혜석 방의 불빛이 미미하고 외롭기 짝이 없다.

처음 만났을 때 혜석이 얼마나 반짝였던가. 눈빛이 깊으면서도 초롱했고 이지적 미모에 어울리는 언어였다. 혜석은 통째로 날아가도 좋을 만큼 싱싱하고 생생했다. 그를 만나는 거의 모든 사람들이 그의 주변을 맴돌았다. 갖춘 재색에 걸맞는 삶을 영위하고 있는 것으로 보였다. 일엽은 그가 반가웠고 부러웠다. 10년도 훨씬 전의 일이었다. 그런데 지금의 나혜석은? 일엽은 어느새 40줄을 들어선 둔 자신과 혜석의 나이가 새삼스러웠다.

혜석의 푸석해지고 창백해진 얼굴이 새삼 걱정됐다. 여러 달 전 미술학사로 혜석을 찾았을 때도 건강해 보이지는 않았다. 그런데 이번에 보는 혜석은 그때에 비할 바가 아닐 정도로 더 나빠 보였다. 건강을 묻자 별 아픈데 없다고 했지만 수척해 있었고 목소리도 긁혀 있었다.

다음날 서울로 올라온 나혜석은 미술학사로 왔다. 꿈에 부풀어 열었다가 불미스런 일만 당한 채 문을 닫고만 곳이다. 열쇠로 문을 따고 삐끗 들어섰다. 모든 게 다 그대로다. 변한 건 하나, 바로 자신이었다.

'처음 열었을 때 학사는 내 세상이었다. 내가 왕이고, 주인이었다. 여기를 찾는 자들에게 색과 선과 형상으로 새로운 세계를 알려주고 새 생명을 얻은 기쁨과 보람을 선사하겠다고 얼마나 별렀던가. 나를 전율케 하지 않은 어느 구석하나 없었다. 그런데 이제는 감옥이다. 모두가 외면하는 감옥. 나는 왕에서 죄인으로 내려앉았다. 무슨 죄를 내가 지었는가.'

알 듯 모를 듯 내리던 비가 제법 줄기를 만들고 있었다. 밖으로 내리는 비가 마술을 부려 천장을 뚫고 벽을 뚫고 미술학사로 진격했다. 고왔던 벽 색깔이 칙칙해진다. 마루바닥에 쪼그리고 앉았다. 몸에 오한이 일었다. 눈을 감는다.

'이 미술학사가 눈깜짝할 새 사라졌으면 좋겠다. 불이 타도 좋겠다. 나도 그렇게 없어지면 좋겠다.'

12. 그 해 늦가을

"진이야, 이리 좀 건너오너라."

아버지는 좀처럼 나를 부르시는 적이 없었기 때문에 나는 의아해 했다. 그런 경우도 거의 드물었지만, 꼭 할 말이 있으면 아버지는 내 방으로 찾아오는 쪽이었다. 아버지 방으로 실로 오랜만에 들어섰다. 낯설다면 좀 뭐하지만 그렇다고 편안하지도 않았다. 아버지 왼쪽으로 앉아 있는 새어머니도 내가 문을 열고 들어설 때부터 빤히 내 얼굴만 쳐다보고 있었다. 나를 기다리고 있는 게 뻔했다.

"그리 앉거라."

나는 영문을 모르겠다는 뜻으로 눈만 끔벅이고 있었다.

"너, 생모가 학교에 찾아왔었다면서?"

"예?"

나는 깜짝 놀랐다. 어머니가 학교로 찾아온 사실은 나와 누나 외에는 아무도 알지 못했다. 그런데 제일 비밀로 해야 했을 아버지가 알고 있지 않는가. 도대체 어떻게 알았을까. 내가 곧바로 누나를 의심한 것은 당연한 일이었다. 아버지는 내 속내를 들여다보듯 말했다.

"나열이에게 들었다. 너하고만 알고 있는 비밀이라며 상당히 망설이더니 내게 말하고 갔다."

나열은 3일전에 개성으로 떠났다. 그곳 여학교에 교사로 취직이 됐던 것이다. 나는 나열이 떠나기 전날 아버지와 뭔가를 꽤 긴 시간 얘기하던 일을 떠올렸다. 그때였구나. 나열 누이가 괘씸하다는 생각을 했다. 그러나 지금은 그걸 따질 때가 아니었다. 당황스럽기가 짝이 없었다. 아버지에게 어머니가 찾아왔던 사실을 감춘 꼴이 된 셈이다.

"예. 저 사실은, 아버지에게 일부러 말씀을 안 드린 건 아니구요."

나는 변명하느라 쩔쩔매고 있었다. 일부러 아버지에게 말을 안 한 건 아니었지만, 그렇다고 말을 안 한 이유가 뚜렷하지도 않았다. 다행히 아버지는 왜 말을 하지 않았느냐고 따져 묻지 않았다.

"네게 무슨 말을 하더냐?"

"별 말씀이 없었습니다. 네가 진이냐고 묻고 울기만 하셨습니다."

나는 얼굴을 들지도 못하고 있었다. 한동안 말이 없던 아버지는 깊은 한숨을 내쉬었다. 눈치를 살피려고 살짝 얼굴을 들었던 나는 아버지의 일그러진 표정에 놀라 다시 급하게 고개를 숙였다.

"얼마 동안이나 만났느냐?"

"길지 않았습니다. 수업시간 중간에 있는 휴식시간이었으니까 10분 안쪽이었습니다."

"아무 말도 없이 너를 보고 울기만 하다 갔느냐?"

"예."

정말이지, 나는 어머니가 한 얘기가 도무지 생각나지 않았다. 나는 아버지가 화났다고 생각했다. 아버지의 안색이 그렇게 굳어 있는 모습도, 깊게 가라앉은 목소리를 듣기도 처음이었다.

"건너가거라."

한참 침묵이 지난 후 아버지 반응은 의외였다. 나는 아버지가 어머니 얘기를 그 정도에서 끝낸 것을 참 다행이라고 생각했다. 내가 자리를 막 뜨려고 할 때 아버지는 한마디를 덧붙였는데, 결론처럼 들렸다.

"다음에 찾아오거든 만나지 말거라."

"예."

내가 마루로 나와 아버지방 문을 닫자마자 새어머니가 아버지에게 하는 말이 들렸다.

"엄마라는 사람이 찾아오는데 아이가 어떻게 안 만날 수가 있어요?"

"그럼 어떻게 하란 말이오?"

"어떻게 하란 말이 아니라 진이한테 그렇게 말해봐야 소용없다는 말이에요."

"그럼 만나라고 해야 되겠소?"

아버지의 목소리에 역정이 묻어나고 있었다.

"누가 그렇게 말하래요?"

"그럼 뭐냐구. 이것도 아니고 저것도 아니면."

"왜 이렇게 역정을 내시고 그래요? 나도 나혜석이가 아이들 찾아오는 거 원치 않는 사람이에요. 그런데 요즘 자꾸 나타나잖아요. 그렇다고 아이들을 학교에도 못 가게 붙잡아 둘 수도 없고. 지난번에도 집 들어오는 길에서 한참을 배회하다가 갔어요. 생각 같아서는 내가 직접 대면해서 뭐라고 하고 싶지만 그럴 일도 아닌 것 같고. 공연히 나도 불안하고."

"절대로 당신이 나설 일은 아니니까 명심해요."

"내가 나혜석을 만나는 것을 원치 않으면 당신이 만나든지 무슨 조치를 취하세요. 거지같은 행색이 불쌍하게 보이기도 합니다.”

“불쌍하긴 뭐가 불쌍해. 그런 여자한테는 불쌍하다는 생각도 과해.”

나는 거기까지 듣다가 내 방으로 발걸음을 옮겼다. 학교에 나타난 어머니의 모습이 떠올랐다. 나는 행색이 불쌍하다는 새어머니의 말이 맞다고 생각했다. 불쌍하지 않다는 아버지가 억지를 부린다고 생각했다.

더 이상의 가늠은 힘들었다. 왜 어머니가 아버지와 헤어지고, 아버지는 어머니 얘기라면 화부터 내는지 이해가 되질 않았다. 그렇다고 궁금하지도 않았다. 그저 어렴풋이, 어머니가 다른 남자를 만나는 바람에 아버지가 그를 쫓아낸 것으로 알고 있었다. 어머니는 잘못한 사람이고 아버지는 잘못이 없는 사람이라고 알고 있었다. 또 그것이 사실이었을 것이다. 그러나 꼭 어머니라서 그런 것은 아니고, 잘못한 사람도 불쌍한 건 불쌍하다는 생각이 들었던 것을 보면 내가 제법 철이 났거나 인정 있는 순한 아이였던 모양이다.

어쨌거나 그날 밤 나는 어머니 나혜석이 불쌍한 여자라는 막연한 결론을 내리게 되었는데, 그렇다고 해서 어머니가 다시 나를 찾아오면 만나야 되겠다는 생각을 가진 것은 아니었다. 지금도 또렷이 기억하거니와 아버지의 말대로 어머니를 만나는 것은 피해야겠다고 오히려 결심했다. 지난번처럼 학교로 찾아오면 교실에서 나가지 않으면 될 거라고 생각했다. 그런데 정작 걱정은 집 근처에서였다. 새어머니 말에 따르면 어머니가 집 근처에서 아이들을 기다리고 있었다는 것이니, 나는 그 일을 염려하고 있었다.

참 이상한 것은 어머니와 맞닥뜨릴까봐 떨면서도 그에 대한 궁금증은 증폭된 일이다. 나는 나열이 나를 어린아이 취급해 어머니에 대한 이야기를 감추었다고 생각하고 있었다. 그 뒤로 나는 기필코 어머니에 대한 정보를 누나보다 더 많이 가져야겠다고 다짐했다. 게다가 나열은 개성으로 가면서,

그나마 내게는 유일한 비밀정보인 어머니와의 대면을 아버지에게 고자질한 폭이어서 그런 다짐은 이래저래 더 굳어질 수밖에 없었던 듯 싶다.

그러나 어머니는 더 이상 내 눈에 띄지 않았다. 스스로 자포자기한 것인지, 아니면 아버지나 새어머니에 의해 조치를 당해 나타나지 못한 것인지는 알 수 없었다. 어쨌거나 점차 시간이 가면서 어머니의 출현 가능성도 그만큼 낮아졌다.

그런 가운데도 나는 문득문득 그가 궁금해지곤 했다. 어떤 때는 어머니가 한번 나타났으면 싶은 생각이 들기도 했지만, 그러다가 아버지의 굳은 모습이 기억되면 안 나타나는 것이 다행이라고 생각을 고쳐먹었다.

집이 다시 서울 돈암동으로 이사하게 됐다. 아버지가 충남도청에서 서울 중추원으로 전근하게 되었기 때문이다. 그러나 아버지는 나를 대전에 남겨 두었다. 서울로 데리고 갈 것인지를 약간 망설이기도 했지만 나는 졸업을 1년 채 못 남겨두고 있었던 때였다. 그래서 새 학교에 다시 적응하려고 애쓰는 것보다는 어서 학교를 마치는 것이 낫다고 판단한 듯 했다.

아버지는 나에게 의견을 묻지는 않았다. 그러나 물었다면 나는 남겠다고 말했을 듯 싶다. 그때 내 나이가 열일곱이었으니까 웬만한 속과 눈치는 내게도 있었다. 아들과 보내는 시간이 거의 없는 아버지, 벙어리만큼이나 말이 없는 아버지, 도무지 관심을 표명하지 않는 아버지. 나는 그런 아버지를 원망하지도 않았지만 떨어져있다고 그리 그리울 것 같지도 않았다. 오히려 혼자 있는 편이 편할 것 같은 생각이었다.

그래도 막상 아버지가 서울로 가는 날이 닥치니까 은근히 겁이 들기 시작했다.

"힘들면 언제라도 이 애비한테 연락해라. 그러면 내가 바로 와서 데리고 가마."

무뚝뚝한 아버지 표정이 걱정으로 흔들거리고 있었다.

"예, 그렇지만 아버지 걱정은 마십시오."

나는 용감하고 단호하게 말했지만 사실은 내 스스로에 대한 다짐이나 마찬가지였다.

"그래, 너를 믿는다. 무슨 일이 있으면 곧바로 내게 연락해야 한다. 알았지?"

"예."

"그리고… 음… 그럴 리는 없겠지만 혹시라도 네 생모가 찾아오거들랑 피하거라. 그리고 그런 일이 있으면 내게 바로 알리거라."

다소 망설이며 입을 연 아버지의 목소리에 다시 힘이 들어갔다. 아버지가 서울로 떠나면서 가장 마음에 걸려하는 일이 아마 생모문제라는 생각이 들었다.

"학교 선생님들에게 부탁해놓았으니 잘들 돌보아 주실 것이야. 먹는 거 거르지 말고. 서울에서 이삿짐이 정리되면 나도 한번 내려오마."

새어머니는 공연히 미안한 표정이었다.

나는 아버지의 걱정을 무색하게 했다. 잘 적응했다. 사실은 적응이라는 말도 필요 없었을 것이다. 말없이 조용하게 책만 보면서 지내온 내게 기숙사생활은 그저 잠자리가 바뀐 정도에 불과한 셈이었다. 오히려 같이 기숙사생활을 하는 친구들과 경쟁적으로 공부하는 분위기까지 만들어져 학업 열중도는 더욱 높아졌다.

서울에 올라간 아버지는 처음에는 한 달에 한 번씩 내려왔지만, 내가 잘 지내고 있음을 확인한 후로는 점점 뜸해졌다. 또 오랜만에 학교를 찾아와 나를 만나도 별로 하는 말이 없기는 집에서나 마찬가지였다. 어떤 기숙사 친구는 부모가 찾아온다고 몹시 기뻐하기도 했지만 내게는 크게 상관없는 일이었다.

어머니 나혜석은 아마 내가 기숙사에 있다는 사실을 모른 듯 싶다. 어머니는 나타나지 않았다. 나도 어머니를 잊어가고 있었다. 어머니가 나를 찾아와 서있던 지점의 복도가 새삼스럽던 때도 있었고, 어떤 때는 지나쳐서 걷다가는 나도 모르게 힐끔 고개를 뒤돌려보기도 했다.

그러나 다신 없었다. 어머니 나혜석은 나에게 그런 존재였다. 낯설게 나타났다가 그냥 없어진 그런 사람. 서있었던 복도가 내게 유일한 그의 존재에 대한 증거라면, 그가 나의 생모라는 세상사람들이 수근거림은 미약한 그 증거에 대한 확인이라고나 해야 할까보다.

세월은 잠시도 쉬지를 않았다. 공부와 식사와 취침 외에는 담쌓고 살던 나는 어느덧 졸업을 앞두게 되었다. 상급학교 진학문제로 고민하던 즈음 하루는 아버지가 학교에 왔다. 수업이 끝나고 기숙사 방으로 들어오니 아버지가 기다리고 있었다. 시간 반쯤 전에 도착해서 이미 교무실을 들러 교사들도 만났다고 했다.

"잘 있는 모습을 봤으니 오늘 저녁 열차로 상경해야겠다."

아버지는 늘 그런 식이었다. 예고없이 불현듯 왔다가 건재함을 확인하고는 다시 곧바로 떠나곤 했다. 기숙사 밖으로 나가 저녁식사를 한 적도 몇 차례 있기는 했지만, 대부분의 경우 아버지는 서둘러 떠나시는 편이었다.

"불편한 일은 없느냐?"

앉았던 걸상을 책상에 바싹 밀어 넣으며 아버지는 벌써 갈 채비를 보였다.

"가시려구요?"

"음, 가야지. 내일 아침에도 출근해야 한다. 그러나 저러나 진이 너는 졸업하면 어디로 학교를 가려고 하느냐?"

나는 아버지를 배웅할 겸 따라 나서고 있었다.

"동경으로 가려고 합니다."

의당히 그래야 한다고 생각했다. 당시 사회적으로 이름이 있거나 소위 지도층에 있는 사람들은 거의가 일본에서 유학하고 돌아온 이들이었다. 또 아버지가 그러했다. 같이 공부하던 많은 친구들도 일본으로 대학을 갈 계획을 세우고 있기도 했다. 그러나 아버지의 반응이 뜻밖이었다.

"아니다. 지금은 일본으로 갈 때가 아니다. 일본이 요사이 심상치 않다. 지금 전쟁에서 지고 있는 게 분명하다."

"예에?"

그렇다고 처음 듣는 말은 아니었다. 그 무렵 학교에서도 일본이 곧 미국에 패전할 거라는 소문이 돌고 있었다. 그러나 그를 확인하기란 불가능했다. 여전히 공개적인 입장은 일본이 승승장구하고 있다는 말뿐이었다.

웬만한 일에 좀처럼 의견을 내지 않는 아버지의 입으로 전해들은 일본의 패전 소식은 내가 기정사실로 받아들일 만했고 충격적이었다.

"내가 얼마 전에 일본에 출장을 다녀왔다. 일본 형편이 말이 아니더라. 농촌 논밭에는 노인들과 여자들뿐이고 시내 상점에는 물건이 다 떨어졌다. 물건뿐 아니다. 가는 곳마다 자원이란 자원은 다 동이 나고 있었다. 보름동안 머무는데 미국의 공습을 여러 번 경험했다. 일본이 자랑하는 북해도 탄광은 우리동포들 밖에 없었다. 모두들 전쟁터로 나갔다고 하더라. 일본이 전쟁에서 지는 건 시간 문제다."

그래도 나는 일본이 지는 것과 일본에서 공부하는 것이 어떻게 관련이 있는지에 대해서는 이해하지 못했다. 그래서 이렇게 물었다.

"그러면 일본에 가면 안되나요?"

"안된다는 것이 아니라 갈 필요가 없다는 말이다. 잘못하면 사서 고생한다."

아버지는 내가 일본에 꼭 가고 싶어하는 것으로 오해하는 듯 싶었다. 그는 답답하다는 듯 빠르게 말했다.

"진이야, 일본이 전쟁에서 지게 될 경우 일본 본토에 큰 변화가 일어나게 된다. 내가 그 일을 지금 구체적으로 말하기는 어렵다. 그렇게 되면 그곳 대학도 소용돌이에 휘말릴 가능성이 높다. 그런 가운데 학업에 몰두하는 일이 쉽지 않게 된다. 공연히 분주해 가지고 이리저리 휩쓸려서야 되겠느냐.

보성전문에 들어가는 게 내 생각에는 좋을 듯 싶다. 그 학교를 이끌고 있는 김성수 선생은 훌륭한 교육자다. 나와도 오래전부터 친분이 있는 분이다. 네가 그 학교에 들어간다면 매우 좋아하실 것이다. 내가 듣기로 보성전문도 이제는 학교 규모나 교육 수준이 웬만큼 갖춰졌다고 들었다. 일본의 유수대학에는 다소 못 미칠지 모르겠지만 모름지기 공부란 다 본인이 하기에 달려있는 법이다."

내 솔직한 심정은 일본을 꼭 가고 싶다는 것도 아니었다. 그렇지만 갑자기 나타난 아버지로 인해 하룻저녁에 계획이 변경되는 것이 유쾌하거나 신나게 받아들일 만한 일은 아니었다. 아버지가 내 의사를 묻기는 했지만 그건 아들에 대한 최소한의 예우였을 뿐이다. 내가 다소 낙담스런 표정을 지었을 터지만 아버지는 별로 개의치 않았다.

"무얼 공부하려고 하느냐?"

"법학을 생각하고 있습니다."

"법학?"

그러고 보니 내가 대학에서 법학을 하겠다는 말을 한 게 처음이었다. 아버지는 다소 의외라는 듯 눈을 약간 크게 떠 보였다.

내가 법학을 공부하겠다는 동기가 특별하지는 않았다. 아버지가 법을 공부한 변호사였지만 그것이 영향을 준 것 같지는 않다. 오히려 생각하자면, 법으로 커리어를 승부내지 못하고 관청 관리직을 맡고 있는 아버지가 안쓰러웠다. 아버지의 모습을 닮지 않으려는 게 당연했을 것이다. 그럼에도 불구하고 나는 어느새 법학으로 맘을 먹고만 일은 어떻게 설명되어야 할지 모르겠다.

아무튼 아버지는 내가 법학을 하겠다는 말에 잠시 혼동을 일으킬 만큼 감동을 받은 게 틀림없었다. 아버지는 호기심이 가득한 눈으로 물었다.

"왜 법학을 하려느냐?"

"예? 아, 그건… 그냥 법학을 공부하는 게 좋을 것 같아서요."

아버지의 그런 질문은 나를 당황하게 했다. 사실은 나 스스로도 그런 물음에 심각하게 마주선 적이 없었다. 그러나 무슨 결정이나 딱 부러지는 이유가 있는 건 아니지 않는가. 내가 우물쭈물해도 아버지의 표정은 밝았다.

"그래, 잘 결정했다. 내 은연중에 생각하길 자식 중에 하나는 법을 했으면 하고 바랬었다. 진이 네가 그러하다니, 이 아비의 마음이 기쁘구나. 네가 지금 법이 어떠한 것인지를 전부 이해하기는 어려울 것이다. 나도 그랬다. 공부해 가면서 법의 정신도 알고, 법과 사람들의 생활이 어떻게 연관되는지도 알고, 우리는 왜 좋은 법이 필요한지도 알게됐다. 나는 내가 법을 공부한 것을 한번도 후회한 적이 없다. 내가 비록 성공하지는 못했지만 말이다. 네가 법을 공부하면 잘 될 것이다. 세상도 바뀌고 너의 소질도 나보다 나을 것이니 말이다."

내 기억에 이날처럼 아버지의 표정이 밝았던 적은 일찍이 없었다. 아버지는 늘 어딘가에 어둡게 깔린 고뇌스런 모습만을 내게 보여왔었다. 그러므로 이날 나는 마치 아버지에게 대단한 일이라도 한 듯 스스로를 대견하게 여겼다.

그날 밤엔 잠도 잘 안 왔다. 일본으로 가려던 계획이 무산되었어도 상관없었다. 내 머릿속엔 법을 공부하는 내 모습과 그걸 흐뭇해할 아버지에 대한 상상이 가득 차 있었다. 나는 그런 흥분감에 한참을 뒤척이다 잠이 들었다.

그러나 정작 꿈에 나타난 사람은 그동안 잊고 있었던 생모였다. 그는 화사한 옷을 입고 있었다. 얼굴도 편안하고 생기있어 보였다. 나를 바라보고 아무 말 없이 웃기만 했다. 만일 생시에 그런 모습의 어머니를 보았다면 나는 알아보지 못했을 터다. 꿈에서의 나는 어머니를 인지하고 있었다. 나는 어머니에게 뭔가를 말하려 애썼다. 그런데 꿈은 무성영화처럼 아무런 소리가 들리지도, 또 낼 수도 없었다. 그저 생각만 복잡하고 안타까웠다. 그러는 사이에 어머니는 뭔가에 미끄러지듯 서서히 밀려나갔다. 내 발은 마치 땅에 묻힌 듯 부동이었다. 어머니의 표정을 더 이상 읽을 수 없을 만큼 멀어졌을 때에 나는 꿈에서 빠져 나왔다.

눈을 뜨나 감으나 캄캄하기는 매한가지다. 눈꺼풀이 눈동자를 쓸어 내리는 감각적 느낌이 잠에서 깬 확실한 증거였다. 그럼에도 나는 미심쩍어 손끝을 조심스럽게 움직여보았다. 그런 확인의 절차를 거치고 나자 다행이라는 생각이 들었다. 그러면서도 그 다행이 단순하게 꿈에서 돌아온 것에 대한 안도인지, 아니면 어머니를 만나지 않은 실제인지는 잘 구분되지 않았다.

그렇다고 해도 아무튼 느닷없이 웬 어머니인가. 그것도 아버지가 다녀간 그날 밤에. 짧았지만 꿈에서 어머니를 본 건 처음이었다. 무작정 교실로 찾아왔던 그의 초췌했던 행색이 생각났다. 갑자기 혼란스러웠다. 금새 지난 꿈에서 본 모습과는 영 달랐기 때문이었다. 그렇지만 이나저나 생경하기는 마찬가지였다.

나는 다시 잠을 청했지만 쉽지 않았다. 제법 긴 시간을 뒤척이다가 겨우 잠들었나보다.

다음날 아침에는 평소보다 늦게 기상했다. 부랴사랴 서둘렀다. 기숙사에서 튕겨지듯 나온 나는 첫 수업이 있는 교실을 향해 달리듯 빠르게 걸었다.

마침 늦가을이다. 듬성듬성 심겨진 활엽수가 앙상해지고 있었다. 두세 걸음마다 밟히는 낙엽이 아삭댔다. 나는 그 소리를 더 듣거나 촉감을 더 즐길량 낙엽이 많은 땅을 일부러 겨냥해 발을 내디뎠다. 그러면 그것들은 푸드득, 저항없이 함몰되어갔다.

13. 장덕수 교수

아버지의 권유대로 나는 보성전문에 입학했다.

상경해서는 아버지의 집에 머물렀다. 대전에서 모든 짐을 정리해 올라온 나는 그제서야 아버지 집이 크지 않다는 것을 깨달았다. 그보다 전에도 학교 입학관계로 서울에 올라와 이 집에 하루를 유하기는 했었다. 그때는 괜찮았던 집이 막상 살려고 올라오니까 옹색했다.

방은 3개가 있었지만 하나는 두 평도 안될 만큼 작았다. 그나마 사용하지를 않아 천장이 서너 곳 헐었고 안에는 사용하지 않는 가재도구와 책 등이 뒤죽박죽으로 쌓여있었다. 아버지는 내게 건넌방을 쓰도록 했는데 그 방도 큰 편은 못됐다.

처음에 나는 이해할 수가 없었다. 광주에서도 그렇고, 대전에서도 우리 식구가 살던 집은 상당히 큰 편이었다. 근데 왜 서울에 와서는 거기에 절반도 안되게 줄어들었는지를. 내 궁금증은 며칠 되지 않아 풀렸다. 돌아다닐 만하지도, 어디 구석구석 살펴볼 거리도 없는 그 집을 아마 내가 어색하고 못마땅한 눈으로 보았던 모양이다. 이를 눈치챈 새어머니가 아버지 없는 틈을 타서 내게 설명했다.

"네 아버지 대전을 떠나오면서부터 직장이 변변치 않아졌다. 말이 전근이지 사실은 산업부장에서 해임된거나 마찬가지야. 지금 있는 중추원이라는 곳은 월급을 받는 곳이 아니야. 관청을 떠난 사람들이 소일거리나 하고있지. 용돈 정도나 주는 모양이더라."

믿기지 않는 충격적인 말이었다.

"월급만 못 받아오나? 예전처럼 집도 안 주지. 손해가 이만저만이 아니라니까. 살림을 꾸려 나가기가 어떻게나 빡빡한지…. 내가 뭘 하지 않았으면 굶기 딱 맞다."

새어머니는 한층 더 팔팔해진 목소리를 냈다.

집이 작기만 한 게 아니라 집안에 넉넉한 구석이 거의 없어 보였다.

나는 새어머니의 말을 듣고 다소 우울해졌다. 대학에 입학하면서 공부에 대한 치기어린 자부심도 생기고, 막연하지만 꿈 같은 것에 부풀어 있던 나로서는 예기치 않은 일이었다.

그렇다고 해도 내가 해결할 수도 없는 일이어서, 그럭저럭 나는 눈치나 보고 있는 형편이었다. 아버지의 거취에 대해 확실하게 알고 싶었지만 한편으로는 새어머니 말대로 확인되는 것이 더 두려웠다.

그러나 그로부터 얼마지 않아 나는 다른 일로 우리가 정말 가난하다는 사실을 확인할 수밖에 없었다. 그 작은 집이나마 팔아야 하는 지경에 이르렀던 것이다. 아버지는 여전히 말이 없었고 그 일을 대행하는 새어머니의 한숨소리는 그 몫까지 합한 듯 크고 잦았다. 그래도 그녀는 아버지 앞에서는 말을 가리고 조절하는 듯 했다. 그러다 아버지가 없고 나만 있는 기회를 포착하면 푸념을 작심한 듯 쏟아냈다. 나를 불러 앉혀놓지는 않았지만, 그 넋두리가 시작되면 내가 할 일은 내 방으로 슬그머니 들어가 잠자코 듣는 것이었다.

아무튼 집은 팔렸고 우리 식구는 삼선교 근처의 집을 전세 얻어 이사했다.

전셋집은 사실 돈암동 집보다 훨씬 좋았다. 그럴 수밖에 없는 것이 이곳은 충청도에서도 손에 꼽히는 갑부 김장춘의 별장인 것이다. 엄격히 말하면 별장이 아니라 그의 첩이 거하는 곳이다. 김장춘은 이따금씩 이곳에 오기는 했지만 대부분의 시간은 여자 혼자 있어야 했다. 그는 돈보다 여자의 안전을 위해 전세를 들인 것 같았다.

집은 절반으로 나뉘었는데, 우리가 대문에 인접한 쪽으로 방 세 칸을 쓰게 되었다. 나는 집까지 팔아야하는 궁핍함에 우울한 편이 됐으나 이곳으로 이사오고는 그런 기분에서 곧 헤어날 수 있었다. 아마 그렇게 된 가장 큰 이유는 내가 쓰게 된 방이 오히려 돈암동의 것보다 절반 이상은 컸고 깨끗한 편이었기 때문일 것이다. 다만 그곳으로 이사와서는, 가끔씩 짙은 화장을 하고 요란스레 차려입은 집주인 첩의 외출을 지켜보는 것이 민망스럽기는 했지만 그 구경거리가 꼭 싫지도 않았다.

나의 대학생활은 순조로웠다. 그리고 대학에서 내가 법을 공부하기로 한 것은 참 잘한 결정인 듯 싶었다. 나는 어떤 공부든 비교적 열심히 하는 편이거니와 법에 관련한 과목을 수강할 때면 마음 한편에 묘한 희열감마저 복받쳐 오르곤 했다. 그때가 1944년이니까 지금까지 치면 무려 60년이 넘는 세월인데, 지금까지 나는 법학을 공부한데 대해 후회해 본 적이 없다.

보성전문은 7, 8할 학생들이 지방에서 올라온 경우였다. 뭐라고 딱히 말하기는 어렵지만 학교 캠퍼스 분위기도 서울과는 사뭇 달랐다. 이를테면 촌티를 흘리며 처음 들어온 신입생들에게 이 촌놈들아 이런 게 대학이다 하는 식으로 군림하는 게 아니고 맏형처럼 듬직하고 넉넉했다. 내가 무리 없이 잘 적응한 것도 이런 분위기와 무관하지 않으리라.

게다가 나는 아버지로부터 여러 차례 들어왔던 인물, 장덕수 교수를 학교에서 만나게 됐다. 장교수는 아버지와 인연이 깊은 사람이었다. 그는 아버지와 거의 같은 시기에 일본에 유학했다. 와세다 대학에 다녔던 그는 당시 일본에서 아버지와 조선인 학생으로서 쌍벽을 이룬 웅변가였다. 두 사람의 우정은 그때부터 각별했다.

김우영은 일본에서 공부한 후 변호사가 되어 귀국했고, 장덕수는 다시 미국으로 건너가 정치학을 공부하게 된다. 김우영이 세계일주 끝에 미국에 들렀을 때 뉴욕 항구에 마중 나온 이도 장덕수였다. 컬럼비아 대학에서 정치학 박사학위를 받고 귀국한 장덕수는 김성수의 권유로 보성전문에서 교편을 잡고 있었다.

아버지는 등교하는 첫날부터 내게 장교수를 만나보라고 재촉했지만 내가 그를 만난 것은 학교가 시작된 지 한 달쯤 지나서였다. 나대로 처음에 들어간 학교에 적응하는 시간도 필요하기도 했지만, 금시초문인 그를 무조건 아버지 친분으로 덥석 찾아 인사하는 것이 내키지 않았기 때문이다. 아버지는 장교수를 얘기하면서 그를 서울에 온 이후 한번도 만나지 못했다고 말했는데, 친한 친구사이에 그런 점도 좀 수상했다.

장교수의 사무실을 두드리자 곧 카랑카랑한 목소리가 들렸다.

"들어오쇼."

조심스레 문을 당기면서 나는 고개를 먼저 삐쭉 디민 꼴이 됐다. 앉아 뭔가를 하던 장교수는 고개를 오른쪽으로 돌려 나를 쳐다봤다. 장교수와 눈이 마주친 나는 반사적으로 고개를 떨구고 얼른 사무실로 들어서 문을 닫았다.

나는 내가 할 수 있는 만큼 공손하게 입을 열었다.

"장덕수 교수님 맞으시죠?"

"신입생인가?"

나는 장교수가 심드렁한 표정으로 되묻는 바람에 당황했다.

"네, 그렇습니다."

"무슨 일이지?"

장교수는 사무적이고 무뚝뚝했다. 그러면서 눈빛은 날카로웠다.

"예? 아 예, 사실은 부친께서 장교수님을 뵙고 인사드리라고 하셨습니다."

"부친이 누구신데."

"김자 우자 영자를 쓰십니다."

"누구? 김우영?"

장교수의 눈이 커졌다.

"예, 아버님 존함이 김우영입니다."

장교수는 믿을 수 없다는 듯이 고개를 좌우로 흔들었다. 그러고는 나를 빤히 바라봤다.

"그러면 자네가 청구의 아들이란 말인가."

"그렇습니다."

"그러고보니 아버지의 모습이 많이 있구먼. 자넨 이름이 뭔가."

"김진입니다."

"김진이라…. 외자인 모양이지?"

내가 천천히 고개를 끄덕이자 장교수는 그제야 웃어 보였다. 진실해 보였다.

"내가 여러 달 전에 청구가 서울에 와 있다는 말을 듣기는 했었다. 그런데 연락처를 알 수가 없어서 안타까웠다. 그러더니 오늘 자네가 나타났구나. 그래, 아버지는 무고히 지내고 계시느냐? 뭘 하고 지내시냐? 건강하시지?"

장교수는 아버지 근황을 몹시 궁금해 했다.

"예, 건강하게 잘 지내시고 계십니다. 아버님도 장교수님 말씀을 여러 번 하셨습니다. 제가 진작에 찾아뵈었어야 했는데 죄송합니다."

"지금 어디에서 일하고 계시냐?"

"아, 예, 저 중추원에 계십니다."

나는 중추원은 월급 받는 직장이 아니라고 한 새어머니의 말을 떠올리고 있었다.

"중추원? 으응, 거기에서 무슨 일을 하시느냐?"

장교수도 중추원은 의외라고 생각하는 것이 틀림없었다. 그나마 나는 아버지가 그곳에서 무슨 일을 하는지는 전혀 알지 못하고 있었다.

"무슨 일을 하시는지는 저도 잘 모르겠습니다. 그전에 대전에 계실때는 산업부장을 하셨었는데…."

갑자기 대답이 궁색해진 나는 엉뚱하게 대전 이야기를 꺼내고 있었다.

"서울에 오기 전에는 대전에 있었던 모양이구나."

"예, 아버지는 서울에 오신지 2년쯤 되었고, 저는 대전중학에 머물다가 보성전문에 들어오면서 서울로 올라왔습니다."

"그래? 지금 사는 곳은 어디구?"

"삼선교 근처입니다."

"그래? 그리 멀지 않은 곳이구나. 부모님도 같이 계시지?"

"예."

"가만있자, 어머니는…. 아 참, 신입생이라고 그랬지? 무슨 전공이지?"

장교수는 엉겁결에 나온 말 때문에 잠깐 당황했다. 그렇지만 그는 상황판단이 무척 빨랐다. 그에 못지 않게 대화를 이끄는 솜씨도 능숙했다.

"법학입니다."

"법학? 그거 좋지, 좋은 공부하는구나. 아버지 영향인가?"

나는 그냥 웃어 보였다.

"청구가 성공했구먼. 이런 번듯한 아들을 두고 대를 이어 법학을 시키니 말이야."

"아, 아닙니다."

아버지에게 성공이란 말을 붙이는 장교수의 배려가 고마웠다.

"아니기는. 우리 대에 함께 공부해 출세한 친구들도 있기는 하지만, 그게 무슨 소용인가. 나도 자네만한 자식 하나만 있으면 걱정이 없겠어."

전혀 뜻밖에, 상당히 괜찮은 청년으로 칭찬을 받게 된 나는 난처했다. 그렇지만 알 것도 같았다. 그의 과한 칭찬이 한번 제대로 펴보지도 못하고 스러져 가는 옛친구를 애석해 하는 것과 무관하지 않음을.

다음 수업까지는 아직 시간이 많이 남았지만, 나는 자리에서 일어섰다.

"교수님, 다음에 또 찾아 뵙겠습니다. 수업에도 들어가야 하구요."

"그래? 나도 곧 수업이 있네."

내가 깍듯이 인사했다.

"내가 자네 아버지의 성격을 미루어 짐작을 못하는 바는 아니지만, 그래도 어떻게 내 거취를 알면서 여태껏 연락 한번 하지 않았단 말인가. 오늘 저녁에 아버지를 뵙거들랑 내가 몹시 서운해 하더라고 꼭 전하게."

"예, 그리 하겠습니다."

"내 이제 알았다. 비겁하게끔 이제와 내게 아들 자랑하려고 자네를 보냈구만."

장교수의 시원시원하고 유머있는 말솜씨는 그가 일본 유학시절 최고의 웅변가였었음을 여실히 증명하는 듯 했다. 어쨌거나 나는 장교수가 고마웠다. 입학하자마자 그를 바로 찾아오지 못한 것이 후회스럽고 미안했다.

나가려고 문쪽으로 걸음을 내딛는데 장교수는 다시 한마디 붙였다.

"외양도 그대로 빼어 닮고 공부까지 같은 공부를 한다니까 꼭 내가 일본 유학시절도 되돌아간 착각에 빠지게 되네. 아무튼 열심히 하게. 혹 내가 도움이 될 만한 일이 있으면 언제라도 찾아오고. 그리고 꼭 말씀드려야 하네. 내가 한번 뵙고 싶어한다고. 자네가 아예 날짜를 잡아와. 저녁때면 아무 때나 나는 괜찮네. "

"네. 그렇게 전해 드리겠습니다."

나는 들어갈 때와는 사뭇 달리 씩씩해져 장교수의 사무실을 나왔다.

그날 저녁식탁에서 나는 장교수와 만난 이야기를 아버지에게 했다. 아버지는 모처럼 표정이 밝아 보였다.

"장교수님이 아버지와 만날 시일을 정해 알려달라고 하셨습니다."

"그래? 으음…"

아버지는 고개를 끄덕이기는 했지만 망설이는 듯 했다.

"내 생각해보마. 장교수도 무척 바쁜 사람이고, 나도 또 시간을 내야하니까 급하게 서두를 필요는 없을 것 같고."

"그러지 말고 한번 만나보세요. 당신 내게도 얼마나 많이 장덕수 얘기를 하셨어요?"

함께 있던 새어머니가 거들며 나왔다. 그러나 아버지가 아무런 반응도 보이지 않자 혼자말처럼 우물거렸다.

"나 같으면 열 번도 더 가서 만났겠네. 일본에서 공부할 때 단짝이었고 또 수억만리 미국에까지 가서도 만나 한 달이나 같이 보냈다면서. 그뿐인가, 동아일보 만들 때도 같이…."

"거 참 이상하구려. 남정네들 하는 일에 왜 당신이 나서서 하라 마라 야단이야. 뭘 안다구 도대체."

아버지가 나무라듯 새어머니의 말을 가로 막았다.

"당신 생각해서 하는 얘기예요. 장선생은 워낙 발이 넓은 사람 아니예요? 또 예전엔 당신 도움도 받았고. 그러면 지금 당신 처지가 그러하니까 도움을 줄 수도 있는 거 아니예요? 친구 좋다는 게 뭐예요. 서로 필요할 때 밀어주고 끌어주고 하는 거지…."

나는 장교수를 만나지 않으려는 아버지보다는 새어머니의 말이 더 맞는다고 생각했다. 특히 장교수를 만나고 나서 그에게서 아버지에 대한 호의를 확신하고 있었다. 그러나 아버지는 끝내 장교수를 만날 생각은 갖지 않았다.

그날은 그렇게 넘기고서 다음날 아침이 되어서야 나는 아버지가 장교수를 만나려고 하지 않는 이유를 궁금하게 여기기 시작했다. 막연하게 아버지가 남의 신세를 지는 따위를 질색하는 성격이기 때문이라고는 생각했지만 그것으로 설명되기에는 장교수와 아버지의 사이는 훨씬 각별해 보였다. 아버지는 도움을 청하지 않고도 얼마든지 장교수를 반갑게 만날 수 있었다.

그리고보니 장교수도 그 이유에 대해서는 뭔가를 공유하고 있는 듯 싶었다. 아버지를 만나고 싶다고 말했지만 아버지가 연락하지 않는 것을 이해한다고도 말하지 않았던가. 생각 같아서는 장교수를 다시 찾아가서 물어보고 싶었지만 그렇게 할 수도 없는 노릇이었다.

아버지는 후에도 내게 가끔씩 장교수를 본 적이 있느냐고 물었다. 그러나 법과에 강의가 없는 장교수를 내가 일부러 찾기 전에는 보기 어려운 상황이 었다.

14. 박 변호사

굵은 뿔테 안경에 얼굴에 주름이 알맞게 패인 60대 초반쯤 되어 보이는 교수가 교실에 들어섰다. 그는 교실 안에 있는 학생들을 한번 휙 둘러보고는 뒤돌아서 분필을 집어들었다. 무언가를 흑판에 쓰려더니 거기서 몇 걸음을 뒤로 물러섰다. 흑판의 왼쪽 끝과 오른쪽 끝을 번갈아 보더니 다시 흑판으로 다가섰다.

그러더니 흑판의 중앙을 잡아 거기에 큼지막하게 글씨를 썼다.

'법의 개념기본'

분필을 흑판 턱받침에 내려놓고 돌아선 그는 왼쪽부터 눈길로 훑으며 고개를 보일 둥 말 둥 끄덕였다. 학생 숫자를 파악하는 듯 싶었다. 이번엔 출석부를 펼쳐 거기에 등록돼 있는 숫자를 확인하는 듯 했다. 일련의 과정이 짧은 것도 아니었지만 교수의 행동까지 느렸다. 그러면서도 그는 아직 한마디도 하지 않았다.

교수들의 상징과도 같은 헛기침 한마디라도 기다린 것은 오히려 우리 학생들이었다. 호기심이 긴장감으로 변하고 있었다. 출석부를 덮은 그가 안경을 치켜올리며 다시 학생들을 훑어 내린다. 물론 아직 침묵이다. 천천히 옮겨오던 그의 시선이 내 눈에서 멈추는 듯 싶었다. 나는 당황스러워 다른 곳을 바라보았다. 그의 카랑카랑한 목소리가 들린 것은 바로 그때였다.

"제군들."

나는 화들짝 놀라 그를 바라봤다.

"법학을 하겠다는 제군들을 축하한다. 끝까지 잘 공부해서 각자가 목표하는 결실을 꼭 성취해내길 바란다. 그러려면 제군들은 법학을 왜 하는지에 대해 뚜렷한 이유가 있어야 할 것이다. 어느 공부든 다 그렇지만 특히 법학은 이유를 따지는 분야다. 그런 공부를 하는 사람이 자신의 이유를 분명하게 가지고 있지 않다면 문제다. 내가 제군들에게 그 이유까지 제공할 수는 없다. 이유는 제공하는 것이 아니라 발생되는 것이기 때문이다."

나는 잠시 가슴이 뜨끔했다. 대학에 오기 전 아버지로부터 왜 법학을 하려느냐는 질문을 받은 이래 몇 차례 스스로에게 물었지만 아직 분명한 답을 찾지 못하고 있었기 때문이다. 그런데 교수는 마치 내 맘을 꿰뚫어보는 듯했다.

"그렇다고 해서 내가 지금 제군들에게 뚜렷한 이유를 대라고 재촉할 생각은 없다. 내 경우도 제군만한 나이에 확실하지 않았기 때문이다. 지금 제군들은 사실 법학이 무엇인지도 정확하게 알지 못한다. 그런 상황에서 법학을 하는 이유가 분명해야 한다는 건 무리가 있다. 나도 공부하면서 생각이 뚜렷해졌다. 법이 바로 선 사회나 국가가 그 구성원 혹은 국민의 마음을 편하게 할 수 있다는 확신이 들더라는 말이다. 법을 바로 서게 하는 일, 그게 바로 법학을 하는 자가 해야 할 일이라고 생각했다."

이제 갓 대학생이 된 우리들에게 쉬운 말은 아니었지만 우린 모두 감동받고 있었다.

"법은 언제나 정의와 도덕을 전제로 한다. 그리고 그것을 궁극적 목적으로 한다. 이 말은 제군들이 법학도로 있는 동안은 한시도 잊어서 안될 말이다.

진정한 도덕성 또는 정의에 대한 어떤 원칙은, 그것이 신에게서 유래하는 것이라 해도, 계시의 도움을 받지 않고 인간의 이성에 의해 발견될 수 있으며, 이 원칙이 충돌하는 인간이 만든 법은 법이 아니다. 따라서 부정당한 법은 이미 법이 아니다. Lex iniusta non est lex."

지금 생각하건대 교수는 '토마스 아퀴나스의 자연법'을 우리에게 맛보인 것 같다. 뒤에 붙인 라틴어는 왜 그리 멋있었던지.

법학을 순수학문으로 보기는 어렵다. 그러나 법학은 사람에 대한 강제적 규범, 그 자체 내용의 필연성과 언저리를 다루는 학문이다. 역사와 과학, 문명 등이 시대적으로 변화함에 따라 그 토론의 여지가 복잡하게 많아진다. 또 사람들이 이 세상에 복수로 존재하는 한, 법도 따라서 존재할 수밖에 없기 때문에, 그리고 같은 시대에도 상황에 따라 적용이론이 다양하기 때문에 항상 따져봐야 하는 학문이다. 복잡한 상황을 분석하고 정리하기 좋아하는 내 성격과 취향에 딱 맞는 셈이다.

내게 대학공부는 날이 갈수록 신났다. 신바람 나서 미친 듯 해대는 사람을 이길 사람은 별로 없다. 나는 닥치는 대로 공부했고 친구들과 교수들 간에 공부벌레로 소문나기 시작했다. 놀자는 제의를 십중팔구는 물리치고 도서관에서 소일하는 나를 일부 친구들은 못마땅하게 여기기도 했다.

그러나 나는 상관없었다. 공부는 재미있고 노는 건 재미없는데 어쩌겠는가. 자연히 성적은 좋을 수밖에 없었고 따라서 가르치는 교수들에게도 관심의 대상이었다. 보성전문의 학풍이 미미하다고는 할 수 없었지만 나와 같은 별종은 참 드물었다.

나는 대부분 교수들의 총애를 받았다. 강의시간이면 언제나 제일 앞자리에 앉았고 한마디도 놓치지 않았다. 내주는 과제물을 열성적으로 했을 뿐아니라 시험을 봐도 언제나 상위권이었다. 교수들이 추천하는 책이면 무조건 구해서 읽었다.

아버지가 법을 공부한 것이 도움이기도 했다. 아버지는 전공과 관련한 책을 많이 소장하고 있었다. 아버지도 내게 그런 도움을 주는 것을 큰 기쁨으로 여기셨다. 아버지는 가지고 있던 책뿐 아니라 새로 출간된 서적 정보를 입수해서 내게 전해 주셨다. 내가 꼭 읽을 만한 책이라고 생각되는 것은 미리 사다 놓기까지 하셨다.

이런 일을 통해 아버지와 나는 가까운 사이가 됐다. 다른 일에 대해서는 거의 말이 없는 그가 법학에 대해서는 끝없이 할 말이 많았다. 어떤 때 상기된 표정으로 열변을 늘어놓으면 나는 그의 모습에 혼동이 일기까지 했다. 그럴 때면 평소의 말 더듬는 습관도 거의 찾기 어려웠다.

이런 환경에서 내가 또래의 친구들에 비해 법에 대한 생각이 넓고 깊어지게 된 것은 자연스러운 일일 것이다.

그렇게 한 학기가 거의 끝나갈 무렵, 장교수에게서 전갈이 왔다. 한번 만나고 싶으니 사무실로 들르라는 내용이었다. 그러면서 그는 친절하게 자신이 사무실에 있는 시간을 적어 주었다. 내가 찾아가자 나를 만나고 싶어하는 사람이 있다고 했다. 내가 누구냐고 물었지만 그는 만나보면 알게 된다면서 날짜를 잡으라고 했다.

본격적인 여름이었다. 그날 수강을 끝낸 나는 도서관을 향해 부지런히 걸음을 옮겼다. 장교수와 그곳에서 약속을 했기 때문이었다. 빠른 걸음을 걸을 땐 밑을 바라보는 것이 좋다. 죽죽 뒤로 땅을 밀어놓는 내 두 발을 위에서 바라보는 일이 즐겁다. 비스듬히 붙어서 앞서는 그림자가 그리 길지 않았다. 힐끔 고개를 들어 도서관쪽 방향만 확인한다. 저만큼 건물 입구에는 두 사람이 서 있었다. 거리가 제법이지만 나는 그 중 한 명이 장교수임을 알아본다. 다시 고개를 숙여 걸음을 재촉했다.

"누가 쫓아오나? 웬 걸음이 그렇게 빠른가."

장덕수 교수가 나를 보고 활짝 웃고 있었다.

"교수님, 안녕하세요?"

반갑게 인사를 하자 장교수는 옆에 서있던 중년남자를 내게 소개했다.

"인사 드리게. 박민두 변호사님이셔."

내가 꾸뻑 고개를 숙였다. 그가 내게 손을 내밀었다.

"아버님 모습이 많이 있구나."

"아, 예."

장교수에게 내 얘기를 들은 게 분명했다.

"박변호사는 내 친한 친구야. 김군의 아버님께서도 알고 계시지."

박변호사는 신기한 듯 내 얼굴에서 눈을 떼지 않았다.

"아, 그러세요. 안녕하세요. 처음 뵙겠습니다."

내가 다시 한번 그에게 인사했다.

"아버지께서는 건강하신가."

그가 물었다. 나는 그의 물음이 진지하다고 느꼈다.

"예."

"자네도 웅변을 하나?"

"예?"

전혀 예기치 않은 말이었다.

"아니, 볼수록 아버지 모습이어서, 혹 아버지처럼 웅변을 잘하나 물어봄 일세."

내가 다소 당황하자 박변호사가 변명처럼 늘어놓았다.

"이러지 말고 우리와 함께 나가지. 요 학교 앞 다방에 가서 차나 한 잔 하자구."

이번엔 이 만남을 주선한 장교수가 말했다.

두 사람이 앞장서고 내가 뒤따랐다.

박변호사는 중간 키였다. 장교수가 그보다 한 15센치는 더 큰 편이다. 나란히 걷는 두 사람이 몹시 친해 보였다. 장교수가 주로 얘기하는 축이었고 박변호사는 고개를 간간히 끄덕이며 듣고 있었다.

좁고 가파른 계단에 비해 다방 안은 제법 넓었다. 거의 열 개쯤 되는 테이블을 대여섯 개씩 소파가 포위하고 있다. 낮이라서인지 손님을 채 절반을 못 채우고 있었다. 우리가 자리에 앉자마자 화장 짙은 여자가 왔다. 차의 종류를 알지 못하는 나는 아무거나 달라고 했다.

이날 나는 한시대를 살아가면서 필연처럼 엮이고 매이는 세 사람, 김우영, 장덕수, 박민두의 사연을 듣게 됐다.

사람의 관계는 피차가 책임지는 부분 외에 또 다른 그 무엇에 작용받게 된다. 특히 개성과 신념이 뚜렷할수록, 게다가 특별한 시대를 살려면 관계에 있어 심한 구비와 휘둘림은 각오해야 한다. 그 시대를 다 지나고 난 뒤 이제 와서 결과론적으로 말하는 것이긴 하지만, 이를테면 세 사람은 그런 각오가

미흡했다고 할까.

　김우영과 박민두는 함께 동경제대에 다녔다. 김우영이 사학과에 적을 두고 있었을 때 박민두는 법학과에 있었다. 장덕수는 와세다대학 정치학과에 재학중이었다. 장덕수와 박민두는 어려서부터 친구다. 김우영과 장덕수 두 사람은 일본에서 웅변을 통해 가까워진 사이다. 같은 학교에 재학했지만 김우영과 박민두는 그저 알고 지내는 정도였다. 두 사람 모두가 가까운 친구였던 장덕수가 동경제대에 가끔 놀러왔지만 셋이서 함께 만날 때는 드물었다.

　박민두는 조용하고 내성적인 수재 중에 수재였다. 그에 관한 당시의 소문 두 가지. 하나는 그의 손에서 책이 떠난 것을 본 사람은 아무도 없다는 것이고 또 하나는 기억력이 비상해 무엇을 외우는데 두 번 이상 읽는 법이 없다는 말이었다. 김우영과 장덕수는 웅변가로 이름을 날리고 있었다. 그때 웅변이라는 장르는 매우 인기가 높았다. 연사의 열정적인 구변과 제스처에 관중들은 카타르시스를 느끼며 환호했다.

　그런데 웅변은 법학도에게 어울리는 분야였다. 웅변에서 기술도 중요했지만 가장 중요한 것은 원고다. 웅변 원고가 얼마나 잘 써졌느냐로 이미 판가름이 난다. 잘 쓰인 원고는 무엇보다 설득력이 강하다. 설득력은 논리를 배제하고는 불가능하고 법학은 논리의 학문이다. 법정에서 검사의 논고나 변호사의 변론은 바로 논리의 싸움 아닌가.

　김우영의 웅변을 듣는 사람들은 하나같이 그의 논리적 설득력을 칭찬했다. 급기야 김우영도 자신의 자질이 사학보다는 법학에 더 어울린다고 판단, 전공을 바꾸게 된다.

장덕수의 웅변은 논리보다 감성에 호소하는 편이었다. 그가 웅변에서 구사하는 열정 가득한 몸짓과 표정, 목소리는 일품이었다. 그런 의미에서 그가 정치를 꿈꾸고 있었던 일은 자연스러운 것이라고 해야겠다.

셋 중에서 가장 공부를 잘했던 이는 박민두. 그러나 사람은 항상 남이 가진 재주를 부러워하는 법이다. 공부벌레 박민두에게는 수재들이 보편적으로 갖고 있는 외향지향 열등의식이 있었다.

아무튼 김우영은 동경제대 사학과에서 법과로 전공을 바꾸려고 했으나 그것이 허용되지 않았다. 다시 입학시험을 쳐서 들어가는 방법은 쉽지가 않은 일이었다. 다시 시험을 쳐도 합격하기가 워낙 힘들 뿐 아니라 합격해도 다른 동기들에 비해 늦어지는 셈이었다. 그는 경도제대 법학과로 옮겼다. 학년도 그대로 인정받을 수 있었다.

학교가 달라진 두 사람은 거의 만날 기회가 없었다. 박민두는 그 뒤 동경제대에서 열린 웅변대회를 구경갔다가 먼발치에서 김우영을 한 번 더 보았을 뿐이다. 장덕수는 김우영과 박민두의 우정을 계속 유지했다.

김우영과 박민두가 다시 만난 건 1919년 독립운동과 관련해서다.

박민두는 동경제대 법학부를 졸업하던 해인 1917년 시험에 합격해 변호사가 됐다. 그는 곧바로 귀국해 변호사무실을 열었다.

조선과 일본을 통틀어 최고의 명문이던 동경제대를 우등으로 졸업한 박민두는 이미 명성이 자자해 있었다. 변호사로 개업하자마자 감당키 어려울 정도로 일이 밀려들었다. 그중에서 수임을 골라서 할 수 있었다. 특히 그는 재산권, 소유권 분쟁에 있어서 발군의 실력을 인정받게 되었다. 이런 류의 소송은 대개 있는 자들끼리의 다툼이어서 수임료는 부르는 게 값이었다. 또는 승소를 전제로 분쟁물건의 가격 일부를 변호비용으로 내겠다는 수뢰인도 많았는데, 그 일부가 어떤 때는 절반이 되기도 했다. 박민두는 얼마지 않아 부자의 반열에 오르게 됐다.

그를 찾는 고객들엔 일본인들이 꽤 있었다. 그런데 이들이 가져오는 사건의 상대방은 조선인인 경우가 많았다. 그는 사건의 전말을 들어본 후 법적으로 변론할 근거가 있다고 판단될 때 수임했지만, 패소한 조선인이 갖는 그에 대한 원한은 이루 말할 수 없이 컸다.

숫자로 따지자면 박민두 앞에 떨어지는 사건은 조선인끼리의 소송이 훨씬 많았다. 그는 이들에게도 똑같은 원칙으로 대했다. 그에게 누가 사건을 의뢰하느냐는 관심 밖이었다. 어떤 사건인가만 따질 뿐이었다.

소송에서 이긴 사람들은 그를 '실력파'로 인정해주었지만, 패소한 조선인들은 '악질 친일파'라고 낙인찍었다. 박민두는 그런 평가에 별로 연연하지 않았다. 소송에선 법리 외에 따로 할 말이 없다는 게 그의 철저한 소신이었다. 또 패한 사람일수록 막연한 명분이 필요하고 그것조차 가로막을 필요는 없다고 생각했다.

그러다가 삼일독립운동이 발발했다. 그 중심에는 독립선언문에 서명한 33인 대표가 있었지만, 이 선언문을 유포하고 대중에게 만세운동에 참가할 것을 촉구하는 주동적 임무는 김마리아, 박인덕, 신준려, 황애시덕 등이 맡았다. 나의 생모 나혜석도 이들 중 하나였다. 이들은 일경에 모두 체포되어 치안문란 혐의로 경성지방법원에서 재판을 받게 된다. 이들의 가족, 친척은 당시 사회의 상위계층인 경우가 대부분이었다. 이들이 구속되자 석방을 위해 온갖 방면으로 움직이기 시작했으며 박민두 변호사도 이 중 한 명의 변호를 의뢰받게 됐다.

사건의 면모를 살피던 그는 충격을 받았다. 우선은 체포된 사람들이 대부분 여성이었고 그들 중 주모급은 한결같이 자신처럼 일본에 유학했던 신여성들이었다. 이들은 귀국 후 나름대로의 진로를 가다가 삼일운동에 가담한 것이었다. 그의 머리로는 '왜'가 설명되지 않았다. 자신도 조국의 독립이라는 대명제를 모르는 바는 아니었다. 그러나 그것은 아득한 바램이었을 뿐이다. 자신의 사회적 위치나 신분, 심지어는 신체적 해로움까지 무릅쓰며 도모할 일이 아니었다고 생각했다. 그런 무모함에 비해 실현 가능성은 실낱보다 더 가늘지 않았던가.

게다가 박민두의 여성관은 보수적인 편이었다. 여성들의 사회진출을 반대할 정도는 아니었지만 삼일운동의 요체가 여성들이었음은 그를 경악시키기에 충분했다. 수감자들은 감옥에서 심문을 당하면서 어쩔 수 없이 외모는 초췌해졌지만 눈빛은 살아있었고 의연했다.

이런 과정을 겪으면서 그는 심하게 갈등했고 생각이 변하기 시작했다. 사건은 냉정한 법리의 잣대로 잴 수밖에 없지만, 원천적 동기와 태동 과정에는 법 훨씬 이전의 그 무엇이 있다는 것을 보기 시작한 것이다. 박변호사는 삼일운동 수감자들을 위해 발벗고 나섰고 그 덕으로 대부분은 면소 결정을 받았다. 이후 박변호사는 일본인들의 수임을 가급적 피하고 억울한 조선인들을 대변하는 쪽으로 선회했다.

경도제대 법학부에 들어간 김우영은 여전히 웅변에 열심이었다. 장덕수 역시 마찬가지였다. 두 사람은 웅변대회를 통해 자주 만나곤 했다. 이들은 웅변대회라면 거리를 마다 않고 쫓아갔다. 또 잡지 등에도 투고하고 기독교 학생회 등 클럽활동에도 열심이었다. 또 방학 때마다 귀국해 친구들과 만나고 뭔가 일을 도모하곤 했다.

학업에만 전념하지 않은 김우영은 두 차례 변호사 시험에 낙방하기도 했지만 그에겐 여전히 공부 외에 중요한 일이 기다리고 있었다. 1918년 12월에는 서울로 가서 김성수, 송진우 등과 조선의 독립을 위한 방법을 모색하는 열띤 토론을 벌이기도 했다. 이갑성, 정노식 등과는 만나 종교계를 중심으로 한 시위운동을 의논했다.

그 뒤 경도로 다시 돌아온 김우영은 곧 삼일독립운동 소식에 접하게 된다. 조선의 곳곳에서 산발적으로 만세운동이 벌어지는 가운데 주동적 인물들이 대거 체포됐다는 것이다. 김우영은 당장이라도 귀국하고 싶었지만 자신의 한계를 실감하고 있었다. 뜻을 두고 공부했지만 변호사 시험을 합격하지 못하면 아무 것도 아니었다. 독하게 마음먹은 김우영은 그 해 여름 변호사가 될 수 있었다.

곧바로 귀국한 그가 전적으로 매달린 일은 그때까지 수감되어 있는 삼일운동 관련자들을 위한 변호였다. 만세운동은 일경의 제압으로 대부분 가라앉았지만, 주모자들이나 주요 관련자들은 그 뒤로도 체포, 구금되는 일이 계속되어 그의 도움을 기다리고 있었다.

어느새 김우영은 사상범 전문 변호사로 굳혀지고 있었다. 그에게는 이재보다 명분과 의미가 중요했다. 청년시절, 웅변을 좋아하고 모임 활동에 열심이었던 것을 보면 충분히 예견될 만한 일이기도 하다. 대부분의 경우, 명분은 그것만 홀랑 와서 김변호사의 소신을 자극했다. 열심히 달려들어 일을 처리하지만 남는 건 남들로부터의 찬사 몇 마디가 전부였다. 김우영은 수입은 없고 일만 많은 사람이었다. 심지어는 자비를 들여 일본에까지 건너가 옥에 갇힌 독립운동가를 변호해야 했다.

사람들은 수시로 와서 손을 내밀었다. 그는 누군가 부탁을 하면 냉정하게 거절하지 못하는 성격이었다. 그러고 나서는 갈등하고 후회하고. 그런 후에도 또 다른 부탁이 오면 어쩔 수 없이 떠맡고. 이런 일이 반복되면서 그는 서서히 지쳐가고 있었다.

속사정은 그야말로 그의 속사정이었고, 사회적으로 김우영은 멀쩡하고 훌륭한 변호사였다. 당시 뜻있는 몇몇 사람들은 민족 계몽을 위해 일간지를 창간하기로 했다. 김우영은 이 일에도 극적으로 참여했다. 1920년 4월 1일 첫 호를 낸 동아일보의 창간 발기인 중 한 명이 되었다.

같은 달 20일에는 나혜석과 결혼한다. 결혼하면서 김우영은 나혜석의 미술공부 및 활동을 지원하겠다는 약속까지 철석같이 해댔는데, 이 모두가 돈을 필요로 하고 있었다. 처음에는 집안의 도움을 받기도 했지만 한계가 있는 일이었다.

김우영은 이런 생활고를 겪으며 변호사 일에 점점 환멸을 느끼게 된다. 이런 사정에도 불구하고 임신중인 부인 나혜석이 미술공부를 하러 일본에 가겠다고 했을 때 흔쾌히 보낸 인물이 그다. 변호사를 하는 이상 피곤과 빈곤의 나락에서 헤어날 길이 없다고 판단한 김우영은 마침내 변호사를 그만두기로 결심한다.

김우영 변호사는 박민두 변호사를 법원에서 몇 차례 만난 적이 있다. 동경제대에 함께 적을 둔 적이 있다는 사실도 알고 있었고, 그의 수재성도 기억에 생생했다. 그러나 학생시절부터 그를 탐탁하게 여기지 않고 있던 터였다. 아무리 학생이라지만 세상이 이렇게 풍진데, 할 일이 공부 외엔 전혀 없다는 박민두를 무의한 사람으로 폄하했다.

김우영은 박민두가 돈밖에 모르는 악질 친일파 변호사라는 소문도 듣고 있었다. 그런 자가 갑자기 삼일독립운동 주모자들을 변호하고 다닌다는 것이 가증스럽다고 생각했다.

그래도 거기까지는 김우영과 박민두 인연은 간접적이었다. 그러나 두 사람은 뒤늦게 체포된 청주만세사건의 주모자 변호를 놓고 서운한 인연을 만들게 된다.

1919년 삼일운동을 시작으로 전국에 확산된 만세운동은 그해 6월을 고비로 소강상태로 들어갔다. 일경은 주모자들을 색출해내야 제2, 제3의 삼일운동을 막을 수 있다고 판단, 그 후에도 끈덕지게 수사를 폈는데 행방이 묘연했던 청주만세사건을 불붙인 것으로 알려진 박홍식이 거의 1년만에 체포된 것이다. 박홍식은 만세사건 이후 경찰의 눈을 피해 여기저기 옮겨 다니고 있었는데 엉뚱하게 도박을 하다가 잡히고 말았다.

김우영 변호사는 박홍식이 자기를 만나고 싶어한다는 말을 듣고 감옥으로 찾아갔다. 박홍식은 김변호사에게 보석으로 출감을 시켜달라고 요청했다. 그러나 김변호사로서는 무일푼의 박홍식을 보석시키기 어려운 형편이었다. 당장 보석 예치금이 필요했다. 박홍식은 자신이 일단 나오면 그 정도 돈을 마련하는 것은 문제가 아니라고 큰소리치고 있지만, 그가 도무지 믿음이 가지도 않았고 김변호사도 대신 보석금을 내줄 형편이 못됐다. 그래서 김변호사는 보석 신청을 미룬 채 빨리 재판을 진행하는 쪽으로 밀어붙이고 있었다.

보석이 되질 않자 박홍식은 김변호사 탓을 하기 시작했다. 그렇지 않아도 힘들고 지쳐있던 상황이었던 김변호사는 '소문과 다르다', '무능하다', '속았다' 는 등 막말을 내뱉는 박홍식과 한바탕 언쟁을 벌인 후 변호인 포기신

청을 낸다. 홧김이기도 했지만 자신의 최선을 신뢰하지 않는 자를 변호한다는 것이 용납되지 않았다. 그러나 시간이 지나면서 마음이 불편해지기 시작했다. 어차피 변호사일을 그만둘 요량이었고, 자신이 아니면 박흥식의 오랜 징역살이가 불 보듯 뻔해 김변호사는 다시 박흥식을 찾아갔다.

그러나 박흥식은 감옥에 없었다. 알아본즉 박흥식은 새로 변호사를 선임했고 보석 신청이 받아들여진 상태였다. 새로 선임된 변호사가 바로 박민두였다. 김우영은 낭패감보다 패배감이 더 컸다.

그 뒤로 김우영은 사실상 변호사 일을 그만 뒀다.

박민두 변호사는 그 일이 김우영 변호사에게 그런 상처가 된 줄은 몰랐다. 우연히 삼일운동 주동자들을 변호하던 중 민족의식에 눈을 뜬 그는 그때부터 무료 변론도 마다하지 않았다. 그럼에도 불구하고 이미 축적된 부는 그를 탄탄하게 떠받치고 있었다. 뿐 아니라 어렵게 사는 독립운동가들의 식구들을 원조하기도 했다. 박민두 변호사는 박흥식도 그런 연장선에서 도왔다.

변호사를 그만 둔 김우영은 일본 외무성이 모집한 만주 안동현 부영사에 채용된다. 일면 그는 자신을 지치게 한 서울을 떠나고 싶은 마음도 간절했다. 민족사상을 옹호하는 변호사에서 일본 정부의 관리가 된 김우영을 보는 세간의 시선도 따가웠고.

김우영이 변호사를 접고 만주로 떠났다는 소식을 듣고 박민두는 애석해했다. 학창시절의 김우영은 뭔가 큰 일을 해낼 듯 보였었다. 부리부리한 눈빛과 상기된 얼굴로 강당에 그득한 청중을 향해 외쳐대던 카랑카랑한 그의 웅변이 생각나기도 했다. 그리고 세월의 아이러니라고 생각했다. 시종 밖에서 돌던 자신은 엉뚱하게 원 안으로 튕겨져 들어오고, 당연히 그 안에서 머물러야 할 김우영은 나가버리고.

장덕수는 와세다대학을 졸업하고 김우영과 비슷한 시기에 귀국했다. 그는 당시 막 창간된 동아일보에서 잠시 일을 보기도 했다. 그러다 다시 미국 유학길에 올랐다. 10년 가깝게 컬럼비아 대학원에서 형설의 공을 쌓은 결과 정치학 박사학위를 받았다.

안동현 부영사를 그만둔 김우영이 나혜석과 함께 유럽을 거쳐 미국에 도착했을 때 제일 먼저 만나게 된 사람이 장덕수다. 당시 뉴욕에서 공부하고 있던 그는, 김우영이 뉴욕항에 도착한다는 소식에 접하고 몹시 기뻤다.

마중 전날 밤은 흥분돼서 잠을 이루지 못했다. 얼마나 오랜만인가. 족히 7, 8년은 된 것 같다. 세월만이 문제가 아니었다. 여기가 어디인가. 타지에서는 가깝지 않더라도 안면만 있으면 무조건 반가운 법이다. 하물며 가까운 친구 아닌가. 장덕수는 일본 유학시절 사귄 김우영을 각별히 생각하고 있었다. 웅변을 할 때는 라이벌의식도 없지 않았지만, 오히려 그런 긴장감이 김우영과 깊게 사귀게 했다. 함께 오는 김우영의 부인 나혜석도 잘 알고 있었다. 두 사람의 연애는 당시 일본 유학생들에게 큰 화제였다.

장덕수는 뉴욕에 도착한 김우영 부부를 잘 접대했다. 자신은 학생이어서 경제적으로 넉넉하지 못했지만 뉴욕과 그 인근에 있는 지인들을 총동원했다. 덕분에 김우영과 나혜석은 거의 달 반을 뉴욕에 머물면서 뉴욕을 중심으로 한 미국의 동부를 꼼꼼하게 구경할 수 있었다. 또 장덕수와 김우영은 하루걸러 만큼씩이나 자주 만났다. 특히 저녁에 만나 늦게까지 얘기를 나누곤 했다. 그러다보니 두 사람은 더욱 친해졌다. 김우영이 뉴욕을 떠나고 나서 장덕수는 며칠간 허전해서 어쩔 줄 몰랐다는 것이다.

서부까지 여행하고 귀국한 김우영은 나혜석과 이혼하면서 그의 생에 있어

가장 어려운 시기를 지나게 되는데, 그즈음에 장덕수는 미국에서의 공부를 마치고 서울로 돌아왔다.

장덕수는 두 사람의 소식을 들으면서 매우 안타까워했다. 일본 유학시절의 나혜석은 한인 유학생들에게 최고의 인기였다. 당연히 그를 차지한 김우영은 최고 부러움의 대상이었다. 그런데 나혜석은 이제 조선팔도의 모든 비난을 혼자 받는 처지가 됐고, 김우영은 남자로서는 그보다 더 나쁠 순 없는 최악의 수치를 겪고 있었다.

장덕수는 김우영과 반갑게 만날 것을 기대했었으나 이런 마당에 어떻게 대면해야 할지 난감했다. 망설임과 고민 끝에 그의 사무실을 찾았으나 문이 잠겨있었다. 그 뒤에도 두 차례 사무실을 찾았으나 번번이 허탕이었다. 메모를 남겨놓았으나 끝내 연락이 오지 않았다. 장덕수는 김우영이 일부러 자신을 피하고 있다고 생각했다.

그때부터 지금까지 강산이 변하고도 남을 만큼 세월이 흘렀다. 아주 이따금 김우영의 소식을 몇 사람 건너서 듣곤 했었다. 장덕수는 자신의 소식도 김우영이 듣고 있을 것이라고 생각했다. 특히 장덕수는 동아일보 주필을 하면서 유명인사가 됐다. 활발하게 사회활동에도 참여했다. 그러다가 2년여 전 보성전문으로 교편을 잡아 오게 됐다.

작년 말에는 몇몇 일본 유학생 출신들이 참석한 망년 모임에 갔다가 우연히 서울에 김우영이 산다는 말을 듣게 됐다. 그를 한번은 만나고 싶었다. 그러나 여의치 않았다. 김우영의 소식을 전한 사람들의 꼬리를 물고 올라갔지만 다 도중에 끊겼다. 그러면서 생각했다. 김우영은 내 소식을 모른단 말인가. 그렇지 않을 것이다. 일부러 연락을 끊고 있다는 생각이 강하게 들었다. 일면 섭섭했지만 어쩔 수 없는 일이었다. 그러다가 또 다시 잊었다. 그런 상황인데 돌연 김우영의 아들인 내가 나타난 것이다.

    기대치 않게 갑자기 밀어닥친 이런 이야기들에 나는 다소 혼란스러웠다. 그러나 장교수와 박변호사는 마치 오랫동안 맡고 있었던 그 무엇을 임자에게 돌려주는 식이었다. 나는 그저 눈만 동그랗게 뜨고 이따금씩 고개를 끄덕이는 게 할 수 있는 전부였다.

    "아버님께 내가 만나고 싶어 한다는 말씀은 드렸겠지?"

    장교수는 일부러 나를 의심하는 척 표정을 지었다.

    "그럼요. 그때 제가 교수님을 찾아 뵌 날, 그 날 저녁으로 말씀드렸습니다."

    "그래 뭐라고 하시던? 이 장덕수하고는 다시 만날 생각이 없다시든?"

    "예? 아닙니다."

    "아니면?"

    "아, 예, 아버지께서도 장교수님을 만나야겠다고 말씀하셨습니다. 다만 지금은 서로 바쁘니까 좀 있다가 만나겠다고 하셨습니다."

    "사람 참, 뭐가 그리 바쁘다고 핑계를 대는지…. 내가 아들한테 아비 흉 좀 봐야겠네. 자네 아버지 말야, 너무 자존심이 강해서 탈이야. 사람이 살다 보면 이런 일 저런 일이 다 있는 거지. 그런 일이 친구와 무슨 상관이 있는가. 친구 좋다는 게 뭔가. 서로 위로해주고, 밀고, 끌고 하는 것 아니겠어."

    "장교수 자네를 만나지 않는다면, 나는 아예 꿈도 꾸지 말아야겠구면."

    한참 말이 없던 박변호사가 정말 포기하듯 말했다.

    "아닙니다. 아버지께서 곧 장교수님께 기별을 주실 것입니다. 그리고 제가 오늘 집에 가서 박변호사님을 뵈었다는 말씀도 드리겠습니다."

"만일 이번에도 만나지 않고 바쁘다는 핑계를 대면 우리가 집으로 찾아갈 것이라고 말씀드리게. 정말이야."

나는 그 날 저녁 아버지에게 박변호사가 나를 만나겠다고 학교에 찾아왔었다고 말했다. 놀라는 표정이었지만 아버지는 별 말이 없었다.

15. 불쌍한 어머니 불행한 아버지

마치 광복을 재촉하듯 1945년의 봄은 빨랐다. 긴 겨울방학을 끝내고 다시 문을 연 교정 담장 밑으로는 춘삼월을 기다리지 못한 채 툭툭 터진 노란 개나리가 어지럽게 흔들거리고 있었다.

일본이 패망의 길로 들어선 징조는 도처에서 감지되고 있었다. 무엇보다 일본인들이 눈에 띄게 줄어들고 있었다. 본국으로 돌아가고 있는 게 분명했다. 조선총독부를 비롯한 관청, 경찰서 등도 일본인 간부들이 줄어드는 현상을 보였다. 자연히 일의 공백이 생기겠지만, 그대로 방치되기 일쑤였다.

덩달아 서울도 어수선했다. 나라 전체를 통솔하던 모든 시스템이 곧 무너진다는 예측이 팽배하자, 사람들은 그 어느 것에도 가치를 두려고 하지 않았다. 그러다보니 생활 전반에 걸쳐 안정감이 이탈되는 모습을 보였다. 나라가 독립되는 것은 조선인 누구나가 바라는 것이었지만, 지금까지의 체제에 길들여져 있던 것도 또한 사실이었다. 이를테면, 사람마다 비율은 다를지언정 누구나 희망과 불안을 뒤범벅으로 가슴에 재고 사는 중이었다.

대학 캠퍼스도 예외가 아니다. 강의는 시간표대로 진행되고 있었지만 학생들이나 교수나 뒤숭숭하기는 마찬가지였다. 그렇다고 이를 속시원하게 공론화 할 수도 없는 일이어서 이래저래 답답한 상황이 계속되고 있었다.

그 와중에도 나는 비교적 흔들림이 없었던 편이다. 공부에만 관심이 있기도 했지만 시시때때로 나를 불러 조언해주는 장덕수 교수의 덕이 컸다.

아버지는 그즈음에 일을 그만두고 부산으로 이사하게 됐다. 내게는 섭섭한 일이었다. 뒤늦게 가깝게 된 아들과 가끔씩 법학에 대해 논하는 것이 큰 낙이었던 아버지도 마찬가지였다. 이사 전날 나는 아버지 집에서 짐 싸는 일을 도왔다. 두 사람 살림인데도 무엇이 그리 많던지. 쉴 틈 없는 부지런을 동틀 때까지 떨어야 했다.

아버지가 소장하고 있던 책의 상당량은 내 방으로 옮겨져 왔다. 제법 무거운 상자로 열 개가 넘었다. 조금씩 크기도 다르고 색깔도 한 가지가 아닌 책 상자를 방 한구석에 쌓아 놓았더니 한동안은 낯설었는데, 서울에 우두커니 혼자 남은 나와 비슷하다는 생각이 들었다.

아버지로부터 부산에 잘 도착하셨다는 편지가 왔다. 이사한 지 한 달이 넘도록 아무런 기별이 없어 궁금하던 차였다.

" 진이 보아라.

그동안 몸 건강했느냐. 네가 염려해 준 덕택에 이 애비는 부산에 잘 도착했다. 짐도 풀고 정리도 하느라 이제야 소식을 전하게 됐다.

부산은 참 편안한 곳이구나. 내려오길 잘했다는 생각이 드는구나. 사람들이 고향을 떠나기 어려워하고, 떠났다가도 다시 돌아오는 이유를 내 알 듯싶다.

당시에는 나대로 최선을 다해 이런 저런 일을 마다하지 않고 열심히 했다고 했는데, 지금 돌이켜보니 부질없던 것들도 많았구나 생각되는구나. 그래도 네가 이 애비의 뒤를 이어 법학의 길로 들어서고 그 학문을 사모하듯 훈련하니, 내가 그것 하나만으로도 만족을 삼을 수 있겠다.

작년 늦가을에 너와 늦게까지 얘기했던 기억이 난다. 네가 장덕수 교수에게 들었다면서 내 이야기를 물어왔었지. 네가 대학을 졸업하기 전에 언젠가 한번은 하고 싶었던 이야기였단다. 너도 알아차렸겠지만 회한이 몹시 깊었던 시절이었다.

어느 것이 옳다 그르다, 좋다 나쁘다의 판단은 애초부터 없는 것이지만, 선택과 세월과 환경이 사람을 얼마나 다르게 만들어 놓더냐. 그러므로 너는 무슨 선택이든 멀리 내다보고 신중하게 할 일이며, 숨쉬는 것을 우리가 잊고 살 듯이 세월이 지나고 있음도 잊기 쉬우니 수시로 기억하거라. 옛부터 우리는 뜻이 굳으면 환경 따위는 문제가 안된다고 들어왔지만 그 말을 믿지 말거라. 환경이야말로 우리의 마음과, 그리고 영혼까지도 주무를 수 있다고 보는 게 옳을 것이다.

이 애비는 너의 할머니로부터 하나님과 예수님을 알았다. 어릴 때는 그저 시키는 대로 따라 했지만 철이 들면서는 회의가 들기도 했고 그 뒤로는 덤덤하기도 했다. 한때는 부정하기도 했고 어떤 때는 신앙의 실체를 놓고 씨름도 했다. 그러나 지금와서 보니 내가 혼란스럽고 고비를 만날 때마다 도움이 됐던 것은, 내가 꼭 잡고 있었거나 혹은 느슨했거나 설령은 내가 그저 그 주위를 맴돌고만 있었어도, 하나님에 대한 신앙이었다.

나를 이만큼까지 지켜주고 끌어주신 하나님께 나보다 평탄하고 더 좋은 길로 너를 인도해달라고 기도하고 있단다. 너의 성실성과 정직성에 하나님의 축복이 임할 것이다.

너의 학업은 내 걱정거리가 아니다. 오히려 몸이 상할 정도로 넘칠까봐 염려스럽다. 항상 건강에 유념하거라. 또 연락하마. 장교수께도 안부 전하는 것을 잊지 말거라. 애비 씀."

늦었지만 이제라도 아버지가 평안을 찾은 것 같아 나는 기분이 좋았다. 은연중에 나를 전도하려는 아버지의 의도를 눈치채기는 했지만 그건 내 관심 밖이었다.

금새라도 올 것 같았던 조선의 독립은 잔뜩 기다리는 사람들의 진을 뺄 만큼 빼고 나서야 찾아왔다. 8월 15일의 감격은 그래서 많이 반감된 듯 싶었다. 한일 합방이래 얼마나 많은 이들이 이 날을 도모하려고 애썼던가. 또한 치뤄진 희생의 무게는 측량이 가능하던가. 이를 감안하면, 광복의 기쁨은 며칠을 두고 몇 달을 두고 나라 전체가 들썩거려도 모자라야 했다. 그러나 소규모 단위의 독립 축하시위가 산발적으로 발생했을 뿐 국민 전체가 휩싸이는 분위기는 아니었다.

우리가 자체적으로 쟁취한 독립이 아니었던 데도 원인이 있다고 볼 수 있다. 일본이 타국과의 전쟁에서 항복하므로, 돌연히 온 독립이었다. 우리에겐 주도적인 예상이 불가능했다. 따라서 공식적이고 준비다운 준비가 될 수 없었다. 상해임시정부가 존재하긴 했지만 상징성에 지나지 않았다.

자유는 분명히 고귀한 것이었고 우리 모두의 염원인 것도 명확했다. 그러나 앞으로의 방향이 정해지지 않은 상태는 마냥 유쾌할 수 없었다. 방종과 만용에 분류되어야 옳을 일들이 자유와 혼동되는 경우가 적잖이 일어나고 있었다.

나는 학교 내에서 있었던 만세행진에 참가하기도 하고, 제법 큰 규모의 시가행진을 경험하기도 했다. 무리에 휩싸여 독립만세를 외치고 손을 내휘두를 땐 감흥이 제법 일기도 했지만 내 생활 자체에는 변화도 영향도 없었다.

일본이 항복하면서 승전국인 미국과 소련의 군인들이 한반도에 들어왔다. 삼팔선을 기준으로 양국이 일본군 무장해제를 시키기 시작했다. 그런대로 치안이 잡혀갔다. 그렇지만 어딘지 흔들리고 불안한 사회 분위기는 당분간 계속됐다.

개성에서 여학교 교사를 하던 나열누나가 서울에 온 것은 해방 후 한 달이 채 안되었을 때다. 나열은 이북에 공산정권이 설 기미를 보이자 남으로 내려왔다고 했다. 그때 내가 있던 전셋집에는 마침 빈방이 하나 있었다. 나열은 거기에 머물기로 했다.

나열누나와는 3년만에 만난 셈이었다.

"누나, 개성에서 살았던 얘기 좀 해 봐."

나열이 같은 집에 살게 되면서 내게는 두 가지 득이 생겼는데 식단과 빨래 문제가 해결된 것이다. 나열이 합류한지 며칠 되지 않은 어느 날, 함께 저녁 식사를 하던 내가 말을 걸었다.

"개성에서 산 얘기? 거기서 선생님 하면서 재미있게 지내다 왔어. 학생들 똑똑하니까 가르치는 재미도 있었고, 개성사람들 딱 소리 나니까 사는 재미도 있고."

"그렇게 재미있는데 왜 왔어?"

"글쎄 말이다. 소련군이 들어오는 바람에 기겁을 해서 서울에 오긴 왔는데 잘 왔는지 모르겠다. 여기서 어떻게 직장을 구해봐야 할텐데."

"또 선생님하면 안되나?"

"안되긴 왜 안돼. 자리가 없어서 문제지."

"선생님 자리가 그렇게 힘든가?"

"너, 무슨 소리 하니? 하늘의 별 따기인 거 몰라?"

나열은 선생님이란 직업에 대한 자부심이 대단했다. 내일부터라도 알아봐야겠다고 서두르기도 했다.

"이럴 때 아버지한테 얘기하면 좀 수월할 지도 모르는데. "

나열이 이렇게 말하자 순간적으로 내게 떠오르는 기억이 있었다. 대전에서 같이 살던 나열이 개성으로 가기 직전, 나 모르게 아버지에게 얘기했던 일이다. 반사신경처럼 내 입이 열렸다.

"누나, 근데 그때 왜 아버지한테 얘기했어?"

"무슨 얘기? 그때는 또 언제야?"

나열은 음식을 씹던 것도 멈춘 채 눈을 동그랗게 떴다.

나는 주춤했다. 괜한 말을 나도 모르게 했다는 낭패감이 들었다.

내가 당황한 기색을 보이자 나열은 집요해졌다.

"무슨 얘기? 말해봐. 무슨 얘기야, 무슨 얘기."

"됐어. 나중에 얘기하지."

"아니야, 지금 해. 내가 무슨 말을 아버지한테 했다는 거야?"

나열이 오히려 당당하게 따지고 나는 쩔쩔매는 꼴이 됐다.

"됐다, 됐어. 누나가 뭘 잘했다고 나한테 되레 큰소리야?"

"어어? 얘 봐라. 너 도대체 무슨 소리야? 알아듣게 말을 해야지."

"누나가 생각해봐. 개성으로 가기 전에 아버지에게 무슨 말을 했는지."

나열은 한참 뜨악한 얼굴이더니, 이젠 사정조로 말했다.

"진이야, 내가 대전을 떠난 게 벌써 언제냐. 그때 아버지와 나눈 이야기를 내가 어떻게 지금 다 기억하겠니. 네가 뭔지 오해하는 것 같은데, 그러지말고 얘기 해보렴."

"내가 누나한테 말해줬지? 대전중학으로 어머니가 찾아왔었다고. 그 얘기는 누나하고 나하고만 알고 있기로 했잖아. 그런데 누나가 개성으로 가자마자 아버지가 날 부르더니 그 얘기를 다시 물어보시더라. 누나한테 들었다고 하시면서."

"그 뒤에도 어머니가 찾아 왔었니?"

"어라? 왜 얘기했냐고 물었는데 엉뚱한 소리하네."

"얘기하고 안하고가 뭐 그리 중요하니. 아버지도 알고 계셔야 할 것 같으니까 말했겠지. 어쨌든 너한테 미안하게 됐다. 또 어머니가 왔었니?"

내가 나열과 이런 대화를 나누게 된 것은 뜻밖의 일이었다. 나는 그 당시의 일을 잊고 있었다. 아버지에게 추궁을 당할 때는 약속을 어긴 나열을 괘씸하게 여겼지만, 그걸 지금까지 마음에 두진 않았었다. 그런데 얘기가 번지기 시작했다.

"음, 어머니 또 한 번 만났지."

나는 나열이 생모에 관해서는 나보다 훨씬 많이 알고 있다고 믿고 있었다. 그런데 나에게 통 말하지 않는다고 생각했다. 지난번 생모가 학교에 찾아왔다는 사실을 나열에게 얘기했던 것은 나도 뭔가 생모에 대해 이야기를 들을 수 있다는 생각에서였다. 그런데 내 얘기만 듣고 나열은 입 다물었다. 그때 기억이 다시 떠오르니까 빚을 갚아야겠다는 다소 짓궂은 마음이 발동됐다.

"뭐? 정말? 언제 만났어?"

나열의 눈이 토끼만큼 커졌다. 나는 점점 더 여유가 생겼다.

"말 못해, 이번엔."

"또 학교에 찾아왔어?"

"말 못해준다고 그랬잖아. 자기는 하나도 말 안하고 나보고만 말하라고 그러니."

내가 일부러 심각하고 짜증 섞인 표정을 짓자 나열은 비로소 내 의중을 파악했다. 한동안 나를 응시하면서 말이 없다. 나도 눈길을 피하지 않았다.

"진이야. 너 지금 몇 살이지…? 대학교 2학년생이니까…. 스무살 쯤 됐나?"

나는 잠자코 있었다. 나열은 밥상을 문 쪽으로 물려놓고 그 옆 벽에 등을 기댔다. 잠시 눈을 감더니 나열은 자리에서 일어나 밥상을 들었다.

"이것 좀 치우고 얘기하자. 기다려."

나는 꼼짝 않고 앉아 있었다. 내가 여태껏 어머니 얘기를 알아내려고 애쓴 적이 있었던가? 궁금하기는 했지만 그건 몇 차례나 될까? 생각지 않았을 때 어머니는 나타났다 사라졌다. 그러더니 그의 얘기도, 생각지도 않은 오늘이다. 안 들어도 그만일 것 같았다. 나열에게 그만두라고 할까? 머릿속이 갑자기 복잡해졌다. 그러는 사이 나열이 다시 들어와 조금 전에 기댔던 벽에 또 등을 댔다.

"내가 그동안 너한테 어머니 얘기를 안한 것은 두 가지 이유였다. 하나는 네가 어리다고 생각을 했기 때문이고, 또 하나는 나도 어머니 얘기를 정리하지 못했기 때문이다. 이제 네가 혼자 자취도 하는 대학생 청년이 되었으니까 첫째 이유는 없어졌다고 생각하자. 그런데 두 번째 이유는 아직도 그대로다."

"정리하지 못했다는 말이 무슨 말이야?"

나열은 반대편 벽을 뚫어져라 바라보고 있다. 눈을 약간 찌푸렸다가 다시 폈다. 침묵이 흘렀지만, 나는 나열이 다음 말을 준비한다고 생각했기 때문에 재촉하지 않았다.

"정리를 못했다는 말은…, 정리를 못했다는 말은…. 설명하기가 어려운 말이야. 뭐라고 하면 좋을까. 음, 이렇게 말하면 될 것 같다. 정리를 못했다는 말은 말이야, 내가 준비가 안됐다는 말이랑 같은 뜻일거야."

"무슨 그런 말이 있어? 그냥 누나가 아는 대로 말해주면 되지, 준비는 무슨 준비야."

"그래. 내가 아는 대로, 들은 대로 얘기해주마. 하긴 정리는 각자의 문제니까."

나는 이날 어머니 나혜석에 대해 비로소 알았다. 그가 나를 낳았다는 얘기도 제대로 듣기는 이날이 처음이었다. 나보다 여섯 살 위의 나열은, 아버지와 어머니가 세계일주를 떠나던 날도, 그들이 거의 2년만에 돌아왔을 때도 기억하고 있었다. 세계일주에서 돌아온 후 두 사람의 잦은 다툼, 아버지가 어머니를 멀리하기 시작했던 일, 어머니와 고모의 불화, 서울에 가 있던 아버지가 어느 날 갑자기 내려와 이혼하겠다고 통보하던 일 등등.

나는 그냥 듣고 있었다. 간간이 침묵이 끼어 들긴 했지만, 나열은 주저하지 않고 주섬주섬 이야기를 집어냈다. 어머니가 집 나간 것이 이야기의 끝이었다.

"그게 전부야. 내가 알고 있는 전부야."

나열은 차라리 홀가분해졌다는 표정이더니, 아무래도 나에게는 설명이 필요하다는 듯 금새 말을 이었다.

"어머니는 아버지의 아내이기 전에, 우리의 생모이기 전에, 여자이기 전에 예술가야. 나는 그렇게 밖에 생각할 수가 없어. 그는 예술을 해서 예술가가 아니라, 생각 전체가, 몸 전체가, 생활 전체가, 영혼이 있다면 영혼 전체가 예술에 맞춰져 있는 예술가. 도대체 예술은 무엇인가. 감성과 느낌이잖

아. 느끼는 대로 사는 거야. 남보다 몇 배 진한 감성이 원하는 대로. 예술가에게 이성이 있다면 그 감성과 느낌을 더욱 정당화하고 용기를 북돋는 역할을 하는 거지."

나는 나열이 어머니의 편을 든다고 생각했다. 그렇게 이해하라고 말하는 듯이 들렸다. 이쯤에서는 나도 한마디는 하고 싶었다. 그러나 진공상태처럼 내 머리는 비었다. 이따금씩 입안에 고인 침을 삼키면서 공연히 거북하지도 않은 목청을 가다듬기만 했다.

"나혜석 같은 사람은 결혼을 하면 안 되는 거야."

나는 깜짝 놀랐다. 나열이 갑자기 태도를 바꿔 어머니를 나혜석이라고 불렀다.

"무책임하잖아. 아무리 예술이 좋다고 해도 결혼하고 나면 혼자 생각대로 할 수 없는 거지. 그렇게 멋대로 하는 바람에 아버지는 어떻게 됐어? 도대체 아버지가 무슨 죄가 있어? 우리는 또 뭐야? 좋아, 우리는 그럴 수 있다고 쳐. 어머니 없이 자란 자식이 어디 우리들뿐인가. 너나 나나 지금 와서 이만큼 됐으면 괜찮은 거지. 막내도 별 탈 없고. 하나님이 보호하신 거지.

그렇지만 아버지는 어떠냐구. 어머니에 대해 아무 말씀이 없으시잖아. 아무 말씀이 없는 것은 항상 마음에 두고 있는 것과도 마찬가지인거야. 여자 잘못 만나서 세간에 비웃음사고 하던 일도 망가지고. 나는 아버지가 불쌍해. 내가 나이 들어갈수록 더 그런 생각이 들어. 너는 어떻게 생각하는지 모르겠지만."

나는 여전히 할 말을 못 찾고 있었다. 나열의 흥분에 동조하기엔 실감나지도 않았고. 나열은 그게 불만인 듯 나를 뜨악하게 바라보았다.

"너한테 어머니가 나타났던 것을 아버지가 알고 있어야 한다고 생각했어.

우리가 아버지와 함께 살고 있기도 하지만, 이 일에 있어 어머니 나혜석은 가해자고, 아버지 김우영은 피해자잖아. 피해자는 배려가 필요한 법이야. 너도 아버지가 힘들어하시던 것을 어렴풋이는 기억을 할텐데.”

가해자, 피해자라는 단어에 생모 이름과 아버지 이름을 따라 붙이는 나열을 나는 부러운 듯 바라볼 뿐이었다. 나열이 이렇게 거침없을 줄은 몰랐다.

“이제 네가 얘기해봐. 어머니가 언제 나타났다는 거야?”

사실 어머니는 내게 나타나지 않았다. 대전중학교로 찾아왔던 그 한 번이 전부였다. 이미 나열에게 얘기한 바 있다. 당시 그 일을 내 동의도 없이 아버지에게 고한 것에 생각나 조금 따져보려고 한 게 전부였다. 그런데 우연치 않게 나는 생모에 대한 이야기를 듣게 된 것이다.

“사실은 말야, 어머니가 또 나타난 건 아니고…”

“뭐? 얘가 무슨 말을 하고 있는 거야?”

“아까 내가 어머니 얘기한 건 공연한 소리야. 어머니는 한 번 밖에 오지 않았어. 누나한테 말했던 그때가 전부야. 정말이야.”

눈을 크게 껌벅이며 주눅까지 들어 절절매는 나를 한참 노려보더니 나열은 어이없다는 듯 헛웃었다.

“정말이야?”

“음.”

“정말이지?”

“그렇다니까.”

나열은 의심쩍다는 듯 내 눈을 살폈다. 내가 피하지 않고 응시하자 나열은 천천히 고개를 끄덕이더니 포기하듯 눈길을 거둬들였다. 그러더니 갑자기 말했다.

"진이야, 사실은 어머니가 내가 사는 개성에도 찾아 왔었어."

"뭐?"

"만나지는 못했구."

"근데 찾아왔는지는 어떻게 알아?"

"내가 거하는 집 아주머니가 나중에 얘기해줘서 알았어."

나열이 개성에 있는 여학교에 교사로 가게 되자 아버지는 그 곳의 한 지인에게 나열의 거취를 부탁했었다. 아주 먼 친척뻘이기도 한 그의 집에 유하면서 나열은 학교에 나갔다. 개성으로 옮긴지 여러 달이 지난 어느 날이었다. 학교에서 돌아오자마자 그 집 안주인이 나열을 급하게 붙잡았다. 갑자기 피치 못할 사정이 생겼으니 다른 집에 며칠만 거하라는 부탁이었다.

신세를 지고 있던 나열이 안주인이 소개한 다른 집으로 옮긴 것은 당연한 일이었다. 그곳에서 일주일쯤 지내니 다시 기별이 왔다. 이제는 다시 옮겨와도 되겠다는 것이었다. 나열은 별 생각 없이 다시 그 집으로 옮겨 들어갔다.

사실은 그 일주일동안 그 집에 어머니 나혜석이 머무른 일을 나열이 알 턱이 없었다.

어머니는 나열이 개성으로 갔다는 소식을 어떻게 듣고는 개성으로 와 수소문 끝에 나열이 머무는 집을 찾아왔다. 마침 나열은 학교에 가서 없었던 중이었고 대신 나혜석을 만난 그 집의 주인은 어쩔 줄을 몰랐다. 아버지는 나열을 보내면서 이미 집 주인에게 나혜석이 찾아오면 절대로 만나게 해서는 안된다고 신신당부한 것이다.

집 주인 부부는 김우영은 물론 나혜석도 잘 알고 있었다. 왕년에 진 신세를 따지자면 오히려 나혜석이 더 큰 셈이었다. 그렇다고 칼로 자르듯이 매섭게 부탁하는 김우영의 부탁을 무시하고 나열과 나혜석의 만남을 주선할 수는 없었다.

덜컥 찾아온 나혜석에게 일단은 다음날 오라고 했다. 그러면 나열을 만나게 해주겠다고 약속했다. 그리고 그날 저녁 나열을 부랴사랴 다른 집으로 보낸 것이다. 다음날 찾아온 나혜석을 집에 유하게 했다. 나혜석의 행색은 초라하기가 거지보다 조금은 나았을까. 극진하게 대접하고 옷도 몇 벌 선사했다. 나혜석은 이들 부부의 환대가 눈물나도록 고마웠다.

이들이 나열을 만나지 말라고 설득하자 나혜석은 처음에 펄펄 뛰었다. 그러나 집요하면서도 배려깊은 설득이 계속되자 나혜석은 결국 일주일만에 그 집을 떠났다. 집주인 부부는 나혜석에게 아이들을 진심으로 위한다면 만나지 않는 것이 옳다고 말했다는 것인데, 정말 어머니가 그리 생각했는지는 모를 일이다.

아무튼 나열은 어머니를 만나지 못했고 자신이 거하던 방에 와있던 사실도 까맣게 몰랐다. 그로부터 한참이 지난 후 집 여주인에게 자초지종을 전해들었다는 것이다.

"어머니도 생각해보면 참 불쌍해. 일부러야 그랬겠어? 자신이 가장 가치 있다고 생각했던 자유의 대가를 치르는거지. 우리가 그런 여자를 어머니로 둔 게 불쌍하지. 아버지도 마찬가지고."

나열이 독백하듯 중얼거렸다.

16. 네가 나혜석의 딸이냐

그런 어머니를 둔 우리가 불행하다고 했던 나열이 서울에서 교사직을 얻게 된 것은 다시 어머니의 덕이었다.

나열이 자신의 이력서를 들고 찾아간 곳 중의 하나가 숙명여자전문학교였다. 나열을 면접하던 임숙재교장은 나열이 나혜석의 딸임을 알고 즉각 강사자리를 내주었다. 임숙재 역시 나혜석과 함께 손에 꼽히는 당시의 신여성이었다. 나혜석과 함께 학교를 다니지는 않았지만 외국에서 공부한 뒤 귀국해 여성교육에 힘쓰고 있었던 인물이다.

결코 자랑스러울 수 없는 어머니를 척 알아보고 그 딸과의 만남을 감격스러워하는 임교장 앞에서 나열은 무척 난감해 했다. 그러나 직장을 찾기 위해 무던히 애쓰던 차에, 그것도 명성이 있는 전문학교에 강사가 된 사실은 어머니의 또 다른 위치를 확인시켜준 셈이었다.

나혜석의 영향력은 거기서 그치지 않았다.

나열은 학교에 나가기 시작한 지 얼마지 않아 임교장을 통해 한소재 한국 걸스카웃 총재를 소개받았다. 여성 개화에 뜻을 두고 한국에 처음으로 걸스카웃을 만든 한총재 역시 나혜석의 분신처럼 나타난 나열에게 큰 호감을 나타냈다. 한총재는 나열에게 걸스카웃 일을 도와달라고 요청했고 임교장의 양해 하에 나열은 틈틈이 그의 사무실을 드나들게 됐다.

그러던 어느 날 나열은 한총재의 사무실에서 박인덕을 만나게 된다. 박인덕은 당시 여성으로는 참으로 드물게 미국에서 공부를 마치고 귀국한 선교사였다.

"애가 바로 나혜석의 딸이야."

나열이 문을 열고 들어서자마자 한소재가 한 말이었다. 고개를 돌려 무심코 사무실 안으로 들어서는 나열을 바라보던 박인덕의 눈이 갑자기 커졌다. 그는 자리에서 벌떡 일어났다. 나열이 고개를 숙여 인사하는 동안 박인덕은 어느새 나열의 양손을 채듯이 잡았다.

"네가 혜석이 딸이야?"

나열의 손을 흔들어대며 네가 혜석이 딸이냐고만 몇 차례 묻던 박인덕의 눈시울이 끝내는 벌겋게 달아올랐다.

"네 어머니 소식은 도대체 모르냐?"

나열은 자식인 자신보다 더 나혜석의 행방을 궁금해하고 안타까워하는 박인덕에게 미안할 뿐이었다. 개성에 찾아왔었다는 말은 꼭꼭 눌러두고 있었다.

박인덕은 나혜석과 함께 삼일운동에 연루되어 같이 감옥생활을 한 적이 있었다. 그 뒤 나혜석은 남편의 임지인 안동현에서 박인덕과 만났다. 중국과 한국을 오가며 독립운동에 애쓰던 박인덕을 나혜석은 남편의 지위를 이용해 여러차례 도왔다. 이런 과정에서 두사람 사이에는 각별한 우정이 생겨

났다.

박인덕은 나열에게 많은 것들을 물었지만 귀를 기울일 만한 소식은 하나도 듣지 못했다. 오히려 나열이야말로 몰랐던 나혜석의 면모나 사연을 박인덕에게 듣게 된 수혜자였다. 게다가 헤어질 즈음에는 호주머니를 뒤적거려 손에 걸린 돈을 몽땅 나열에게 주는 것 아닌가. 나열이 극구 사양했지만 어머니의 친구는 어머니나 다름없다는 호통까지 앞세운 박인덕에게는 소용없는 일이었다.

선교사가, 그것도 특별히 준비해 놓은 바도 아닌 터에 돌연 건넨 용돈이 클 까닭은 없었다. 그러나 나열은 거기에 투박하게 묻혀오는 무게에 휘청했다.

좀처럼 오지 않던 내 방으로 나열이 건너온 건 그날로부터 오래지 않아서였다.

"진이야, 너, 혹시 요사이 어머니 소식 들은 거 없니?"

나는 뜬금없는 누이의 물음에 어이가 없었다.

"갑자기 무슨 말이야?"

"그냥 궁금해서."

내가 아는 한 나열에게 그냥은 없다. 그에게 뭔가 일이 있다는 직감은 확실했다. 그리고 그의 물음이 정말 묻는 것이 아니라는 생각도 들자 나는 내 차례의 말을 누르고 기다렸다. 물끄러미 내 눈에 와 닿은 나열의 시선이 계면쩍어질 무렵 나열이 목소리를 냈다.

"나, 어머니의 친구를 만났다."

어머니의 친구? 나에겐 낯선 단어였다. 어머니도 그러한데 게다가 친구?

나열은 그때까지 임숙재, 한소재, 박인덕으로 이어지는 어머니 나혜석의 연줄을 내게 전혀 알리지 않고 있었다. 나열에게 그러한 일련의 일들은 예 삿일이 아니었다. 나에게 또한, 그가 숙명여자전문학교에서 가르치게 된 배경에 나혜석이 있었다는 사실은 놀랄만한 것이었다.

나열은 마치 주어진 시간이 아주 짧은 것처럼 빠르고 간단하게 세 사람과 의 만남을 얘기했다. 그래서 좋았다는 표정도, 싫었다는 표정도 아니었다.

나는 그저 듣고만 있을 뿐이었는데, 후다닥 말을 해치운 나열이 더 이상 할 말을 못 찾는 바람에 약간은 어색한 침묵이었다. 그 사이 나는 우리 남매 가 어머니와 관련해 할 말이 별로 없다는 사실을 새삼 깨달았다. 그런 궁색 한 상황에서 내가 찾아낸 말은 어머니 친구들이 어떠하더냐는 물음이었다.

"다들 좋은 분들이더라. 특히 박인덕여사가 어머니와 많이 친했던 것 같 아."

나열의 얼굴에 보일 듯 말 듯한 웃음이 스쳤다.

"이 나라의 여성들을 위해서 정말 중요한 자리에서 일하는 사람들이야. 공부도 많이 했고 소신도 분명하고, 인격적으로도 훌륭한 분들인 것 같구. 배울 점이 많아."

"누이는 어머니 덕을 보네."

"뭐? 덕은 무슨 덕?"

별 생각 없이 내뱉은 내 말에 나열의 목소리가 다소 높아졌다. 서로 바라 보는 눈빛이 당황스러움을 알고 우리는 피식 웃고 말았다.

"하기는. "

덕이든 아니든 나열과 나는 더 이상 얘기하지 않았다.

그로부터 넉 달쯤 지났을까. 나열은 박인덕의 호출을 받게 되었는데 느닷없는 미국유학 얘기였다.

미국감리교단 선교사인 박인덕은 그 교단이 운영하는 미국대학에 나열의 유학을 주선했던 것이다. 그것도 전액 장학생이었다. 꿈에도 생각치 못하고 있던 미국유학 기회가 저절로 생긴 나열은 기뻐서 어쩔 줄을 몰랐다.

아버지도 그 소식을 매우 반가워했다. 주위사람들의 반대를 무릅쓰고 딸 나열을 일본유학시켰던 그로서는 당연했다. 그러나 나혜석이 관계된 일이라면 자다가도 벌떡 일어나 역정을 내야 옳을 그였기 때문에, 나는 아버지가 나열의 미국유학을 주선한 박인덕과 나혜석의 관계를 모르고 있는 것이라고 추정했다.

나열이 아버지를 만나러 부산에 내려갔다가 온지 얼마지 않아 아버지는 내게도 속히 다녀가라는 기별을 보냈다. 그렇지 않아도 나열과 함께 다녀올까 생각하다 그만두었던 나는 그 주말 아버지 집을 찾았다.

아버지 집은 주택가와 상가가 적당히 섞여있는 곳에 있었다. 아버지는 1층을 사무실로, 2층은 살림집으로 사용하고 있었다. '변호사 김우영'이라고 새겨진 나무간판이 달린 바로 밑이 출입문이다. 아버지가 이곳에 온 후 나는 이번이 두 번째 방문이었는데, 첫 번째 때와 마찬가지로 나무간판이 좀 작던지 아니면 출입문이 좀 크던지 했으면 낫겠다는 생각이 또 들었다.

문을 열고 들어서자 사무실 한 구석에서 구부정한 자세로 무슨 일인가를 열심히 하고 있던 아버지가 나를 힐끔 바라보더니 몸을 일으켜 세웠다.

"아버지 그동안 안녕하셨어요? 자주 내려와 뵙지 못해서 죄송합니다. 지난번에 나열누님과 함께 오려고 했는데, 시간이 잘 맞지 않아서 죄송합니다."

1년 남짓한 세월은 아버지의 얼굴에 전과 다르게 주름을 몇 가닥 그어놓았다. 본인은 부산 생활이 편안하다고 하였지만, 까칠하게 늙어가고 있다고 나는 생각했다.

"공부에 바쁜데 어떻게 더 오겠느냐. 별고는 없었겠지?"

"네, 아버지도 건강하셨습니까?"

나는 갈라지고 힘없는 아버지의 목소리에 항의라도 하듯 큰 소리를 냈다.

"나이 들어 늙는 거 빼놓고는 다 그만그만 하다. 아무튼 잘 왔다. 거기 앉거라."

나는 그제서야 아버지가 뭔가 용건이 있어 나를 불렀다고 생각했다.

"나열이가 미국에 유학을 간다고 하는구나. 장학금을 받아서 간다고는 하지만 돈이 필요할 텐데…. 네가 돈을 좀 구해줘야겠다."

"예? 제가 무슨 돈을…."

나야말로 간간이 아버지가 보내주는 돈으로 용돈을 하고 학교에서 타는 장학금으로 연명하고 있는 처지였다. 어이없어 하는 내 표정을 기다렸다는 듯 아버지는 슬쩍 웃어 보였다.

"네가 기억할 지 모르겠다. 우리가 삼선교 집으로 옮기고 나서 얼마 되지 않아 찾아온 이가 있었지? 왜, 내가 출근을 하기도 전인 이른 아침에 찾아왔는데, 내가 아주 반갑게 맞았던 사람 말이다. 또 너한테도 내가 인사를 하라고 그랬지."

도무지 찾아오는 사람이라고는 없는 아버지를 찾아와 아버지 손을 두손으로 감싸쥐고 오랫동안 놓지 않았던 사람이었다. 나는 그를 단박에 기억했다. 얼굴만이 아니라 눈빛까지 활짝 피어나는 아버지의 얼굴을 보면서 나는 그가 아버지에게 범상한 지인은 아니라고 생각했다. 보통 키에 어깨는 좀 벌어진 편이었다. 아버지는 나에게, 네가 태어나기도 전 안동현에 살 때 잘 알고 지내던 분이라며 인사를 올리라고 했다. 내가 한껏 허리를 굽혀 예를 갖추자 이번엔 내 손을 감싸쥐고 흔들어댔다. 키에 비해 손은 비정상적으로 두툼하고 컸던 기억이었다.

이 정도면 그에 대한 기억이 몹시 생생한 편이 틀림없었지만, 나는 짐짓 아버지에겐 겨우 생각이 나는 듯 반응을 보였다. 아직 무엇인지는 모르되 어쩐지 그를 반갑게 기억하는 일은 내키지 않았다. 그런데 내 직감은 그대로 적중했다.

"그 사람 이름이 장병화다. 내가 안동현에 있을 때 그곳에서 장사를 했는데, 중국사람들에게 큰 어려움을 당해 거의 망할 지경에 처한 적이 두어 번 있었지. 나와는 아무런 안면식도 없었는데 내가 조선인이라는 사실만 알고 관으로 찾아와 도움을 청했었다. 내가 나선 후로는 장사가 잘된 모양이야. 중국 땅에서 조선인이 돈을 잘 버니까 보기 좋더라. 자주 관에 들러서 나뿐 아니라 다른 사람들과도 교분을 나눴지. 성격이 싹싹하고 눈치가 빨라 다들 그를 좋아했었다. 내가 안동현을 떠난다고 하니까 그렇게 섭섭해했지.

진이 네가 서울에 가면 그 사람을 만나거라. 내가 편지를 하나 써줄 터이니 그걸 전하거라. 그러면 아마 네 누이 미국에 보낼 여비 정도는 빌려 줄 것이다. 그때 삼선교로 나를 찾아왔을 때 얘기 들으니까 재력이 좀 있는 모양이더라. 그리고 꼭 얘기하거라. 빌려준 돈은 빠른 시일 내에 이 애비가 갚겠노라고."

아버지는 마치 내가 장병화라도 된 양 돈 갚을 약속을 하고 있었다. 솔직히 내게 별로 유쾌한 일은 아니었다. 내가 세상 빛 아래 있기도 전에 아버지가 베풀었다는 호의와 은혜를 이제와서 빌미로 삼는 것에 대한 동감도 없었지만, 설령 그렇더라도 내가 그 쑥스럽고 조금은 뻔뻔하기까지 해야 하는 역할을 감당해야 한다는 사실이 난감하지 않은가.

"이렇게 전하기만 하면 그 아저씨가 돈을 주시나요?"

"어… 줄 거야. 아마 줄 거다."

아버지의 표정에서 자신감이 눈에 띄게 줄어들고 있었다.

"내가 틀림없이 갚겠다고 하거라. "

"얼마나 빌려달라고 해야 하는데요?"

"네 누이 말이, 미국에 가는 여비가 한 4백원이 든다고 하더라. 그 돈만 있으면 된다더라. 학비와 기숙사비는 감리교단에서 다 부담을 한다고 들었다."

아버지는 책상으로 가더니 서랍을 열어 봉투를 꺼냈다. 이미 편지는 봉해져 있었다.

"내일 아침에 떠나 서울에 올라가면 가급적 빨리 장병화 군을 찾아가거라. 돈을 받으면 바로 나열이에게 전해주고 내게도 기별해 다오."

아버지는 아들보다 딸을 더 사랑하는 것 같았다. 나열은 이미 동경에 유학도 갔다가 오지 않았던가. 그런데 내가 일본으로 유학을 간다고 하니까 아버지는 반대했었다. 그러더니 이번엔 나열을 미국에 유학을 보낸다는 것이다. 형편도 안 되는데 빚을 내가면서. 그것도 나를 시켜서. 내가 이날 부산 집에서 잠을 설친 것은 바뀐 잠자리가 편하지도 않은 탓만은 아니었다. 생각할수록 아버지에 대한 섭섭함이 스물스물 배어 올랐다.

모처럼 만에 왔는데 하루 더 쉬었다가 가라는 양한나 여사가, 얘가 서울에 가서 급히 할 일이 있어서 그런다고 등을 떠미는 아버지보다 고마웠다. 뭐가 그리 급한 일이냐고 양여사가 묻자 아버지는 당신은 몰라도 되는 일이라고 잡아뗐다. 기차를 타고 상경하면서 나는 은근히 나열에 대해 화가 나기도 했다.

장병화의 집은 의외로 쉽게 찾았다. 그러나 내 기대보다 집은 초라한 편이었다. 다시 집 앞에서 망설여졌지만 어쩔 수 없는 일이었다. 머릿속에서 여러 번 연습했던 대로 나는 당연함을 가장하고 문을 두드렸다.

마침 집에 있었던 장병화는 돌연한 내 방문에 놀랐지만 이내 반색을 했다. 한번 진작에 찾아뵈었어야 했는데 그러하지 못해 죄송하다는 상투적 첫 말 늘어놓음에, 그는 오히려 자기가 아버지를 자주 찾아가지 못했다고 미안해했다. 그러면서 내게 정말 잘 왔다고 여러 번 말하면서 웃어 보였다. 그는 나를 방으로 들었다.

"엊그제 부산 아버지 댁에 다녀왔습니다. 사실은 아버지께서 이 편지를 선생님께 전해드리라고 해서 왔습니다."

"바쁘신 어른께서 나 같은 사람에게까지 웬 편지까지 주시나."

처음에 그는 편지가 아버지로부터의 안부 정도인 줄 알았는지 방 한 켠에 있는 탁자 위에 올려놓았다. 그러나 자꾸 그 편지로 내 눈길이 가자 다시 편지를 집어들고 지금 읽어도 되겠느냐고 물었다. 내가 계면쩍게 웃어 보였다.

아버지의 편지는 두 장 짜리였다. 장병화는 빠르게 편지를 훑었다. 글 행을 따라 그의 눈동자가 바쁘게 움직였고 나는 그를 다소 초조하게 바라보고 있었다. 뒷장 하단으로 내려갔던 그의 눈길이 다시 첫 장으로 옮겨왔다. 두 번째 읽는 속도는 처음보다 많이 느렸다. 그의 표정도 심각해지고 있었다. 장병화가 아버지의 청탁을 거절할 것 같은 예감이 엄습했다. 편지 재독을 끝낸 그는 마치 피로한 듯 눈을 감았다. 망설이는 게 틀림없었다.

번쩍 눈을 뜬 그가 입을 열었다.

"내가 어르신의 신세를 많이 졌으니 그 은혜를 갚는 것은 당연한 일일세. 암, 그래야지. 그렇지만 딸 미국유학을 보내는데 필요하시다니 나 같은 장사치는 잘 납득이 되지는 않네. 하기야 사람은 예나 지금이나 배워야겠지. 그래도 미국이 어딘데 게까지 딸을 보내시려고 하시나. 그것도 배울 만큼 다 배운 과년한 딸을."

나는 장병화가 돈을 빌려주겠다는 것인지 말겠다는 것인지 판단이 서지 않았다. 그는 뭔가 더 하고 싶은 말이 있었지만 참는 듯 싶었다. 한숨을 내쉬는가 하면 동의하듯 고개를 끄덕이기도 하고, 아니라는 듯 고개를 가로젓기도 했다.

"참, 이해할 수 없는 분이야."

장병화는 아버지를 이해할 수 없는 사람이라고 결론을 내렸다. 그러고 나서 돈을 건넸다.

"아버님께 말씀드리게. 서둘러 갚지 않으셔도 된다고. 사정이 되지 않으시면 안 갚아도 괜찮고."

나도 장병화의 결론에 반쯤은 동의하고 있었다. 돈을 꾸어서까지 딸을 미국에 보낸다는 것도 그렇고 그 어려운 심부름을 내게 시킨 것도 납득이 어려웠다. 이렇게까지 하면서 미국으로 공부하러 가는 나열에 대해 은근히 부화가 끓기도 했다.

어쨌거나 적지 않은 돈을 곧바로 내놓은 장병화는 고마운 사람이었다. 무모한 아버지는 불쌍했다. 아마 내가 아버지를 무능하다고 생각한 것도 이때가 처음이었을 것이다. 아버지가 자기 것을 챙기는 데 조금 더 재주가 있기를 절실하게 소원한 것도 이때였다.

그러다가 벼락처럼 스치는 생각이 있었는데, 아버지의 미국여행이었다.

아버지는 그로부터 20년도 더 전에 미국을 여행한 적이 있지 않았던가. 그것도 여러 달 동안이었다. 뉴욕에서부터 로스앤젤레스까지 대륙횡단을 하기도 했다. 그때 만난 미국이라는 사회는 경이적으로 크고 풍요로웠을 것이다. 나열이 미국유학 얘기를 꺼냈을 때 아마 아버지는 자신의 미국 경험을 떠올리지 않았을까. 그래, 미국이라면 무조건 가고 볼 일이다. 더구나 그곳 대학에서 교육을 시켜준다는 데야. 또 생각났을 것이다. 뉴욕에 처음 내렸을 때 만났던 유학생 장덕수. 어쩌면 아버지는 그때부터 장덕수의 처지를 부러워했는지도 모른다. 공부를 마치고 돌아온 장덕수는 또 얼마나 잘 풀리고 있는가. 자신과는 비교할 일이 아니었다.

생각이 여기에 이르자 아버지의 심정을 이해할만 했다. 뿐 아니라 나열의 미국유학은 꼭 이뤄져야 한다는 신념 비슷한 것까지 피어올랐다.

나열의 미국유학은 일사천리로 진행됐다.

처음에는 미국이라는 거대한 나라로 혈혈단신 뛰어들어가는 데 대한 두려움도 없지 않았지만 떠나는 날이 다가올수록 나열은 흥분감을 감추지 못했다. 나열은 미국유학이, 특히 여자로서의 미국유학이 이처럼 빈궁하고 혼돈스런 나라에서 얼마나 큰 특권이며 축복인지 알고 있었다. 아니, 그런 사실은 나열 자신이 깨달은 것보다도 나열의 주변에 있는 신여성들의 축하와 기대, 부러움 등을 통해 감지되었을 것이다.

아버지의 대리인 역할을 하면서 내가 가졌던 나열에 대한 원망도 서서히 내 누이가 미국으로 공부를 떠난다는 자부심으로 바뀌었고 또 공공연히 나는 다른 이들에게 누이 자랑을 늘어놓기까지 했다.

먼길을 떠나는 이보다는 보내는 이가 대개는 감정적으로 손해를 본다. 가는 사람은 미지의 세계에 대한 호기심과 설레이는 기대, 긴장감으로, 헤어짐에 대한 서운함을 넣어둘 만한 마음의 공간이 크지도, 또 오래 두기도 어려운 법 아닌가. 보낸 사람은 크던 작던 쑥 빠져버린 그 자리가 두고두고 표나는 법이고.

나열이 미국으로 떠나자 가장 섭섭한 사람은 나였다. 우리가 유난히 사이가 좋았던 그런 남매는 아니었지만, 1년 남짓 한 지붕 밑에 살면서 정이 제법 생겼던 모양이다. 밤새 소리 없이 내린 눈을 한껏 게으름 피고 일어난 늦 아침에야 보고서 법석을 떨 듯, 훌쩍 가버린 누이가 돌연 섭섭하고 그리워 한동안 쩔쩔 맸다.

나열은 떠나기 전날, 자기가 미국 가서 공부를 열심히 해 성공하면 나를 미국으로 초청하겠다는 턱없는 약속을 하기도 했다. 성공하면 한국으로 돌아올 것이지 왜 나를 미국으로 부르겠다는 것인지 생뚱 맞다는 생각이 들기도 했지만, 막판에 떠나는 자가 늘어놓는 위로의 말이려니 했다. 그런데 참 사람 살아가는 일은 기묘하다. 곧잘 터무니없었던 말이 씨가 되지 않던가. 훗날 나는 정말 당시에는 꿈에도 생각치 않던 미국 유학길을, 정말 나열의 초청으로 오르게 된다.

17. 첫 여자경찰서장 양한나

고향으로 내려가 변호사를 개업한 아버지 김우영은 근근히 먹고사는 정도의 수입밖에 올리지 못하고 있었다. 서울에 있을 때도 그랬지만, 새어머니 양한나의 쉴 새 없는 움직임이 오히려 살림에 보태는 몫이 더 컸다.

그랬지만 김우영은 돈을 버는 데 큰 관심이 없었다. 관심이 없다는 말은 그 방면에 재주가 없다는 말과도 거의 비슷하다. 심하게 말하면, 관심이 없다는 말로 무재주를 슬쩍 덮어버리는 경우다. 그러나 재주로 말한다면야 또 어쩌겠는가. 없는 재주를 억지로 부리려는 꼴을 보는 것도 고역이거니와 그럴 바엔 차라리 관심 없어 함이 백번 자연스럽다.

양한나는 이 점을 일찍이 알고 있었다. 김우영을 지인의 소개로 처음 만났을 때부터 알아봤을 것이다. 내가 이 남자와 살면 내 손과 발품을 부지런히 팔아야 한다는 것을. 그래도 몇 차례 너무할 정도로 들어앉는 남편을 닦달한 적도 있지만, 김우영에겐 양한나 같은 여자를 만난 것이 다행이었다. 더구나 양한나는 만주 독립운동 경력에서도 나타나듯 대의명분의 가치를 충분히 인정하는 폭이어서 돈 못 버는 남편일망정 그의 생각과 소신을 진지하게 지원하고 있었다.

남자로 태어났으면 양한나는 크게 한 몫을 하고도 남을 만한 사람이었다. 그 역시 나혜석과 같은 신여성의 부류다. 그러나 나혜석이 예술, 사랑, 자아 등 자신의 내면세계 속에서 갈등하고 그것에서 인생의 의미를 찾아내려고 애쓴 반면, 양한나는 바깥 세상의 일을 안타까워하느라 바빴다. 나혜석은 많은 글을 써서 자신의 생각을 정리하고 발표하는가 하면 양한나는 그렇게 앉아있을 틈도 없었고 체질도 아니었다. 혼자 많이 사고해야 하는 나혜석의 대인관계는 매우 편협했던 반면 양한나는 웬만한 이들과 거의 다 소통이 가능했다. 나혜석을 좋아했던 주변사람들은 순전히 그의 인간적 매력에 빠졌기 때문이지만, 양한나의 가치는 그의 식견과 통찰, 추진력 등으로 인정받았다.

해방 후 시작된 미군정의 가장 시급한 과제 중 하나는 치안이었다. 이를 책임지고 있는 수도경찰청장이 장택상이었는데, 그는 당시 남자 지도층에서는 드물게 페미니스트 성향이 있었다. 혼란 속에서 야기되는 다양한 사건의 피해자가 되는 여성들 문제에 각별한 관심을 두었던 장택상은 이를 전담할 여자경찰서를 설치했다. 그리고 초대 서장에 가장 적합하다고 생각하는 여성 지도급 인물을 하나 골랐는데 바로 양한나였다.

어느 날 불쑥 삼선교 집으로 찾아온 새어머니의 얼굴은 득의양양했다. 자초지종을 설명하는 그의 목소리는 힘이 들어있었다. 새어머니는 마치 그날을 위해 자신이 여지껏 존재하고 있었다는 듯이 의지를 불태우고 있었다. 나는 얼빠진 듯 그의 이야기를 다 듣고 난 후에야 그럼 아버지도 서울로 올라오시느냐고 물었다.

"아버님은 부산에 한동안 더 머무르실 것 같다. 글쎄, 내가 서울로 같이 올라가자고 하는데 영 말을 안 들으시더라. 변호사 일이 이제 겨우 자리잡아 간다고 하시더라. 할 수 없지 뭐. 내가 틈나는 대로 부산에도 내려가야지. 밥 해드리고 빨래 해줄 아이를 하나 붙여두고 왔으니까 생활에 큰 불편함은 없으실 거다."

불편함으로 말하자면야 갑자기 한 지붕 밑으로 들어온 새어머니 때문에 내가 더 컸다. 그는 원래 자질구레한 데 신경을 쓰지 않고 잔소리도 거의 없는 편이었다. 내 어릴 적 기억을 되살려봐도 그에게서 야단을 맞거나 참견을 받은 적은 별로 없었다. 다 큰 대학생이 된 지금에서야. 그렇지만 있는 둥 없는 둥 했던 나열이 떠난 자리에 들어선 새어머니는, 내 마음의 문제였겠지만, 뚜렷하고 신경 쓰이는 존재였다.

그가 경찰서장으로 일을 시작하자 아침저녁으로 집 앞에 검은색 지프차가 섰다. 거기에 엄숙한 표정으로 점잖게 오르고 내리는 새어머니의 장면은 볼만한 일이었다. 그 때 마침 길을 가던 사람들은 무슨 구경거리가 난 양 걸음을 멈추었다. 몇 번은 아침에 나가는 시간이 겹쳐 나도 그 지프차에 덩달아 오르게 된 적이 있었다. 거리 정리를 하고 있던 경찰관이 차를 보고 부동자세로 경례를 붙였다. 곁눈질로 슬쩍 본 새어머니는 입을 야무지게 다물고 고개를 한번 끄덕여주곤 했다.

여자경찰서를 설치하는 일에 대해 반발하는 의견도 만만치 않았다. 정치적으로 장택상의 반대편에 선 세력들이 특히 그러했다. 경찰의 치안대상은 노소남녀를 불문하는 것이지 여자만 구별짓는 이유가 어디 있냐고 따지고 들었다.

사회 각 분야 대부분의 지도층 혹은 결정권자들이 남자일색인 후진 사회에서 여성의 위치란 남자의 부속물, 잘 쳐줘야 보조자 정도였다. 그런 사회일수록 명분 논쟁에서는 남녀는 평등하다는 목소리가 높았다. 이를테면, 현실에서 구현되지는 않고 말로만 옳았던 남녀평등은 여성경찰서가 따로 있으면 남자경찰서도 따로 있어야 하지 않느냐는 어처구니없는 흑백 논리에도 입지를 제공하고 있었다.

그렇다고 여성들에게 환영을 받은 일도 아니었다. 극히 일부 식자층 여성을 제외하고는, 여자경찰서의 역할을 여자들을 전적으로 처벌하는 정도로밖에 여기지 않았다.

이런 상황 속에서 탄생한 여자경찰서의 초대서장 어깨는 잔뜩 무거울 수밖에 없었다. 양한나는 장택상의 전폭적인 지원을 받고 있었다. 그런 만큼 꼬투리를 잡으려는 견제의 세력도 동시에 존재했다. 이를 양한나가 모를 리 없었지만 그는 강경 일변도였다.

전에 없었던 자리였으므로 업무의 한계설정이 수시로 애매했다. 그럴 경우, 정치적 눈치가 있을 량이면 관망해도 좋으련만 양한나는 그 반대였다.

그러다보니 여자경찰서는 바람 잘 날이 없었다. 양한나인들 점잖고 품위 있는 서장을 지향하지 않았을까. 그러나 전투를 겪으면 겪을수록 두려울 게 없는 일선 소대장처럼 거칠어갔다.

양한나는 밤늦게 퇴근하다가도 벽이나 전봇대에 대고 방뇨하는 사내를 보면 운전사에게 바로 차를 세우게 했다. 대개는 술 취한 이들이었겠지만, 일을 보다말고 느닷없이 닥친 웬 여자한테 난데없는 욕지거리를 먹으니 술이 확 깰 정도로 황당했을 것이다. 운전사까지 딸린 검은 지프차에서 내린 이

범상치 않은 여자의 정체를 파악할 겨를도 없이 바지춤을 겨우 올리고 도망쳤을 것이다. 네가 도대체 누구냐고 덤빈 이도 없진 않았는데, 알려 줄테니 차에 타라고 하면 백중 백이 뒷걸음쳤다. 다음날 정신이 들었을 사내들의 입에서 퍼졌는지 아니면 이를 목격한 운전사의 말거리였는지 양한나의 방뇨단속은 유명해졌다.

이런 소문을 들은 신문기자가 양한나에게 물었다. 남자 방뇨단속이 여자 경찰서장의 임무라고 생각하느냐고. 단박에 돌아온 양한나의 답에 신문기자는 얼굴이 벌개졌다.

"기자양반, 당신 기자니까 여러 곳 다니지? 여자가 전봇대에 대고 오줌 누는 거 본 적 있수? 그 길 남자들 전용길이요?"

좌충우돌하는 양한나는 장택상이 보기에도 염려스러웠다. 한번은 양한나를 불렀다.

"양서장께서 하는 일이 그르다는 것이 아니예요. 그러나 옳은 일도 주변 상황을 보아가며 추진해야지요. 일이 되게끔 하려면 쓸데없는 적들을 만들지 않는 게 좋아요."

"심려를 끼쳐 죄송합니다."

"아, 나한테 죄송할 건 없구요. 내게 와서 양서장을 걱정하는 사람들이 있다는 말이죠."

"기대에 어긋나서 죄송합니다."

장택상은 양한나보다는 정치적인 인물이었다. 명분과 소신을 중요시 여기지만 추진력은 자신의 입지에 지장이 없을 만큼 적당했다. 여자경찰서가 명분과 소신의 산물이었다고 하면 양한나의 업무스타일은 은근히 근심거리인 셈이었다.

연거푸 사과를 하며 난처해하는 양한나에게 장택상은 다소 미안한 생각이 들었다.

"하긴 양서장이니까 그런 일을 해 내지, 누가 하겠습니까. 양서장 일을 가지고 꼬투리 잡는 놈들이 못난 놈들이지. 그런 것들이 사내라고. 하기사 이 장택상을 시기하는 놈들이 양한나를 곱게 볼 수 있겠나. 그건 그렇고. 청구 선생은 요즘 어떻게 지내고 계십니까?"

"별일 없이 잘 지내고 있을 겁니다. 저도 요즘은 부산에 못 가본지 꽤 여러 날이어서…."

"그럼 아직도 부산에 계신가? 어허, 이런 쯧쯧. 아 서울로 올라오라고 그러세요. 서울에서 변호사 하면 되는 거지. 내가 힘닿는 대로 도와줄테니. 또 양서장 위치도 있고…. 가만있자, 그런데 변호사는 우리가 가둬 논 놈들 풀어주는 사람들 아닌가? 그럼 양서장이나 나나 곤란하겠네. 허허허…, 아냐 아냐. 그런 게 상부상조하는 거지 뭐…, 허허허."

양한나도 크게 웃고 말았다.

"양서장, 바쁠텐데 어서 가봐요. 우리 잘 해봅시다."

밀어붙이다가 중단할 줄 아는 건 장택상의 장점이었다. 그는 매사에 그런 식이었다. 이를테면 자기를 불러서도 처음에는 화나고 흥분된 목소리로 야단했지만 스스로 상황을 마무리하고 끝말에는 함께 웃기까지 했다. 양한나는 동갑내기 장택상의 노련미를 한편으로는 부러워했다.

그러나 이런 능력이 배우려고 한다고 해서 배워지는 것이 아니었다. 화를 내면서 한편으로는 가라앉힐 준비를 하고 있는 것인지, 밀어붙이기 시작할 때 중단할 카드는 이미 은밀한 준비를 마친 것인지 모를 일이었다. 상대가 깨지거나 아니면 내가 깨지거나 양자 택일로 일관해 온 자신에게는 거의 신비에 가까운 묘기로 보였다. 양한나는 장택상이 앞으로 더 큰 출세가도를 달릴 거라고 예감한다.

결국 위태위태하던 양한나에게 스스로 무덤을 판 격이 되는 사건이 발생하고 말았다.

남자들에게 거침이 없는 양한나는 그렇기 때문에 두 종류의 인간들에게 특히 분노하는 편이었다. 남자니까 여자를 무시해도 된다는 남자와 여자니까 그런 무시를 마다하지 않는다는 여자. 방뇨단속도 그런 연장에 있었고 창녀 단속이 또한 그랬다.

"이년들, 지난번에 걸려왔을 때 내가 그렇게 간곡하게 타일렀는데, 그 말을 그저 옆집 개가 짖는 정도로밖에 생각을 안한 모양이구나. 네 년들, 다 옷 벗어. 지금 당장 벗어. 남자들 앞에서는 그렇게 옷을 잘 벗으면서 왜 내 앞에서는 옷을 못 벗어. 왜 옷 벗는 게 창피하냐. 빨랑 벗어. 벗은 꼴들을 좀 내가 봐야겠다."

양한나는 크게 흥분하고 있었다. 훈방 조처하면 다들 개과천선할 줄 알았다. 그런데 그 혐오스러운 짓을 그만두지 않고 또 단속에 걸려오곤 했다. 이해할 수가 없었다.

화장을 짙게 한 여자들은 옷을 내리기 시작했다. 여자들 중 절반쯤은 속옷 차림이 되자 다시 망설였지만 다른 절반쯤은 볼 테면 보라는 듯 다 벗어젖혔다.

"이런 망할 년들, 어디서."

양한나는 대들 듯 벌거숭이가 된 여자들의 따귀를 마구 휘갈겼다.

"왜 때려요. 벗으라고 해서 벗었는데."

한 여자가 작심을 한 듯 고개를 바짝 들었다.

"뭐가 어째? 벗으란다고 벗냐? 너는 자존심도 없냐? 이년아, 여자는 몸이 최후의 자존심이야. 너희들처럼 돈 몇 푼에 이놈 저놈 앞에서 벗어젖히는 것들 때문에 여자들 전체가 남자들에게 우습게 보이는 거야."

"자존심 좋아하시네. 자존심이 밥먹여 주나? 서장님도 우리 형편 되어보셔. 누구는 이 짓을 하고 싶어 하는 줄 알아?"

양한나의 손찌검은 몇 차례 계속됐고 여자는 맞으면서도 입을 다물지 않았다.

다음 날 아침 신문 사회면 톱뉴스는 여자경찰서장의 폭력행사였다. 윤락녀를 잡아다 놓고 옷을 벗기고 손찌검을 한 여자경찰서장.

어처구니가 없었다. 정작 해야 할 일 중엔 아직 손도 못 대고 있는 것이 잔뜩인데 막내 동생 같은 윤락녀 몇 붙잡아놓고 훈계하다가 세상 모든 사람들의 비난을 뒤집어쓰게 된 것이다. 양한나는 자신의 경솔함을 후회하기도 했지만, 그래도 이건 아니라고 생각했다. 억울하기보다는 답답했다. 앞 뒤 위 아래가 다 막힌 듯 숨이 벅찼다.

장택상이 급히 양한나를 호출했다.

양한나는 긴 설명을 준비해 수도경찰청에 들어가는 대신 두통의 편지를 보냈다. 하나는 장택상의 후의와 우정에 보답하지 못한데 대한 사과의 내용을 담았고 다른 하나는 사직서였다. 최초의 여자경찰서장에 임명된 지 채 1년이 안된 시점이었다.

그러고는 훌쩍 짐을 싸 다시 부산으로 내려갔다.

나는 그저 방관자처럼 희비를 유보한 채 일련의 사건을 스쳐 보냈다.

그 사이 미국으로 간 나열에게서 두어 차례 소식이 왔다. 그는 미국생활에 만족하고 있었다. 영어로 하는 공부가 어렵기는 하지만, 그 외 모든 것은 천국 같다고 했다. 학교 캠퍼스가 얼마나 크고 아름다운지 저절로 공부가 된다니, 신탁이니 반탁이니 어지러운 집회들을 건너가야 강의실로 들어갈 수 있었던 나에겐 꿈같은 소리였다. 내 머릿속에 그려지는 미국 대학캠퍼스는 아마 진짜보다 몇 배 환상적이었으리라.

그래도 답장을 쓸 때면, 낯설고 물 설고 말 설은 이역만리 미국땅에서 공부하느라 얼마나 고생이 많으냐는 의젓한 걱정으로 나열에 대한 부러움을 슬쩍 덮었다.

18. 왜 하필이면 김우영입니까

　부산은 아버지 김우영의 고향이자 새어머니 양한나의 고향이기도 하다. 양한나는 부산 일신여학교 첫 졸업생이다. 그 뒤 의신여학교 교사로 7년 넘게 근무했다. 일본에서 신학을 공부하고 중국으로 유학했다. 그러면서 상해 임시정부에서 경상도대의원을 맡아 독립운동을 벌였다. 어머니의 병환이 심한 바람에 귀국해 한동안 부산에 머물렀지만 다시 사정이 호전되자 서울로 올라가 이화여전을 다녔다. 그러는 동안에도 중국을 수차례 드나들며 상해임시정부의 일을 도왔다. 오스트레일리아에 1년 가량 머물며 사회사업의 뜻을 굳힌 그는 다시 돌아와 기독교 여자청년회의 중추적 인물이 되었고 부산 여성기독연맹을 창설했다.

　이렇듯 씩씩하고 분주하게 살던 그가 활동의 절정기였던 40대 중반에 갑자기 독신생활을 접고 김우영과 결혼하게 된다.

　부산에서 서로 알고 지내던 두 집안의 인연이 연결고리였을 터지만, 벌려 놓은 일을 한 순간 다 접고 한 남자에게 천착하는 양한나를 보는 주변의 시각은 의아했다. 자신의 의외적 선택은 단숨에 수십 개 연결 다리를 놓아 당연한 논리로 추스리면서, 남의 것에는 도무지 이해할 수 없다고 눈을 동그랗게 뜨는 사람들에게 양한나는 시집 한번 가보고 죽어야겠다는 생각이 들었기 때문이라고 당당하게 고백했다.

그렇다고 해도, 일찍이 부산에서 교사시절 항일단체를 결성하고 상해임시
정부까지 들어가 독립운동을 하다 옥고까지 치렀던 그의 전력을 잘 알고 있
는 이들은 왜 하필이면 일본 관리 김우영인가를 묻지 않고 베길 수가 없었
다. 결혼을 보름쯤 앞두었을 때는 상해임시정부에서 함께 활동했던 김영철
이 찾아 왔다.

"사람이 사람을 만나는데 하필이라는 말은 없습니다. 그저 만나 인생을
걸어볼 만하다고 느낀 것이 전부입니다. 내 나이가 불혹을 넘긴지 벌써 오
랩니다. 고민이 없지는 않았지만 이런 결정을 두고 흔들리지 않을 만큼 살
았습니다. 동지들의 걱정과 의구심을 모르는 바 아니나 지금은 나를 축복해
주시기 바랍니다."

"물론 축복해드려야지요. 저도 그럴 수 있길 간절히 바랍니다. 그렇지만
다른 동지들의 걱정도 큽니다."

그의 얼굴이 여전히 어두웠다. 양한나가 물었다.

"김동지가 상해 임정에 들어온 것이 언제입니까?"

다소 의외의 질문에 그는 잠시 머뭇거렸다.

"1921년 가을이었습니다. 근데 그건 왜?"

양한나의 얼굴에 슬쩍 미소가 스쳤다.

"나도 기억합니다. 동지가 처음 임정에 들어 왔을 때를. 내가 결혼하겠다
는 김우영이라는 사람도 동지와 비슷한 때쯤 안동현 일본총영사관에 부임
해 왔습니다. 생각납니까?"

"글쎄요, 나는 기억이 확실하지 않네요. 얼핏 들었던 것 같기도 하고."

그가 의아해했다. 무언가 큰 비밀이 양한나의 입에서 금새라도 터져 나올

것 같았다.

"김동지는 아마 임시정부 일을 익히느라 다른 여념이 없었기 때문에 김우영에 대한 기억이 없을 겁니다. 그때 나를 위시한 다른 동지들은 조선인이 일본총영사관에 고위직으로 왔다는 소식을 듣고 얼마나 화가 났는지 모릅니다. 욕설과 저주를 퍼부은 건 물론이고 그냥 두지 않겠다고 벼르기까지 했습니다.

그런데 그 뒤로 들리는 얘기로 김우영은 좀 특이했습니다. 그는 일본총영사관에서 근무할 때를 제외하고는 늘 한복을 입고 다닌다는 겁니다. 거기다 안동현 인근에 있는 조선사람들의 뒤를 봐주고 있다고 들었습니다. 동지도 알겠지만 만주 중국 상인들이 우리나라 사람들을 얼마나 깔보고 맘대로 했습니까. 그 바람막이를 해주는 것이 몇 차례 눈에 띄었습니다. 그러다가 의열단사건이 있지 않았습니까. "

양한나는 누가 엿들을지도 모른다는 듯 주변을 휘돌아봤다. 다시 목소리를 낮추었지만 자신감은 더 실리고 있었다.

"의열단사건을 동지도 알지요?"

"그럼요. 그때 서울로 가지고 들어간 폭탄이 상해에서 만든 것 아닙니까? 그 거사가 성공했어야 하는 건데…. 김재진 같은 배신자 때문에. "

"그 일을 주모했던 이가 황옥입니다. 그는 경기도 경찰국의 경부였습니다. 조선인이 그런 지위에 없었으면 엄두도 못낼 일입니다. 또 김재진은 어떻습니까. 우리 임정과 직접 관련은 없지만 이름깨나 있던 독립운동가 아니었습니까. 그 자의 배신으로 여러 사람 죽고 징역살고.

김우영도 의열단사건을 도운 사람입니다. 황옥 경부가 이 일로 상해를 오갈 때 김우영 영사 사택에서 기거하곤 했습니다. 의열단사건이 터졌을 때

210

김우영도 공모혐의로 경찰의 조사를 받았습니다. 이 양한나가 그 정도는 알고 있으니까 맞선을 보지 않았겠어요?"

김영철에게는 금시초문이었다. 임정에 있을 당시 안동현에 조선인 부영사가 있다는 것까지는 들은 것 같았다. 그러나 자신이 무척 안타깝게 생각하는 의열단사건에 김우영이 연관되어 있다는 것은 충격적이었다.

"그런데 어떻게 지금도…? 전남도청 과장이라고 했나요?"

"나도 그게 궁금했어요. 두 번째 만났을 때 물어봤죠. 자신이 조사만 받고 풀려난 것은 경무국장 마루야마의 덕택이라고 합디다. 일본 유학시절부터 친분이 있었다고 합니다. 마루야마 국장과의 친분을 안 안동현 경찰서장도 이사람에겐 절절 맨 모양입디다. 황옥, 김시현, 유석현 등이 김우영 사택에 머물고 심지어는 무기도 그곳에 감추어 놓고 다녔다고 합니다."

김영철은 미세하게나마 머리를 끄덕였지만 아직 믿기 어렵다는 눈빛이었다.

양한나는 김영철이 선명한 사람임을 알고있었다. 임시정부에서도 어떤 일을 놓고 토론이 벌어지면 항상 그는 강경의 끝 편에 가 있었다. 조선을 강점한 일제의 책임은 모든 일본인들이 져야하며 따라서 그들은 모두 타도 대상이었다. 모든 조선인은 의당히 일본에 항거해야 한다고 생각했다. 방법론을 놓고 격론을 벌이다가 스스로 분을 못 참아, 그럴 바에는 독립운동 집어치겠다며 자리를 박차고 나간 적도 있었다.

좀 주먹구구식이라고 생각은 했지만 양한나는 그의 순진함을 좋아했다. 용기를 낼만한 일에도 이 핑계 저 핑계 대며 미적대는 겁쟁이들도 많았다. 이상하게도 이런 허약한 독립운동자들은 공부 좀 한 경우가 대부분이었다. 이들의 말은 언제나 그럴 듯 했지만 입에만 달린 명분일 때가 많았다. 중학만 나온 김영철이 번번이 말싸움 끝에 열을 받는 건 당연했다.

일본에서 요꼬하마 신학교를 다니다가 중국으로 유학 와 쑤저우여자사범대학을 다니고 있던 양한나는 임시정부내 경상도 대의원을 맡을 정도로 엘리트였다. 그런 양한나가 번번히 자기 편을 들어주는 것이 김영철은 고마웠다. 양한나의 결혼 소식을 듣고 놀래서 찾아온 데는 그만한 배경이 있었다.

"김동지, 내가 하나님 믿는 사람인 거 알죠? 김우영씨도 독실한 기독교인입니다. 집안이 다 그렇습니다. 우리 집안도 마찬가지고. 이 양한나가 김우영에게 시집을 가게 된 데는 하나님의 뜻이 있을 겁니다.

사람들은 그가 일본 관리로 일하기 때문에 친일이라고 쉽게 말하지만 내가 아는 한 그는 민족을 생각할 줄 아는 사람입니다. 우리처럼 목숨을 걸지는 못했지만 적어도 생각만은 그런 사람입니다. 항상은 아니지만 기회가 왔을 때 위험을 무릅쓰기도 했고.

김동지, 김동지도 알잖아요. 임정에 드나드는 사람들의 마음이 다 한결 같던가요? 이것 저것 다 해보다가 잘 안되니까 독립운동 하겠다고 들어온 사람들 꽤 있잖아요. 그러다가 다른 일 생기면 쉽게 떠나버리고. 함부로 폄하하는 건 아니지만, 좀 깊게 생각해보면 결국 문제는 마음 중심이다 이거죠."

김영철은 자기가 양한나의 말보다 그녀의 표정이 하도 진지해 설득당하고 있다고 느꼈다.

"김동지는 나를 더 잘 압니까, 아니면 김우영입니까?"

"그야 당연히…."

"나는 독립운동에 내 젊은 날을 다 바친 사람입니다. 앞으로도 그럴 생각입니다. 나를 잘 안다면, 내 선택도 그렇게 이해해주세요. 이 늦은 나이에 시집을 간다고 하면 많이 생각하고 또 생각하지 않았겠습니까.

내가 그를 만나보니 괜찮은 사람입디다. 조선독립을 우리만큼 바라고 있는 사람입니다. 점잖고 예의도 바르고. 인물도 그만하고."

김영철이 슬쩍 웃어 보였다. 양한나도 따라 웃으며 끝말은 농담이라고 거둬들였다.

"그러나 저러나 그 사람이 결혼 여러 번 했다는 건 알고 있어요?"

조금은 편해진 분위기를 놓치지 않고 김영철이 나즈막히 물었다.

"김동지가 그런 얘기도 알아요? 이거 참."

"양동지는 초혼이라면서 아깝다고들 합니다."

김영철은 이왕 이렇게 된 거 할 말은 다하고 가야겠다고 마음먹었다.

"나를 생각들 해줘서 고마워요. 그 사람이 세 번 결혼했던 거 알고 선 봤어요. 유쾌한 일은 아니지만 난 그거 크게 상관없다고 생각해요."

결혼에 대한 변명을 구차하게 늘어놓아야 하는 신세에 양한나는 서서히 짜증이 나기 시작했다. 그래서 이렇게만 말하고 입을 다물었다. 김영철은 잠시 양한나를 물끄러미 바라보더니 몸까지 흔들어대며 고개를 끄덕였다. 그 정도라면 나는 더 이상 할 말이 없다는 몸짓이었다. 양한나가 참지 못하고 또 입을 열었다.

"김동지에게 내가 물어 볼께요. 고등고시 단번에 붙은 사람하고 네 번만에 붙은 사람하고 누가 더 실력이 있을 것 같아요?"

김영철이 머뭇거리는 사이에 양한나가 말을 이었다.

"당연히 단번에 붙은 사람 실력이 더 있죠. 그런데 네 번만에 고시 붙어 판사가 된 사람이 더 좋은 판사일지 몰라요. 왜냐면 그는 네 배는 더 간절했던 경험이 있으니까."

"………."

더는 듣고 싶지 않다는 듯 김영철이 자리에서 일어났다.

"내가 딴 일이 있어서 그만 가봐야겠습니다. 아무튼 양동지 축하합니다. 행복한 결혼이 되길 바라겠습니다. 진심입니다."

양한나는 속 뻔하게 서두르는 김영철에게 공연히 미안했다. 집 앞 골목길 끝까지 배웅하려고 했지만 김영철이 대문 밖을 나서자마자 굳이 사양하고 뛰듯 빠른 걸음으로 사라졌다.

김영철을 보내고 나서야 정작 양한나는 심각해졌다.

이 결혼, 정말 잘못하는 건 아닌가. 내가 손해보는 건 아닌가. 무엇보다 김우영의 결혼 전력이 맘에 걸렸다. 어릴 적 부모가 정해준 첫째 부인과 사별한 것이나 얼마 살지 않고 집을 나갔다는 세 번째 부인은 별로 신경 쓸 게 없었다. 그런데 두 번째는 그 유명한 신여성 나혜석 아닌가.

양한나는 임시정부에 있을 때도 나혜석에 대한 소문을 들은 바 있었다. 그림을 그리고 글을 쓰고 미인이었다고 들었다. 조선인 일이라면 김우영보다 더 적극적이고 여자야학을 세워 가르친다는 말을 듣고는 꼭 한번 만나보고 싶기까지 했다. 김우영에게는 아직도 나혜석의 그늘이 남아 있을 것 같다는 불안감이 엄습했다. 셋째 부인도 원인이 있다면 필경은 나혜석일 것 같다는 생각이 들기도 했다.

양한나의 결혼생활은 평온했다.

양한나가 보니 김우영은 기본적으로 성실하고 조용한 사람이었다. 말없는 것이 답답할 때도 있었다. 하지만 주로 말을 해야 직성이 풀리는 자신에게는 일면 다행이었다. 일곱 살 더 먹은 탓이기도 하려니와 세상을 관조하는 김우영의 생각이 깊다는 느낌이 들었다.

나혜석과 사이에서 생긴 세 아이들도 무난한 편이었다. 공부는 둘째가라면 서러울 정도였고 딴 일에도 도무지 신경 쓸 게 없는 모범생들이었다. 그러나 정이 퐁퐁 생겨나게 착착 달라붙는 아이들은 아니었다. 나름대로는 잘한다고 하는데 아이들과 좁혀지지 않는 간격을 더러 실감했다. 양한나는 자신이 생모가 아니어서 그럴 거라고 생각했다. 그럴수록 그는 김우영과 사이에 아이를 두고 싶어했지만 소용없는 일이었다.

양한나에게 신앙이란 하나님의 뜻을 찾아 그렇게 살아가는 것이었다. 김우영을 만난 게 하나님의 뜻이었듯이 세 아이들 어머니 노릇도 뜻이었다.

양한나에게 하나님 다음으로 버팀목이 되는 사람이 있다면 그의 동생 양성봉이었다. 유난히 사이가 좋았던 남매였다. 양한나는 무조건 동생 편이었고 양성봉은 무조건 누나 편이었다. 유년시절 또래 아이들은, 양성봉을 건드리면 양한나의 복수를 각오해야 했다. 양한나가 결혼할 때는, 반대하는 일가 친척을 일일이 찾아가 설득한 사람이 그였다. 그를 만난 친척들은 네 결혼이라도 그만큼은 못하겠다고 혀를 둘렀다.

양한나가 여자경찰서장을 그만두고 부산으로 내려갔을 때 양성봉은 부산시장에 재직중이었다. 소식을 듣고 단숨에 뛰어온 성봉은 당장이라도 서울에 올라가 장택상을 만나야겠다고 흥분했다.

"장청장이 나를 그만두게 한 게 아니라 내가 사표를 냈다니까. 왜 애꿎은 장택상을 가지고 그러냐 너는."

"어쨌거나 장청장이 인사권자 아닙니까. 그런 일을 신문기자들이 그렇게 썼다고 해도 전후를 제대로 보고 판단할 일이지 사표 낸다고 덜컥 받는 법이 어디 있습니까. 그 정도 밀어주지 않을 바면 애당초 임명도 하지 말던지."

"장택상으로는 할만큼 했어. 처음 여자경찰서를 만들 때부터 나를 마음에 두었던 것도 고마운 일이고 그 정도면 내 방탄역할도 할만큼 했고. 너도 알지만, 그 사람은 경찰청장으로 끝날 사람이 아니야. 자기 앞가림도 해야지."

"아이고, 여자경찰서장 하더니 사람 다 버렸네. 누나, 그 성질 다 어디 갔소? 아니, 자기 앞가림을 위해서 억울한 부하를 모른 척하면 그게 될 법 합니까? 장청장을 내가 처음부터 탐탁하게 여기진 않았지만 이번 일로 정말 실망했습니다."

"성봉아, 내가 너 위해서 하는 이야긴데, 너도 장청장에게 배워야 할 게 많다. 옛말에 누울 자리 보고 발 뻗으라고, 무조건 뻗다가는 발 부러진다. 장청장이 나에게 그런 당부를 수차례 했거든. 내가 어리석다면 어리석은 거지."

"아, 발목이 부러져도 뻗을 땐 뻗어야지. 안 그래요? 매형."

그제야 남매는 김우영의 존재를 인식한 모양이었다. 김우영은 이 일에 대해 가타부타 말이 없었다. 양한나가 돌아와 처음 발을 집에 들여놓았을 때 수고했다는 말 한마디가 전부였다. 하기야 여자경찰서장에 임명돼 서울로 올라갈 때도 수고하라는 말이 전부였으니까. 김우영을 잘 아는 양한나였지만 못내 서운했다.

뭔가 당신도 한마디를 해야 한다고 기다리는 두 사람을 김우영도 더는 피할 수가 없었다.

"공직에 있으면 마음고생이 있기 마련이지. 양시장도 그런 저런 일이 많이 있을거야. 마음먹은 대로 현실이 따라주질 않으니까. 그건 나도 마찬가지였고. 당신의 경우도 똑 같아. 공직처럼 임무가 뚜렷한 일이 어디 있어? 그런데 뚜렷하다고 일도 뚜렷하게 하다보면 바람 잘 날이 없는 거지. 적당히 하자니 속이 부글대고. 결국은 양쪽을 왔다 갔다, 제풀에 꺾여 주저앉거나 관두거나. 지금에서야 하는 말이지만, 당신은 공직 스타일이 아니야."

"아니, 그러면 왜 내가 서울에 올라갈 때 말리지 않았수?"

"말린다고 될 일인가? 그리고 당신 정도면 할 만한 일이었다는 생각도 없진 않았고. 염려는 스러웠지."

"좌우지간 기자 놈들이 나빠요. 신문은 사회의 등불이라는데, 선의의 뜻은 모른 척 하고 삐딱해 가지고 쎈세이셔날한 기사만 만들려고. 누나가 그 여자들을 때리려고 때린 게 아닌 것 다 알면서 그렇게 갈겨대고. 생각이 조금만 있으면 알지, 누나가 그 애들 옷 벗겨서 뭘 어쩐다는거야? 도대체."

양성봉이 이번엔 신문기자들에게 화살을 돌렸다.

김우영이 그렇지 않아도 다부져 보이는 입술을 더 힘주어 다물며 웃어 보였다. 피가 거꾸로 솟던 기억이 떠올랐다. 나혜석이 최린을 소송한다는 기사가 조선일보, 동아일보의 사회면 톱기사였다. 이미 관계가 정리된 상태였지만 신문에 실린 나혜석의 전신사진, 최린의 동그란 인물사진, 주먹만한 글씨 '정조 유린죄'를 보는 순간 김우영은 금새라도 심장이 멈출 것 같았다. 그 충격은 김우영의 일생에서 가장 큰 것이었다.

처음에는 나혜석을 몹시 욕했지만 시간이 지나면서 신문도 나빴다는 생각이 들었다. 도대체 그럴만한 기사였는가. 그러나 세간의 화제를 만들어내고 싶어하는 신문의 의도는 그대로 적중했다. 세상은 그 얘기로 가득 찼다. 당사자들은 본인들이 저지른 일이니 그렇다 쳐도, 자신까지 몸 둘 한 뼘의 땅도 조선 천지에 없었다. 지금도 생각하면 처절한 악몽이다.

"그래서 이제부터 누나는 무슨 계획이 있습니까?"

양성봉이 그 정도에서 신문 얘기를 끝낸 건 다행이었다. 김우영이 얼른 끼어 들었다.

"계획은 무슨. 그동안 서울에서 수고 많이 했으니 푹 쉬어요. 그런 후에 무슨 일을 해도 해야지."

"어라, 너의 매형 나 없는 동안에 사람되셨다. 나 처음으로 따듯한 말 한 번 들어보네."

좀 이상스러웠다. 도무지 남의 일에 묵묵하고, 물어도 부답이 일쑤인 그가 자진해서 그것도 아내를 위하는 말을 하기는. 양한나는 조금 빈정대긴 했지만 속내 고마웠다.

사실 김우영은 양한나가 경찰서장을 하는 동안 단 한번도 서울에 올라오지 않았다. 그의 무심함을 그저 성격 탓이려니 이해했지만, 업무관계로 속이 상해 어디다 하소연 할 데가 없을 때가 몇 번 있었다. 두어 차례 자신이 부산으로 내려와 2, 3일씩 머물렀을 때도 김우영은 별일 없느냐는 정도 이상의 관심을 보이지 않았다. 양한나가 자신이 겪었던 일을 늘어놓으면 고개를 끄덕이며 들어주는 정도였다. 수고 많았다, 쉬어라 하는 말은 어쩌면 결혼 후 처음 듣는 말인지도 모른다.

"쉬기는 뭐…. 내가 쉴만한 일을 얼마나 했다구. 내가 부산으로 내려오면서 생각한 건대 고아원을 하나 차리면 어떨까?"

양한나는 김우영의 반응을 슬쩍 살피면서 눈길을 양성봉에게 돌렸다.

"경찰 일을 하면서 보니 불쌍한 아이들이 너무 많아. 집 나와서 떠돌이 생활하다가 신세 망치는 경우가 대부분이야. 그런 애들 데려다가 먹여주고 가르치는 일을 했으면 싶어서."

양성봉은 금새, 그거 정말 좋은 일이라고 맞장구쳤다. 조금 전까지도 장택상에게 씩씩댔던 모습이 무색하게, 누이가 경찰서장 그만두길 잘했다고까지 했다.

"당신 생각은 어때요?"

동생의 지원을 확보한 양한나가 기세를 몰아 김우영에게 동의를 구했다.

김우영이 보기에도 고아원이 필요했다. 어쩌다 부산 시내를 나갈 때면 하릴없이 거리를 싸돌아 다니는 애들이 많았다. 도대체 저들은 밤이 되면 돌아갈 집이나 있는지 궁금했다. 필경은 부모가 없을 것이라고 생각했다. 누가 자식의 저런 꼴을 보아 넘길 수 있을까.

양성봉은 그런 복지사업은 마땅히 시에서 해야 할 일이었다며, 땅과 건물, 재원을 마련해보겠다고 말했다.

남매가 죽이 맞은 고아원 사업은 곧바로 추진됐다. 오십 여명은 충분히 기거할 만한 제법 큰 건물이 마련됐고, 한달 조금 넘게 개축공사가 진행됐다. 현장을 총 지휘하는 양한나는 여러 날 집에도 못 들어오고 밤샘했다. 그렇지 않아도 깡마른 양한나는 더 수척해졌다. 김우영은 몸도 생각하라고 걱정해주었지만 소용없었다. 움푹 패였지만 그 눈은 푸른 빛이 돌았다.

개원을 앞두고 이리저리 분주하게 움직이던 양한나가 고아원 이름을 '자매여숙'이라고 붙였다. 이름만으로도 알 수 있듯이 자매여숙은 고아원과 무숙 여성 보호소를 겸한 형태였다.

무숙 여성 문제도 고아들의 문제 이상으로 심각했던 당시였다. 원칙으로 보면야 무숙 여성과 고아들의 대책은 별도로 마련돼야 옳지만, 부산시로서는 고아원 하나 차리는 것도 버거웠다. 고아원도 무슨 전문적 교육체계를 갖춘 것이 아니라 일단 길거리에 버려진 아이들에게 거처를 제공하는 것이 목적의 거의 전부였다. 그러다보니 역시 갈 곳이 없는 여자들에게 또한 숙소를 제공하는 것과 비슷하게 맞아떨어진 셈이다.

특별한 조건을 따지지 않고 갈 곳이 없다는 아이들과 여성을 받아주는 자매여숙은 문을 연지 얼마지 않아 수용인원은 정원수를 넘겼다. 더 이상은 수용할 수 없다고 거절하려 해도 찾아온 사람의 사정을 들어보면 딱하기 짝이 없었다. 이렇게 딱 한 명만 더, 딱 한 명만 더 하고 받아준 숫자가 거의 정원만큼 늘어나고 말았다.

게다가 양한나는 부산 시내로 외출을 갔다 올 때면 한 두명씩 고아나 무숙여자를 데리고 들어왔다. 함께 일하는 직원들이 난색을 표했지만, 이 추운 날씨에 도저히 그냥 지나칠 수 없어서 데리고 왔으니 좀 좁혀서 살자는 양한나를 어찌하지 못했다.

그는 늘 어려운 고아원의 재원을 확보하기 위해 항상 분주하게 뛰었다. 동생의 후원이 물론 크기는 했지만, 그것만으로는 어림도 없었다. 양성봉의 입장에서도 이미 초기 예산을 크게 넘기고 있는 자매여숙을 무조건 지원할 수도 없었다. 부산에 연고가 깊은 양한나는 재정지원을 할 만한 개인, 단체, 교회, 사업가 등을 찾아다니며 자매여숙을 도와달라고 호소했다.

그 모습이 하도 안쓰러웠던지 도무지 남에게 부탁이라고는 하기 싫은 김우영도 이 사람 저 사람 만나러 다녔다. 그도 고향이 부산이었던지라 꽤 여러 사람을 자매여숙과 연결시키는 성과를 거두고 있었다.

경우에 따라서는 두 사람이 한 목표물을 놓고 협공하는 연합군 양상을 띠기도 했고, 어떤 때는 시간차로 공략해 전과를 올리기도 했다. 그렇다고 해도, 여전히 길에만 나서면 고아들과 무숙 여자들이 발에 채일 정도로 많았다. 그래서 어떤 때는 덜컥 맥이 빠지기도 했지만 결국은 묘한 오기가 꿈틀거려 자매여숙에 대한 신념이 더욱 공고해지는 것이었다.

12월에 접어들자 동장군의 득세가 대단했다. 양한나는 이 겨울을 거리에서 나야할 이들을 생각하면 가슴이 답답했다. 생각 같아서는 당장에 자매여숙을 수십 개는 세워야 옳을 일이었다. 그런데 하나 세운 것도 운영하기가 벅찬 게 현실이었다. 그런 역부족에서도 지치거나 실망하지 않고 오히려 전의를 가다듬는 것이 양한나의 장점이기도 했다.

사람들은 12월이 되면 그래도 많이 너그럽다. 아마 한 해를 돌아보니, 선행의 중량이 아무래도 너무 가벼웠음을 알기도 했을 터이다. 양한나는 그래서 더욱 분주해졌다. 나머지 열한 달도 12월 같으면 좋겠다고 생각했다가 한 달마저 열한 달 같다면 또 어쩔 것인가 하는 생각에 이르니, 다행이라 여겼다.

한 해를 보내면서 양한나의 감회는 남달랐다.

굴곡이 심한 삶으로 치면, 자신도 한몫은 한다고 생각하던 그였다. 고생으로 치면, 만주에서 목숨을 내놓고 뛰던 독립운동을 따라올 것이 있으랴 싶었다. 그 뒤 겪었던 고비 고비마다 자신을 버티게 해 준 것은 그때의 선연한 기억이었다. 여자경찰서장직을 초개처럼 집어칠 때도 그때의 자존심이 꿈틀거렸었다. 그런데 자매여숙은 뭐랄까, 그렇게 살아온 궤적에서 비껴져 있는 느낌이었다.

힘들기로 한다면 지난 것들을 모두 합해도 자매여숙에는 못 미칠 것이다. 자매여숙을 시작하면서 한번 맘 놓고 잠을 자본 적이 없다. 걱정은 꿈에도 지고 다녔다. 잠에서 깨면 곧바로 뛰기 시작, 늦밤까지 수고했다. 그럼에도 양한나의 손을 기다리는 일은 그 사이 더 늘어나 있는 수가 많았다. 그래도 지치지 않는 이유는 무엇일까.

성질도 많이 죽었다. 예전 같아서는 한바탕 욕을 해주거나 멱살을 잡을 것도 꿀꺽 참아내곤 했다. 자매여숙에 돈이라도 기부할 듯 하면 맘에 없는 소리도 잘 갖다 붙였다.

한번은 제법 큰 돈을 내겠다는 회사에 김우영과 함께 간 적이 있었다. 그런데 사장이라는 자가 보통 거만을 떨지 않았다. 웬만하면 말을 하지 않던 김우영이 끝내, 당신이 주는 돈이 없어도 자매여숙이 문닫지 않는다며 자리를 뜰 정도였다.

양한나는 그래도 자리를 지켰다. 그리고는 사장을 설득해 돈을 받아냈다. 얼굴이 벌게져 밖을 서성이던 김우영은 양한나의 그런 모습을 보고 고개를 설레 흔들었다. 그러면서 중얼거렸다.

자매여숙에 정말 미쳤군.

김우영의 말이 맞다고 생각했다. 예전 것들은 해야 하니까 했던 것인데, 자매여숙은 내가 미쳐서 하는구나 생각했다.

겨울방학을 맞아 부산집으로 내려온 내 눈에 비친 아버지는 이상해 보였다.

도무지 말이 없었던 그에게 말이 생겼다. 필경은 자매여숙 관계로 새어머니와 이말 저말 하던 끝에 입이 열린 것이 분명했다. 말이라는 것은 묘해서 한 편에다 여러 말을 하다보면 다른 편에도 대충 비슷한 경향을 띠지 않던가. 갑자기 말로 친절해진 아버지 앞에서 공연한 말이라도 찾느라 나도 애썼다.

아버지에게 말이 생기는 사이, 원래 많았던 새어머니의 말은 두 배쯤은 는 듯 싶었다. 그는 틈틈이 자매여숙 얘기를 내게 풀어놓곤 했다. 자초지종을 몰라 어떤 말은 그 상황파악조차 힘든 때도 있었지만, 나는 되묻지 않았다. 솔직히 자매여숙이 관심사가 아니기도 했지만, 진지하게 심혈을 기울여 설명하는 그의 눈빛을 진지하게 응시하며 고개를 끄덕이는 일이 더 마땅하다고 생각했기 때문이다.

부산 집에서 보낸 그해 겨울 방학은 아무튼 특이했다. 눈치로 보아서 아버지의 변호사일은 신통치 않았다. 그럼에도 불구하고 그의 생활을 휘감는 생기 같은 것이 있었다. 그것은 내게, 아버지를 별로 걱정해온 바가 아니더라도, 충분한 안도감으로 변질되어 다가왔다.

새어머니를 보는 내 안목이 조금은 넉넉해 진 것도 그즈음이다.

19. 반민특위

"쾅, 쾅, 쾅, 쾅."

음력 동짓달의 새벽은 밤과 다름없이 깜깜했다. 느닷없이 이 때, 저토록 문을 세게 두드리는 자가 도대체 누구란 말인가. 잠에서 덜 깬 양한나가 겨우 문 앞으로 주춤거리며 나왔다.

"누구요?"

"여기 김우영씨 집 맞죠?"

밖에서 들리는 사내의 목소리에 거만한 힘이 실리고 있었다.

"그래요. 근데 댁은 누굽니까. 대체 무슨 일로 이 밤중에 난리요?"

양한나가 꾸짖듯 큰 소리로 되받았다.

"문 열어요. 우리는 반민특위에서 나왔어요."

반민특위? 양한나는 갑자기 할 말이 생각나지 않았다.

"문 열라니까 뭐해요? 빨리 열어요. 빨리."

"일이 있으면 낮에 올 것이지, 이 밤중에 왜 문을 열라는 거요?"

"이 아줌마가 누굴 바보로 아나? 낮에 오면 어디로 도망갈 거 아뇨? 빨리 문이나 열라니까."

양한나는 여지껏 살면서 자신에게 이렇듯 고압적이고 명령조를 말하는 남자들을 만난 적이 없었다. 아닌 밤에 홍두깨 아닌가.

"너희들 누가 보내서 온 인간들이야? 우리가 누군 줄 알기나 하고서 이런 행패를 하는거야?"

"행패라니? 친일파를 잡으러 온 사람한테 행패라니? 어서 문이나 열어. 계속 이러면 문을 부수고 들어 갈거요."

"문을 부숴? 아니, 이것들이 뵈는 것이 정말 없구만. 한번 부숴 봐."

양한나는 한 피치를 더 올려 고함을 질렀다. 워낙 당당한 양한나에게 다소 기선을 압도당했는지 황당했는지 문 밖이 조용해졌다. 그러는 새 김우영이 현관문 앞에 섰다.

잔뜩 열 받은데다 난감스런 표정까지 겹친 양한나를 힐끗 쳐다본 김우영이 문을 열어 젖혔다.

문 앞에는 건장한 남자 셋이 서 있었다.

"내가 김우영이요. 나한테 볼일이 있는거요?"

조장쯤으로 보이는 사내가 손에 들고 있던 종이를 디밀었다. 집안에서 흘러나온 희미한 불빛에 어슴푸레 몇 글자가 드러났다. '반민족적 친일행위 검거대상… 김우영…'

김우영은 그 종이에서 한참 눈을 떼지 못했다. 다른 것들이 눈에 들어 온 것은 아니었다. 자신을 반민특위의 검거대상으로 적시한 그 종이가 이상스러웠다. 지금까지의 삶을 그렇게 정리해버린 이 한 장 종이의 정체는 도대체 무엇인가 싶었다.

불길한 예감이 전혀 없진 않았다. 반민특위가 출범하면서 정치권은 소용돌이에 빠져들고 있었다. 신문에서도 연일 지면을 장식하고 있었다. 일제시대 고위직을 지냈던 사람들을 검거대상으로 한다는 소식이 들렸다. 그런 가운데 반민특위에 대한 찬반은 점점 격렬해졌다. 이승만 정부는 국회에서 통과시킨 반민특위법을 정면으로 반대했고 특위활동에 협조하기를 거부했다. 정국의 혼미상태가 극에 달했다.

김우영은 이런 사태를 유심히 지켜보면서 착잡했다. 친일과 반일, 민족적 혹은 반민족적이라는 가늠질이 마땅하지 않았다. 일본인과 친했으면 친일인가. 김우영은 일본의 조선 강점이 잘못된 일이라고 주장하는 많은 일본인들을 알고 있었다. 인간적으로 깊게 우의를 나눌만한 인물들도 여럿 만났었다. 그래서 친일이라고 한다면, 할 수 없는 일이다. 그러나 친일이기 때문에 반민족이라고 한다면, 이건 참으로 억울했다. 누구에게 나는 민족주의자라고 말해본 적은 없지만, 스스로의 민족에 대한 확신이 흔들린 적이 없었다. 만약에, 만약에 반민특위에서 나를 잡으러 온다면 그냥 끌려갈 수는 없다고 생각했었다.

그러나 막상 오밤중에 들이닥친 반민특위 사람들을 맞고 보니 맥이 쭉 빠졌다. 뭐랄까, 자신이 처량하다는 생각이 들기도 했고, 이들에게 따진들 무슨 소용인가 하는 자포자기 심정도 자리했다. 어쨌거나 결국은 자업자득이라는 생각에 우울했다.

"당신들 누가 보내서 왔어? 상관이 누구야, 누구? 그냥 안 두겠어."

양한나의 고함이 밤의 정적을 타고 길게 여운을 남겼다.

김우영이 그런 양한나를 진정시켰다.

"일단 오라니까 가지. 뭐 별 큰일이야 있겠소? 당신은 자매여숙 일이나 신경 쓰고 있으면 내 곧 오게 될거요. 옷이나 갈아입고 갑시다."

김우영을 따라 안방으로 들어온 양한나는 도대체 어떻게 이런 일이 있을 수 있냐고 분을 억누르지 못해 안절부절 했다. 김우영이 옷을 바꿔 입는 사이 밖에 나갔던 양한나가 다시 들어왔다.

"서울로 간데요. 나도 따라 갈까봐요."

"서울? 그렇겠지. 당신이 따라오긴 어딜 따라와. 자매여숙이나 잘 지키고 있으라니까. 큰일은 없을거요."

집 밖에는 지프차가 기다리고 있었다. 김우영과 세 사내를 태우기가 무섭게 골목길을 빠져나갔다.

김우영은 서대문 형무소에 수감됐다.

서대문 형무소는 김우영에게 낯익은 곳이었다. 그가 변호사 시절 수도 없이 드나들던 곳이다. 주로 독립운동을 하던 이른바 사상범들이 체포되면 이곳에 수감됐고 김우영은 그들을 변호하기 위해 면회 왔었다. 거기에 자신이 들어앉게 되니 황당했다.

들어온 지 채 두시간도 안된 것 같았는데, 이내 밖이 어두워지기 시작했다. 촉수 낮은 백열전등 서너 개가 복도에 켜졌다. 좁은 방의 절반까지만 흐릿한 빛이 밀고 들어왔다. 김우영은 새까만 나머지 반쪽으로 몸을 옮겼다. 세상을 별로 헤집고 살지도 못했고 우물쭈물하다가 형무소로 들어온 신세가 비참했다. 깜깜한 방구석 한 켠에 쪼그리고 앉은 자신의 모습에 놀라 김우영은 불빛 쪽으로 급히 옮겨 앉았다.

그런데 이제는 어찌되는 건가. 조사를 받게 되겠지. 그 다음은? 재판을 받게 되겠지. 그러면? 형량을 선고받겠지. 얼마나? 글쎄, 한 5년쯤? 혼자서 묻고 답했다. 피식 웃음이 나왔다. 이렇게 되나? 이러자고 여태 구질스레 살았단 말인가?

안동현 부영사로 관직에 몸을 담은 것도 스스로 택한 최선은 아니었다. 변호사 일에 몹시 지치고 실망을 느껴 갖게 된 차선이었다. 그 뒤 세계여행을 다녀 와 관직을 떠났었다. 그때가 두 번째 기회였다. 그런데 다시 개업한 변호사로는 먹고 살 수가 없었다. 호구지책으로 또 관청에 들어갔다. 자신은 한번도 관직을 즐겨본 기억이 없다. 나름대로 조선인을 위한다고 애쓴 기억은 여럿 있다. 반민족은 터무니없는 일이다.

"아니, 우리가 언제 좋아서 일본 놈들 앞잡이 노릇을 했나요? 다 먹고 살려고 한 일이고, 또 우리가 안 해도 누군가는 어차피 그 일을 할 것이고…. 아마 우리가 안 하고 일본놈들이 직접 했으면 정말 지독했을 거 아닙니까, 안 그래요?"

같이 압송되어 서울로 올라오던 허수권이 한 말이었다. 고등계 형사를 지냈던 그도 반민특위의 검거대상이었다.

"이게 왜 우리 책임입니까? 안 그래요? 나라 책임이지. 윗분들이 잘해서 나라가 제대로 서있었다면 어떻게 일본이 이 나라에 들어왔겠어요? 안 그래요? 우리에게 고사를 지내보쇼. 나라가 멀쩡한데 왜 일본놈들의 녹을 받겠소? 안 그래요?"

허수권은 김우영에게 연신 동의를 구했다. 김우영은 한마디도 않고 차창밖만 쳐다봤다. 그에 대한 소문은 김우영도 들은 바 있다. 사상범 담당에 잔인한 고문으로 유명했다. 독립운동에 관계했던 사람들은 치를 떨었다.

"내 손으로 잡아들인 사람이 몇 명이나 됩니까? 위에서 시키니까 할 수 없어 몇 명을 체포했지만, 눈치껏 봐주기도 하고. 안 그래요? 제대로 하자면 우리야말로 애국자들 아닙니까? 안 그래요?"

그는 안 그래요를 반복할 때마다 김우영 쪽으로 얼굴을 디밀었다. 김우영은 눈길을 돌렸다. 김우영이 듣고 싶지도, 말하고 싶지도 않아 한다는 것을 모를 리 없었지만, 허수권은 끈질겼다.

"허수권씨, 말 같지 않은 소리 좀 그만 해. 당신 때문에 병신된 사람이 한둘이야? 뭐, 애국자? 당신이 누굴 봐 줬어? 참, 기가 막히네."

앞자리에 앉았던 반민특위 사내가 어이없다는 듯 끼어 들었다.

"여보쇼, 젊은 양반. 당신은 그럼 그때 무슨 일을 했어? 총칼 들고 독립운동 했나?"

의외로 강하게 허수권이 되받았다.

"독립운동은 안 했지만 당신들처럼 일본에 빌붙지는 않았어."

"독립운동도 아니고 일본도 아니면 산 속에 들어가 약초 캐고 살았나?"

"산에 들어가지 않으면 당신처럼 그렇게 밖에 살수 없었나? 해먹을 게 아무리 없어도 그렇지 고등계 형사가 뭐야? 당신 같은 사람 이번에…."

"아아, 내 걱정하지 말고, 당신은 어떻게 살았냐고 물었다. 이런 세상 오면 상 받을 짓만 하고 살았냐구. 무슨 일을 했는데? 얘기 좀 해주라."

말허리를 끊고 들어간 허수권이 오히려 느물거리자 사내가 고개를 돌려 째려봤다.

"아따, 얼굴 뚫어지겠네. 그렇게 보면 어쩔려구."

김우영은 전혀 밀리지 않는 허수권의 담력이 신기했다.

"그만들 하지."

조장 사내의 말에 두 사람이 못 이기는 척 자리를 고쳐 앉았다. 허수권은 그때부터 형무소에 도착할 때까지 가끔 헛기침만 할 뿐 별 말이 없었다. 반민특위 사내들이 이따금씩 몇 마디 주고받았지만 그저 괜스런 것들이었다.

서대문 형무소로 차가 들어서자 허수권이 혼잣말처럼 중얼거렸다.

"기죽지 마쇼. 우리가 무슨 죽을 죄를 졌소? 다 세상이 그만할 때 처신하다보니 선택이 그랬을 뿐이요. 자유 세상이 왔다고 좋아했더니, 내게는 고생 세상이 됐구먼. 하긴, 긴 인생동안 감옥에 좀 있기로 그게 뭐 대수요."

이름과 전직을 확인한 후 두 사람은 곧바로 방으로 향했다. 출입구에서 제법 여러 걸음을 들어가 먼저 김우영이 수감됐다. 그로부터 얼마치 않아 저만치 문을 열었다가 닫는 소리가 들렸다. 몇 칸을 건너서 허수권이 수감된 듯 싶었다.

감옥에서의 밤은 춥고 길었다. 가장 추운 동짓달이었지만 간수가 있는 입구에 난로 하나가 달랑 있을 뿐이었다. 내쉬는 숨은 하얀 김이 금새 사라졌고 그만큼 온기가 빠져나간 몸은 으스스했다. 붉은 벽돌을 타고 밖으로부터 겨울 내내 밀고 들어온 한기는 방안을 확실하게 점령하고 있었다.

수감될 때 받은 담요 두 장은 겹쳐서 바닥에 깔았다. 곧 엉덩이가 시렸다. 벽에 기댄 등에도 찬 기운이 느껴졌다. 김우영은 최대로 몸을 모아 웅크렸다. 집을 떠날 때 옷을 더 두껍게 입었어야 했는데 하는 후회감이 들었다. 부산에 태어나서 일까, 그는 유난히 추위를 타는 편이었다. 코 끝이 시리더니 머리가 무거워졌다. 처진 몸이 이대로 얼어붙을 것만 같았다. 무릎을 곧추세우고 양 손가락을 맞물리고 고개를 파묻었다. 몹시 피곤했다. 추위만큼이나 또렷했던 정신이 밀려드는 잠에 서서히 함몰됐다.

이상한 일이었다. 하늘에서 주체할 수 없이 쏟아 붓는 눈이 땅에만 닿으면 그냥 없어지는 것이었다. 김우영은 어디론가 가는 중이었다. 한참 가더니 다시 뒤돌아 왔다. 그러더니 다시 뒤돌아 가고 또 다시 뒤돌아 오고. 몇 번을 그러더니 급기야는 어느 길이 가던 길이고 어느 길이 오는 길인지를 헷갈렸다. 이러면 안 되는데. 정신을 차려야지.

그러더니 땅에 드디어 눈이 쌓이기 시작했다. 발목이 푹푹 빠지고 있었다. 점점 걷기가 힘들어졌다. 돌아가야 한다고 또 생각했다. 그러나 뒤돌아보니 이미 온 길이 너무 길었다. 돌아갈 자신이 없어졌다. 순간 누군가가 저만큼 서 나타났다. 품새로 보아 여자다. 여자도 쌓인 눈길에 비틀거리고 있었다. 이윽고 거리가 좁혀지더니 엇갈려 지나쳤다. 힐끔 쳐다 본 그의 얼굴이 어딘지 낯익다. 몹시 힘들어 보였다. 저렇게 이 눈길을 얼마나 갈 수 있을까. 그래도 여자는 가고 있었다.

갑자기 눈이 점점 심하게 쌓이고 있었다. 김우영은 열심히 앞으로 나가고 있었으나 제자리걸음이다. 이윽고 눈은 허리까지 덮고 허덕대기 시작했다.

꿈이라는 것을 아득히 눈치챌 무렵 김우영은 눈을 떴다. 정말 눈 속에 파묻혔던 것처럼 오한이 느껴졌다. 여기는 또 뭐야? 벽돌 벽과 쇠문살이 김우영을 놀라게 했다. 아참, 감옥에 있는 거지.

몇 시나 됐을까. 무서울 정도의 적막함이 존재와 현실의 인식을 또렷하게 둘러쌌다. 깍지를 풀고 몸을 움직여 본다. 다행이다. 굳은 것 같았던 몸이 생각대로 움직여준다. 유일하게 외부와 통하고 있는 조그만 쇠창문 밖을 내다보고 싶었다. 그럴 요량으로 일어서려는데 현기증이 일었다. 비틀거리며 문가로 갔다. 복도를 따라 왼편과 오른편 끝으로 눈길을 최대한 길게 늘려 보았지만 아무 것도 보이지 않았다.

내가 이쪽에서 왔던가, 저쪽이던가.

김우영은 그걸 가리는 것이 정말 중요한 일인 것처럼 좌우로 고개를 두리번거렸다. 시야에 들어와 있는 양쪽은 똑같은 대칭이다. 다를 게 없다. 문을 열고 나가지 않는 다음에야 그 끝 편을 볼 재주가 없다. 정말 중요한 일을 포기하듯 김우영은 힘없이 돌아섰다. 깔아놓은 담요 위에 다시 앉았다. 의외로 온기가 아직도 남아 있다.

다시 무릎을 세우고 손을 깍지끼고 고개를 파묻었지만 잠은 근처에도 오지 않았다. 꿈이 생각났다. 그 눈길에 만난 사람은 누구인가. 어디서 보았나. 분명히 아는 여자였는데. 좀처럼 꿈꾸는 일이 없던 그로선, 더구나 감옥에서의 첫 밤이니, 예사롭지 않았다.

길몽 같지는 않았다. 눈이 오는데 쌓이지는 않고, 자신은 길에서 오락가락하고, 그러더니 갑자기 허리까지 차 오르는 눈…. 그 길을 걸어가는 지친 여자의 얼굴도 기분 좋은 건 아니었다. 도대체 그가 누구인가. 김우영은 아는 여자들의 얼굴을 하나씩 떠올린다. 딱 맞는 이가 없다. 이 얼마나 주먹구구인가. 감옥에 들어오니 머릿속에 부질없는 것들이 가득하다는 생각에 이르니 절로 쓴웃음이 나오기도 했다.

감옥의 밤은 질겼다. 새벽이 찾아 왔음에도 곱게 물러서지 않고 엉겨붙어 한참동안이나 짙은 회색을 연출했다.

콩밥과 소금국이 손바닥 두 배만한 양철쟁반에 놓여 디밀어졌다. 숟가락에 얹어진 밥을 국에 넣었다 입으로 가져간다. 천천히 씹어본다. 설익은 콩이 비린 맛을 내기는 했지만 못 먹을 정도는 아니다. 허기가 없었는데도 숟가락질은 계속됐다. 김우영은 깨끗하게 비워진 그릇 쟁반을 내놓으면서 생각했다. 감옥에 있으면 배가 고파서 그릇을 비우는 것이 아니라 그 일만큼 표나게 할 일이 따로 없기 때문은 아닐까.

정말 그랬다. 먹는 일이 지나고 나니 할 일이 없었다. 식사 후에는 불러내서 뭔가 취조라도 할 줄 알았는데 아무도 그를 부르지 않았다. 가끔씩 간수가 혼자 복도길을 왔다 갔다 했지만 그는 의도적으로 앞만 쳐다봤다. 말을 건네도 그는 고개만 가로저을 뿐이었다. 다만 그가 왼쪽에서 나타나 왼쪽으로 사라지는 것으로 미루어 지난 밤 김우영이 궁금하게 여겼던 입구 쪽은 분명해진 셈이었다.

드물게 악쓰는 듯한 소리가 들렸다. 무슨 말인지 알기 어려웠다. 필경은 수감자가 뭔가 소리치는 듯 싶었다. 그럴 때면 여지없이 맞대는 또 다른 큰 소리가 뒤따르곤 했다. 그러나 긴 복도와 고체 벽돌이 만들어내는 공명 때문에 혼잡스럽게 웅웅거릴 뿐이었다. 어떤 고함은 허수권의 것으로 추측됐지만 확인할 길은 물론 없었고.

20. 반민 기준이 뭡니까

그날 해를 다 보내고 다시 지겨운 어둠이 서서히 냄새를 피울 때쯤이었다. 저벅거리며 걸어오던 간수가 김우영의 방 앞에서 멈춰 섰다. 감방 문을 열더니 손짓으로 따라오라고 했다. 영문을 몰랐지만 묻지 않았다. 이제야 차례가 됐나. 김우영은 취조가 있을 것으로 예상했다.

그런데 양한나가 면회를 온 것이었다.

"고생이 많죠? 당신 얼굴이 너무 안됐네. 이런 나쁜 놈들이 어디 있어. 멀쩡한 사람을 감옥에 집어넣고 생고생을 시키다니."

양한나도 푸석하고 지친 얼굴이었다.

"자매여숙은 어떻게 하고 올라왔소? 나야 여기 이러고 있으면 그만이지만, 당신은 거기 없으면 안되는데."

"오늘 아침부터 서둘렀는데 이제야 도착했어요. 조금만 더 늦었으면 면회도 못할 뻔 했어요. 여기 내가 당신 옷가지랑 챙겨왔어요. 이 감옥을 어떻게 불지를 수도 없고...

장청장에게 오늘 아침 전화를 했어요. 펄쩍 뛰더라구요. 자기는 원래 반민특위 구성을 반대했는데 일이 그렇게 됐다는 거예요. 당신이 체포된 사실도 모르고 있었어요. 아무튼 내일 만나기로 했어요. 아무리 그래도 이런 경우가 어디 있어요?"

김우영은 자기보다 더 분개하는 양한나가 고마웠다.

"얼마간 있다가 나가면 되지 않겠소? 너무 애쓰지는 말고. 조속히 내려가 자매여숙에 큰일이 없도록 해요."

"자매여숙 안 해도 괜찮아요. 나라에서 정작 해야 할 일, 우리가 돈, 품 들여서 죽을 고생하면서 해내고 있는데, 그래 칭찬은 못할 망정 나라가 하는 일이라는 게 그런 사람 잡아서 감옥에 가두는 거예요? 이런 마당에 무슨 자매여숙을 걱정해요."

"내가 여기 들어온 것이 자매여숙이랑 무슨 상관이 있다고…. 내 과거를 문제삼는 거지. 그리고 우리가 언제 정치꾼들 좋으라고 자매여숙 했어요? 불쌍한 여자들 어떻게든 돕고 사람 만들려고 한거지."

"식사는 어떻게 하셨어요?"

"콩밥 신세가 그렇지 뭐."

"큰일 났네. 그렇지 않아도 당뇨 때문에 식사 신경을 바짝 써야 하는데."

"오래야 있겠어?"

"반민특위가 저렇게 날뛰는 걸 보면 그렇지도 않은 것 같아요."

"안 되면 하는 수 없지. 너무 걱정 말아요."

"장택상을 만나서 자세히 얘기를 들어봐야겠지만 이박사도 반민특위를 반대했대요. 그래도 국회에서 통과된 걸 보면 저쪽도 초강수인 거 같아요."

양한나는 그동안 자매여숙에 매달리느라 다른 데 신경 쓸 겨를이 없었다. 그러다 김우영이 체포되면서 뒤늦게 정세를 파악하고 있는 중이었다.

"이박사가 반대하기 때문에 반민특위가 더 몰아붙이는 것도 있을 거요. 정치 기싸움이 여간 해야지."

"고래싸움에 새우등 터지는 격이지, 이게 뭐예요? 싸우려면 자기들끼리 싸울 것이고 친일분자를 잡으려면 진짜 친일을 잡아야지, 당신처럼 조용히 지내는 사람 가둬놓고 뭘 어쩌겠다는 건지, 나 참 기막혀서. 도대체가 뭐가 친일이고 뭐가 항일인지도 모르면서."

양한나로서는 도저히 김우영의 수감을 이해할 수 없었다. 그가 지냈던 관직이 뭐 그리 대단한 요직이었단 말인가. 안동현에서 부영사때는 항일조직 의열단을 돕다가 난관에 빠지기도 하지 않았던가. 도청에서 부장으로 있을 때도 그는 조선인들을 우대하느라 애썼던 사람이다. 쥐꼬리만한 월급이 수입의 전부였다. 경제적인 면으로 보자면 남편은 자기가 가슴을 칠 만큼 답답했다. 지위를 이용해 이득을 취해본 적이 없다. 해방되기 직전까지 있었던 중추원에서는 월급도 없었다. 같이 살아본 자신만큼 김우영을 잘 아는 사람이 어디 있단 말인가. 그가 친일이 아닌 것은, 자신이 독립운동을 했던 사실만큼 확실했다.

"부산으로는 언제 내려가려고?"

"당신이 어떻게 되는지를 알고 가야지, 그냥은 갈 수 없어요. 내일은 장청장도 만나고, 반민특위 본부도 찾아갈 생각이에요."

"그럼 어디에 유할 생각이오?"

"글쎄요, 진이한테 갈까 생각해요."

"진이에게?"

"왜요? 말하지 말아요?"

김우영의 낯빛이 흐려졌다.

"음? 아니, 생각하지 못한 일이어서. 애비가 옥에 갇혔다고 공연히 공부하는 애에게 걱정만 주는 게 아닐까 싶기도 하고."

양한나도 무슨 판단이 들지는 않았다. 김우영이 원하는 대로 해야겠다는 생각이 들었다.

"어떻게 해야 할까. 하기야 굳이 숨길 일도 아니지. 하루 이틀만에 여기서 나간다면 모를까 시간이 지나면 결국은 알게 될 거구."

"내 생각도 그래요. 진이에게 알려주는 게 좋겠어요. 당신이 무슨 죄를 지어서 들어온 것도 아닌데…. 또 진이도 이제 어른이에요. 전후 사정을 다 헤아릴 수 있어요."

"그렇게 하구려. 그래도 면회는 오지 말라 그래요."

"알았어요. 내가 내일 또 올께요."

"당신도 공연히 오락가락할 필요 있겠어? 장청장이나 만나보고 다시 부산으로 내려가요. 아무래도 때가 되어야만 풀릴 문제 같아."

학교는 방학중이었다. 그러나 나는 거의 매일 학교 도서관을 찾았다. 학기 중에는 과제물이 많아서 다른 책을 읽을 시간이 별로 없었다. 방학하자마자 부산에 내려갔던 나는 일주일을 겨우 채운 후 다시 서울로 올라왔다. 부산 아버지 집에서 한끼 밥을 먹고 두어 곳 친지집을 인사 다녀오고 나니 할 일이 더는 없었다. 몇 차례 바닷가를 찾아가기도 했지만, 겨울바다는 내게 그저 궁상스러울 뿐이었다.

도서관에 파묻혀 책을 보는 기쁨은 컸다. 책에도 궁합이 있는 듯 하다. 어떤 책은 펴들었다가 곧 접게 되기도 하지만, 어떤 책은 한 줄 한 줄이 쾌감, 곧 그 자체다. 정신적 쾌감은 그 여운이 깊고 길게 간다. 그날도 나는 책에서 얻은 묵직한 소득에 흥겨워하며 늦저녁 집에 들어섰다. 새어머니가 방문을 얼굴 반폭 만하게 열어놓고 나를 기다리고 있었다.

별로 놀랄 일은 아니었다. 그는 여성경찰서장이 되었을 때도 느닷없이 내 앞에 나타났었다. 그 기억 때문에 나는 하마터면 또 경찰서장이 되셨냐고 물어볼 뻔했다.

그리 밝지 않은 불빛에서도 그녀의 지친 표정이 역력히 드러났다. 내가 불안해졌다.

"저녁은 먹고 다니니?"

"아, 예. 근데 어머니는 갑자기 웬일이세요?"

"아버지 때문에 올라왔다. 아버지가 지금 서대문형무소에 계시다."

"예? 거기는 왜요? 무슨 사건을 맡고 계시나요?"

나는 그때까지만 해도 아버지의 수감은 꿈에도 생각지 못했다.

어깨를 들썩이며 한숨을 길게 내쉰 그가 작심을 한 듯한 표정으로 나를 쳐다봤다.

"반민특위에서 잡아갔다."

"예?"

새어머니는 아버지가 체포되던 상황, 감옥에 가서 아버지를 면회한 일, 반민특위를 둘러싼 최근의 정국까지 상세히 들려주었다.

반민특위에 관한 한 내가 더 많이 알고 있었다. 법학을 공부하고 있던 터라 국회에서 통과되는 법안에 민감할 수 밖에 없었다. 교수들 중에는 수업시간에 그런 법안을 놓고 학생들끼리의 토론을 갖도록 하는 이도 있었다.

1948년 9월 7일 국회에서 통과된 반민족행위처벌법은, 이름자체가 의미하듯, 민족적 시각에서 타당하고 단호했다. 그러나 그것이 안고있는 현실적 부담감은 말할 수 없이 컸다.

일본을 패전시키고 한국의 치안과 행정을 맡게 된 미국은 인재를 찾느라 부산했다. 그들이 찾아낸 이들은 일제시대 공부하고 그 체제에서 일했던 사람들이었다. 독립운동으로 일관하다가 돌아온 사람들은 대체적으로 학식도 낮았고 일과 관련한 경험도 미미했다. 민족이라는 개념이 없고 실용주의적인 미국인들에게 친일파냐 독립운동파냐는 관심사가 아니었다.

미군정 3년 후 이승만정부가 들어섰다. 이승만 역시 경험있는 인재가 필요했다. 나라의 안정이 무엇보다 시급했다. 그러나 그가 초대 대통령으로 취임하자마자 국회는 친일파 청산 문제를 들고 나왔다. 부처 요직에는 그 대상으로 분류될 만한 이들도 많이 포진되어 있었다. 이승만으로서는 몹시 괴로운 일이었다. 질서확립과 경제재건이 최우선의 과제인데 한발도 앞으로 내딛지 못하는 상황이 되고 만 것이다. 내딛지 못하는 정도가 아니라 자칫하다간 넘어질 형국이었다.

그러나 집행하는 행정부와 달리 국회는 명분이 중심이었다. 반민족행위자를 처벌하자는 명분은 대세를 타고 있었다. 그러나 의원들의 속사정은 제각기 달랐다. 그럼에도 불구하고 이를 반대한다는 건 곧 반민족행위에 속한다는 위압적 분위기가 팽배, 마침내 반민족행위자 처벌법은 1948년 9월 7일 국회를 통과했다. 이승만 대통령은 국회가 정부와 협의없이 일방적으로 통과시킨 법안을 공포할 수 없다고 버티다가 여론이 악화되자 9월 22일 마지못해 이를 공포하게 된다. 정국은 이승만과 반이승만으로 갈리었고, 우여곡절 끝에 반민특위는 다음해 1월초부터 본격적 활동에 들어갔다.

"그래서, 아버지를 만나고 오셨나요?"
"내가 너희 아버지에게 시집올 때 호강할 생각은 추호도 없었다. 그렇지만 이게 무슨 일이냐. 옥살이 뒷바라지할 거라곤 꿈에도 생각하지 못했는데…. 뒷바라지가 문제가 아니라 아버지 몰골이 영 말이 아니더라."

"아무 때나 서대문형무소로 가면 뵐 수 있나요?"

"안 돼. 아버지가 너 오는 것을 원치 않으신다고 말씀하셨어. 사실 내가 여기 온 것도 너에게 알려주려고 온 게 아니고, 하루 묵고 내일 볼 일이 많기 때문이야."

잘라 돌이켜 세우듯 말하는 새어머니에게 삐쭉 야속한 마음이 들었다.

"왜요?"

"아들에게 감옥에 있는 모습을 보여주고 싶어하는 아비가 세상에 있을까? 아무소리 말고 아버지 원하시는 대로 해드려. 언제 나올 것만 확실하면 아무 데도 알리고 싶어 하지 않으셨어."

"얼마나 계시게 되는데요?"

"내가 그걸 알면 이렇게 답답하겠어? 나라가 무슨 꼴이 되려고 이러는지 정말 알 수가 없군. 내일 사람들을 좀 만나보면 듣는 이야기도 있겠지."

새어머니는 한껏 숨을 들여 마시더니 입술을 내밀며 내뱉었다. 입가 주름이 한결 더 깊어 보였다. 아버지 김우영의 존재가 나보다 그녀에게 더 클지 모른다는 생각이 들었다. 그를 증명이라도 해보이듯 내가 할 일은 별로 없었고, 새어머니는 다음날 일찍부터 분주하게 움직였다.

양한나는 먼저 장택상을 찾아갔다. 몇 달만에 찾은 경찰청이었지만 모든 게 그대로였다. 여자경찰서장으로 일할 때 자주 드나들던 곳이다. 그를 알아본 몇몇은 부동자세를 취하며 경례를 붙이기도 했다. 장택상은 반색을 했다.

"양여사, 어서 오시오. 내가 그동안 양여사가 보고 싶어서 얼마나 혼났는지 아시오? 하하하, 그동안 어떻게 지내셨소?"

장택상은 과장된 인사도 정성스럽게 하는 편이었다.

"청장님도 그동안 안녕하셨지요? 저야 뭐 거둬주는 사람이 없으니까 이렇게 별의별 일을 다 겪고 삽니다."

"글쎄, 이런 일이 어떻게 가능한지 모르겠어요. 그 반민특원지 뭔지 하는 거, 내가 처음부터 얼마나 반대를 했다구요. 국회에서 표결을 한다고 해서 내가 조금이라도 일면식이 있었던 의원들에게 다 부탁했지. 그거 통과되면 안된다, 나라 엉망된다, 그렇게 입이 닳게 얘기를 했는데도 결국은 이 꼴들을 만들었네. 그리고 잡을 사람을 잡아야지. 어디 청구같은 사람을 잡냐구. 청구가 무슨 친일을 했어? 관직에 좀 있었다고 해서 그렇게 붙잡아 가면, 제길, 서대문형무소 열 개가 있어도 모자랄 거요."

"이 일을 상상도 못했어요. 부산으로 내려가서 자매여숙 한다고 정신이 하나도 없었어요. 내 코가 석자라서 서울이 어떻게 돌아가는지, 국회가 어떻게 돌아가는지 전혀 관심을 둘 겨를이 없었어요. 나만 그랬나요? 청구도 나한테 엮여서 자매여숙 도와주느라 정신 못 차리게 바빴어요. 그런 와중에 반민특위가 덮쳤어요. 이래도 되는 건가요?"

"저런, 쯧쯧…. 안되고 말고…. 허, 참…."

장택상은 그 일이 바로 눈앞에서 일어난 듯 얼굴을 찌푸려 보였다.

"반민특위에서 나왔다면서 청구를 잡아간 사람들, 혹 경찰에서 지원해 준 사람들은 아니예요?"

양한나가 일말 의심스럽다는 듯 장택상을 쳐다봤다. 장택상이 펄쩍 뛰었다.

241

"거 무슨소리, 반민특위는 경찰과 손톱만큼도 관련 없어요. 그렇지 않아도 경찰에 도움을 구하고는 있지만 우리는 털끝하나 움직이지 않고 있어요. 이박사의 뜻도 워낙 강경하고. 자기들끼리 알아서 해보라는 거지. 그러다 제풀에 꺾이게."

"그러면 장청장께서 청구에게 도움을 주시기도 어렵겠네요."

"사정인즉 그렇게 됐어요. 나보다는 오히려 양여사가 반민특위에 힘을 쓸 수 있을거요."

"그게 무슨 말이죠?"

"내가 정확하게는 모르지만, 반민특위에는 만주에서 독립운동을 했던 이들이 여럿 주요 역할을 한다고 들었어요. 양여사의 전화를 받고 내가 형사과장을 불러서 물어봤지. 그랬더니 형사과장도 그렇게 알고 있더라구. 반민특위 중앙조사위원이 11명인데 그 중에서 서너명 정도는 만주 출신이라는 거지."

"그래요? 혹시 중앙조사위원 명단이 있어요?"

양한나가 반색을 하며 다그치듯 물었다.

장택상이 씨익 웃어 보이더니 서랍을 열어 종이를 한 장 꺼내 내밀었다. 양한나는 이름을 찬찬히 훑었다. 그러나 알만한 이름은 들어있지 않았다.

"내가 만주에서 같이 있었던 사람은 없는 것 같네요.."

양한나가 다소 풀이 죽어 목소리를 낮췄다. 그러자 장택상이 부추겼다.

"이봐요, 양여사. 그렇다고 기죽을 게 뭐요? 내가 양여사라면 나는 무조건 반민특위 본부로 쳐들어갈 거요. 가서 맞부딪쳐보면 뭔가 연결되지 않겠어요? 양여사야말로 만주에서 얼마나 열심히 독립운동을 했어요? 그 자들이 몰라주면 그 자들이 가짜인 게지."

"하여간에 그리로 가 봐야겠네요. 도움을 주서서 감사합니다."

"허어, 도움은 무슨…. 미안하외다. 이 장택상이가 도움이 안돼서. 내가 형무소에는 애기를 좀 해두겠소. 청구가 그곳에 머무는 동안 신경 좀 쓰라고. 그나저나 어서 나와야지, 어서."

양한나는 장택상이 붙여준 차를 타고 반민특위로 갔다. 종로에서 명동방향으로 꺾어지는가 싶더니 회색빛 건물 앞에서 멈췄다. 차에서 내린 양한나의 눈에 곧바로 '반민족행위자처벌특별위원회중앙본부' 라는 간판이 들어왔다.

"어떻게 오셨습니까?"

반민특위 본부의 규모는 양한나의 상상보다 컸고 제법 여러 사람들이 북적대고 있었다. 사무실 안으로 들어선 양한나가 두리번거리자 근처에 있던 한 청년이 수상쩍다는 듯 물었다.

"여기 책임자 좀 만나러 왔습니다."

"책임자요? 어디서 오셨습니까?"

책임자를 만나겠다는 말에 남자는 기분이 언짢아진 모양이었다. 그렇기로 친다면 양한나가 더했다. 조금 전 자기 키보다도 길게 매달린 간판을 지나 사무실로 들어올 때, 도대체 누가 반민족행위자이고 누가 어떻게 처벌한다는 것인지 화가 치밀어 올랐다. 그 기분을 간신히 누르고 있던 참이었다. 그런데 새파란 젊은이가 딱딱거리자 폭발하고 말았다.

"내가 어디서 왔던 간에 책임자 좀 만나자는 데 안 된 거 있어요? 어디서 왔는지 따져서 사람 만나나? 나는 양한나라 그리고 부산에서 왔어, 부산에서."

"아니? 이 아주머니가…. 왜 이리 언성을 높이고 그래요? 여기가 어디라고."

돌발사태에 청년은 당황했다.

"어디긴 어디야, 반민특위인지 뭔지 하는 곳이지. 나, 할 말이 있는 사람이니까 빨리 책임자를 불러줘요. 빨리."

반민특위가 발족하고 나서 처음 있는 일이었다. 이곳에 볼 일이 있으면 남녀노소를 막론하고 저자세가 당연했다. 대통령도 막지 못한 초헌법적 기구 아닌가. 그런데 저렇게 큰소리치는 저 알지 못하는 여자는 도대체 누구인가. 사무실에 있던 대부분의 사람들은 일손을 놓고 사태를 주시하고 있는 중이었다.

"어쩐 일로 오셨습니까?"

뒤쪽에 앉아있던 중년남자가 걸어 나왔다.

"선생님이 여기 책임자십니까?"

"예, 그런 폭입니다. 근데 무슨 일이신데요?"

중년남자의 목소리는 낮고 느릿했다.

"나는 양한나라는 사람입니다. 반민특위에서 요즘 친일파를 잡아들이고 있다는데 그 기준에 대해서 듣고 싶어 왔습니다."

예기치 못한 질문이었다.

"그걸 왜 물으시는 겁니까?"

"물을만한 사정이 있으니까 묻는 것 아닙니까? 도대체 기준이 뭡니까?"

"사정이 도대체 뭡니까? 사정을 얘기하면 기준을 설명해 드리죠."

중년남자의 표정에 불쾌감이 역력했다.

"내 남편이 이 반민특위에 잡혀갔오. 그 사람을 잡아간 근거가 궁금해서

244

여기 왔소. 집이 부산인데 일부러 올라 온 거요."

"부산? 남편 성함이 어떻게 됩니까?"

"김우영이요. 엊그제 밤에 들이닥쳐 지금 서대문형무소에 있소. 내가 그 사람 부인되는 사람이요, 부인."

중년남자가 그제야 상황을 파악한 듯 고개를 끄덕였다. 그러나 그는 양한 나와 맞춘 눈길을 거두지 않았다. 양한나는 그의 얼굴에 슬쩍 비웃음이 지 난다고 느꼈다.

"김우영은 반민족을 한 사람이 아니요. 반민특위가 사람을 잘못 봤다구 요. 그 사람이 일제시대 때 벼슬 좀 했다고 그러는 모양인데, 벼슬은 무슨 놈에 벼슬. 진짜 벼슬이나 하고 그랬으면 억울하지나 않지. 잡아간 근거가 도대체…."

"여보시오, 부인. 잡을 만 하니까 잡아들인 거 아니겠소? 일본에 빌붙어서 호의호식 했으면 반민족 한 거지, 뭘 잘했다고 여기 와서 큰 소립니까? 우리 는 바쁘니까 어서 나가쇼. 댁의 남편 같은 반민족자들 잡느라 바쁘니까 어 서 나가쇼."

중년남자가 양한나의 말을 가로채 결론까지 냈다. 그러고는 더 이상 상대 할 가치도 없다는 듯 뒤돌아섰다.

"이봐, 당신!"

양한나가 버럭 소리를 지르자 중년남자가 돌아섰다. 벌겋게 달아오른 얼 굴이었다.

"당신이 봤어? 내가 호의호식 하는 거 봤냐구. 당신이 날 알아? 내가 누군 지 아냐구. 누구보고 호의호식 했다는 거야? 얘기도 안 끝났는데 왜 돌아 서? 바쁘기로 치면 내가 더 바쁘고, 할 일로 쳐도 내가 더 할 일이 많아. 반민족의 기준이 뭐냐고 물었으면 대답을 해주고 가야지."

　중년남자는 잠시 말을 잊을 정도로 황당했다.

　"참 나, 뭐 이런 여자가 다 있어. 기준은 무슨 기준이야, 반민족이 기준이지. 반민족이라는 뜻도 몰라? 민족에 해를 끼친 자, 민족적 번영을 가로막은 자, 일본이 영원할 줄 알고 충성을 다한 자가 여기에 해당하지. 이제 설명이 됐수?"

　"민족적 번영? 누가 민족적 번영을 가로막았다는 거야? 일본 관직에 있었으면 무조건 민족 번영을 가로막은거야? 그런 허무맹랑한 논리가 어디 있어? 관직에 있어도 민족을 위해 고민했던 사람들도 있고, 관직에 없었어도 민족에 걸림돌이 된 사람 많아. 반민특위를 하려면 그 정도는 알고 해야지."

　기다렸다는 듯이 양한나가 되받자 그의 언성이 있는대로 커졌다.

　"나가쇼, 나가. 여기가 어디라고 와서 행패야. 당장 나가지 못해? 반민특위를 방해하는 것도 반민족행위야. 당신도 잡아넣는 수가 있어. 왜 남편이랑 같이 유치장에 있고 싶어?"

　"그래, 그러고 싶다. 어디 나도 한번 잡아 보시지."

　양한나가 허리에 양손을 얹고 중년남자 앞에 버티고 섰다.

　"뭣들 하고 있어? 저 여자 끌어내."

　졸지의 사태에 이리도 저리도 못하고 구경만 하고 있던 사무실 청년들에게 그가 소리쳤다. 엉거주춤 청년들이 양한나에게 다가갔다.

　"내 몸에 손대지 마라. 내 발로 내가 나간다. 그렇지만 내가 하는 말 잘 들어. 반민특위 하려면 똑바로 해. 당신들은 지금 세상 바뀌니까 반민족이니, 친일이니 사람잡고 있지만, 나는 세상이 바뀌기 전에 목숨걸고 만주에 있었던 사람이야. 나 하나 죽어서 우리나라가 독립된다면 기꺼이 그러길 바랬던 사람이야. 그런데 독립되고 나니까, 당신들 같은 사람들이 설쳐대니 서글프구나. 참 서글퍼. 당신들이 반민특위 할 자격이 있어? 반민특위도 좋고 뭐도 좋은데, 내 말은, 하려면 제대로 하란 말이야. 잡을 사람을 잡고 애매한 사람 고생시키지 말란 말이야."

양한나가 독립운동 경력을 밝히자 반민특위 중년남자의 눈이 커졌다.

21. 서대문 형무소

양한나가 다시 서대문형무소를 찾은 건 오후 4시쯤이었다. 하늘은 눈이라도 한바탕 쏟아놓을 듯 짙회색이다. 우울한 마음을 서서히 내리는 어둠이 거들었다.

"오늘은 좀 어떠셨어요?"

김우영의 얼굴이 한층 더 피곤해 보였다. 김우영도 양한나의 지치고 화난 표정을 읽었다.

"괜찮아. 난 지낼 만 해. 당신, 공연히 여기저기 다니면서 고생하지 말고 부산으로 내려가라니깐. 할 일도 많은 사람이 왜 이러고 있어."

"장청장을 만났어요. 자기도 반민특위를 결사 반대했다네요. 자기 힘이 전혀 못 미친다고 미안하데요. 반민특위에 찾아가서 한바탕 난리를 치고 오는 길이에요. 장청장 얘기로는 만주에서 독립운동하던 사람 몇이 특위위원이라고 하던데 내가 아는 사람들은 아닌 것 같아요. 도도하게들 구는데 어찌나 화가 나던지…."

"그럴거야, 그 친구들. 얼마나 벼르고 있었겠어? 그나저나 당신, 밥이나 먹고 다니거요?"

그제야 양한나는 하루종일 굶은 줄을 알았다. 그런데 별로 배고프지 않았다.

"한두끼 건너뛴다고 어떻게 되겠어요? 당신은 뭐 좀 들었어요?"

"나야, 여기 들어앉아 있으니 시간만 되면 꼬박꼬박 끼니가 나오지."

양한나가 피식 웃었다. 괜한 소리라고는 도무지 할 줄 모르는 사람도 감옥에 앉아있으면 괜한 생각에 괜한 말이 느는 모양이었다. 김우영도 스스로 어이가 없었던지 따라 웃었다.

"옛 동지들을 찾아보려고 그래요. 이리저리 찾아보면 반민특위와 연결있는 사람을 찾을 수 있을 거예요. 시간이 좀 걸릴지 모르겠어요. 그동안은 좀 느긋하게 생각하고 건강에 신경을 쓰세요. 그런데 오늘은 몹시 얼굴이 안돼 보이네요. 간밤에 잠은 좀 주무셨어요?"

"글쎄, 잔다고 애썼는데, 그게 어디 내 맘대로 되야지. 몸도 오슬오슬 춥고, 어찌나 꿈자리가 사납던지…."

"꿈요? 당신, 생전 꿈꾸는 적이 없는 사람인데…. 하긴 생판으로 잡혀와서 감옥에 있으니 꿈인들 편하겠어요?"

"감옥에 들어와서 첫 날도 꿈을 꾸었는데 어젯밤에도 또 똑같은 꿈을 꾸었어. 꿈속에서도 이상하다고 생각했지. 눈 속에 어딜 가다가 누군가를 만났는데, 낯익은 얼굴이 분명했거든. 그런데 누군지를 모르겠어. 발걸음이 제자리야, 앞으로 나가질 못하고."

"여자예요, 남자예요?"

"여자 같았는데…. 이젠 그것도 가물거리네."

"신경 쓰실 것 없어요. 지금 이 마당에 여자면 어떻고 남자면 어때요. 그 여자가 누구라고 안들, 이 감옥에서 만날 수가 있겠어요? 무조건 건강이나 신경 쓰세요. 당신 당뇨가 있잖아요. 음식 조심 못하는데 피곤까지 하면 큰

일나요."

"참, 진이는 잘 지내고 있소?"

"예, 워낙 모범생 아니예요? 방학 중인데도 매일 학교 도서관에 간데요. 아버지가 서대문형무소에 있다니까 처음엔 누구 변호하러 왔는 줄 알더라구요. 면회 오겠다는 걸 당신이 원하지 않으니 오지 말라고 했어요."

"잘했어, 당신도 이제 부산으로 내려가야지. 여기 있는다고 해서 뭐 뾰죽한 수가 당장 생기는 것도 아니잖소. 할 일은 해야지."

"부산에 갔다가 급한 일들 처리하고 다시 올께요. 자매여숙도 걱정이 돼서…."

"다시 올라올 거 없어. 시간이 걸려야 하는 문제니까."

"변호사는 누구를 선임하죠?"

"변호사?"

김우영은 그제서야 자신이 지금 변호사가 필요한 처지라는 걸 깨달았다.

"내가 거기엔 미처 생각할 겨를이 없었군."

"부산에야 할 만한 사람들이 여러 명 있기는 한데, 멀어서 그렇고…. 서울에서 누구를 찾아야 할텐데…. 누구 염두에 둔 사람이 있어요?"

양한나는 누가 정해지기만 하면 당장이라도 쫓아가 데리고 올 기세였지만, 김우영은 생각이 복잡해졌다. 누가 맡든지 변호사인 혐의자를 변호하는 것이 일단은 쉽지 않고, 여론에서 절대적으로 유리한 위치에 있는 반민특위를 상대한다는 것도 큰 부담 아닌가.

"당장 정해야 되는 건 아니니까, 좀 생각해봅시다."

"내가 부산에 갔다가 삼사일 후에 다시 올라 올께요. 그때까지 생각해보세요. 나도 좀 알아볼테니까."

양한나는 그날 밤기차를 타고 부산으로 내려갔다. 나는 그 사실을 모른 채, 그날 자정이 넘도록 새어머니를 기다렸다. 아버지 일이 궁금해서 견딜 수가 없었다. 그런데 새어머니조차 끝내 집에 돌아오지 않자 불길한 생각까지 들었다. 일이 잘 풀렸으면 이렇게 무소식일 리가 없다고 생각했다. 다음 날 평소처럼 학교 도서관엘 갔지만 정신을 집중할 수 없었다. 혹 새어머니가 소식을 가지고 와서 기다리고 있을지도 모른다는 생각에 이르자 나는 가방을 챙겨 나왔다.

뛰듯이 집에 왔지만 아무도 없었다. 공연한 헛걸음을 후회했다. 방으로 들어와 혹시라도 있을지 모르는 메모 쪽지를 찾아봤다. 그러나 책상 위나 방바닥이나 아침에 나설 때처럼 깨끗했다. 나는 벌렁 대자로 누웠다. 벌건 대낮에 이래보긴 거의 처음이었다. 마침 밖엔 오후로 막 넘어온 햇살이 기승을 부리고 있었다. 그 밝음이 홑겹 창호지 문을 비웃듯 통과해 방안에 가득 뿌려지고, 그 바람에 방안에 있는 면면들이 약간은 낯설게 드러났다.

복잡스럽다고만 느껴졌던 천장 무늬가, 네모와 동그라미, 세모꼴이 전부임을 안 것도 그때의 발견이었다. 원 안에 사각형이 들어가 있고, 그 원은 다시 세모 안에 들어 있는가하면, 그 역순인 것, 뒤섞인 순서도 있었다. 다만 합 꼴 개체의 크기는 일정했다. 가로 세로 사선으로도 줄이 딱 맞았다. 나는 어느 샌가 그 숫자를 세고 있었는데, 어지럽게 붙어있어 몇 번씩이나 다시 세어보았지만 번번이 놓쳐 버리곤 했다.

불현듯 외로웠다. 아버지는 나보다 더 외로울 거라고 생각했다. 나는 벌떡 윗몸을 일으켰다. 시계는 오후 1시를 채 못 넘기고 있었다. 서둘러 집을 나섰다.

서대문형무소는 예상보다 가까웠다. 접근하고 보니 생각보다 키가 큰 건물이었다. 나는 저만큼 정문이 보이자 머뭇거리기 시작했다. 면회 갈 생각하지 말라고 하던 새어머니의 말이 떠올랐다. 아버지도 원하지 않으신다고 하지 않던가. 괜히 왔나 후회가 되기도 했다. 일부러 발걸음을 천천히 옮겼지만, 정문은 금새 코앞에 닥쳤다. 우물쭈물 대자 당장 경비원이 날카로운 눈초리를 보내더니 오라고 손짓했다. 아버지를 면회하러 왔다고 하자 그의 굳은 표정이 다소 동정적으로 풀렸다.

경비초소를 지나 서대문형무소 담장 안쪽으로 들어오자 두근거리던 마음이 오히려 가라앉는 느낌이다. 대부분의 것들이 낯설고 무거워 보였다. 그렇지만 두렵다는 생각은 들지 않았다. 나는 그제야 아버지를 면회 오길 잘했다는 확신을 가졌다. 면회실에서 나를 보고 놀라는 아버지의 눈빛을 보는 순간 그 확신은 더 확고해졌다.

아버지는 아무 말이 없더니 아주 슬쩍 미소를 지었다. 작고 다부져 보이는 그의 입술은 더 다물어져 있었다. 충혈된 눈과 까칠하게 자란 수염, 두껍게 솜을 집어넣은 백색 한복차림이다. 부산 집에서 아버지를 본 것이 달포 전이었는데, 마치 여러 해 세월이 오가면서 그만을 훑은 듯 닳아 보였다.

"아버지, 어떻게 되신 거예요?"

"음, 그렇게 됐다. 네 어미에게서 들었지 않았느냐?"

"듣기는 들었습니다만, 그래도 그렇지, 어떻게 아버지가 여기에…."

"난 괜찮다. 그래, 공부는 잘되고 있느냐?"

"예, 덕분에."

"그래, 열심히 하거라. 고시는 언제 볼 생각이냐?"

"올 여름이 지나면 본격적으로 준비하려고 합니다."

"그래, 고시를 준비할 때는 딴 거 다 집어치고 고시만 준비해야 한다."

"그럴 생각입니다."

"내가 딴 생각하다가 늦었어, 웅변한다고 돌아다니다가. 지금 생각해보면 그럴 일이 아니었는데…. 모든 일에는 때가 있는데 말야."

"잘 알겠습니다."

"나열이 소식은 좀 있느냐?"

"최근에는 편지를 못 받았습니다. 지난번 아버지를 뵙기 전에 받았던 편지가 마지막입니다. 아버지께서도 비슷한 때 나열의 편지를 받으셨다고 하셨습니다."

"그렇구나. 미국에서 고생이 심한 모양이던데…. 진이, 네가 편지 좀 자주 하거라."

"아버지, 나열은 잘 지내고 있을 겁니다. 저는 아버지가 더 걱정입니다. 여기서 빨리 나오셔야죠."

"때가 되면 나가게 되겠지."

"변호사는 누구입니까?"

"아직 정하지 못했다."

"누구, 맘에 두고 계신 분이 있습니까?"

"아니, 그렇진 않다. 누가 썩 떠오르는 사람이 없어. 부산에는 아는 이들이 있는데, 너무 멀어서 그렇고…."

"박민두 변호사는 어떠세요?"

참 이상한 일이다. 내가 기다렸다는 듯이 박민두 변호사 이름을 입에 올린 것은. 아버지가 적지 않게 놀란 표정을 지었는데, 사실은 나도 내심 놀랐다. 커졌던 눈이 서서히 정상으로 돌아오는 동안 아버지 얼굴은 착잡해 보이기도 했고, 어찌 보면 반짝 생기가 도는 듯도 했다.

"박민두…? 글쎄… 너는 왜 박변호사를 생각했느냐?"

솔직히 나도 그게 궁금했다. 내 답이 궁색했다.

"아, 예. 그냥, 그냥 생각이 나서요. 또 아버지를 잘 아는 분 아닙니까."

더듬거리며 내가 겨우 대답했지만, 딴은 사실이었다. 박변호사만큼 김우영이라는 인물이 과거 어떠했는지 잘 알고 있는 사람도 드물지 않은가.

"아직, 급한 일은 아니니까 생각해 보자."

아버지는 속을 비우듯 숨을 길게 내버렸다.

"급한 일이 아니라니요? 아버지가 지금 감옥에 계신데…. 변호사를 빨리 정하시는 게 순서입니다."

당연히 내 말이 옳다. 아버지도 모를 리 없었다. 내 목소리가 커졌다. 아버지가 물끄러미 나를 바라봤다.

"박변호사 연락처를 네가 알고 있느냐?"

"알려면 알 수 있지 않겠습니까?"

"음…"

다문 입안에서 깊은 신음소리가 들렸다.

"아무래도 한번 더 생각해보는 게 좋겠다."

"아버지, 제 생각에는 박변호사가 아버지 변호를 맡으면 잘 하실 겁니다. 억울한 사정도 금새 이해하시지 않겠습니까? 제가 말씀을 드렸는지 모르겠습니다만, 일전에 만났을 때 아버지에 대한 배려가 깊은 분이라는 느낌이었습니다."

한동안 말없이 착잡한 표정이다가 아버지가 천천히 입을 열었다.

"음, 그랬구나. 그래도 조금 더 시간을 다오. 내 생각을 다시 해보마."

더 이상 재촉할 생각이 들지 않은 건 아버지의 어조 때문이었다. 늘 단정적이던 목소리가 가늘게 흔들렸다. 그건 내게 새로운 경험이었다.

"여기 춥진 않으세요?"

안쓰럽게 보이는 아버지에게 내가 궁리 끝에 물었다.

"밤에는 좀 추운데, 그렇다고 못 견딜 정도는 아니다."

"잠은 잘 주무세요?"

"스물네 시간 할 일이 없는데, 잠이야 아무 때나 잔들 어쩌겠냐."

아들은 자라면서 어느 순간 아버지의 존재에 대해 연민을 느낄 때가 생긴다. 아버지 앞에서는 해결되지 않을 일이 없다는 절대적 믿음이, 아버지도 더러는 해결하지 못하는 문제가 있다는 상대적 믿음으로 바뀌었다가, 어느 시점에 이르면 그의 해결 능력이 나만 못하다는 역전승을 경험하게 된다.

"어디 몸이 불편하시지는 않으시구요?"

"괜찮다. 눈이 침침하고 무겁기는 한데 잠이 부족한 탓이겠지."

그러고보니 아버지의 눈에 빛이 없어졌다. 날카롭게 번득이거나 의지에 불타는 강한 눈빛과는 거리가 멀었다. 그러나 포기하고 수용하는 수동적 삶이 빚어낸, 뭐랄까 관조의 빛이라고 해야할까, 아무튼 그런 류였다. 앞으로 나가기보다는 뒷걸음에 가깝고 호기심보다는 평상심에 가까운 아버지의 눈빛에 나는 친숙한 셈이었다. 지금 아버지의 눈엔 그게 빠져있었다.

나는 갑자기 실감을 잃어버렸다. 아무래도 이게 현실같지 않았다. 사실임은 분명한데, 인정하기엔 나의 감각들이 너무 허둥대는 느낌이었다. 숨을 쉴 때마다 아버지의 작은 어깨가 오르고 내렸다. 무력감이 두 사람을 휩쌌다. 내가 그것을 밀치며 말했다.

"아버지, 곧 나오실 수 있을 거예요. 반민특위 사람들 정말 정신이 나갔어

요. 진실이 밝혀지면 아버지를 감옥에 넣은 것을 후회할 거예요. 조금만 참
으세요."

"그래, 고맙다. 이제 가 봐야지?"

아버지가 허전하게 웃었다.

22. 병보석 출감

박민두 변호사를 찾을 것인지 말 것인지가 큰 고민이었다. 아버지가 내세운 자존심도 그렇지만 내가 직접 박변호사를 만나겠다고 나서는 게 그럴만한 일인지 확신이 들지 않았다. 이래저래 공부에 집중도 못하고 며칠을 보내고 있는데 새어머니가 상경했다. 새어머니는 새벽 일찍 부산을 떠나 아버지를 면회하고 오는 길이라고 했다.

"아버지 면회를 갔었다면서? 잘했다."

지난번 집에 왔을 때 내게 면회를 가지 말라고 말한 사실을 잊은 듯했다.

"아버지가 진이가 왔다 갔다고 좋아하시더라. 변호사 문제도 얘기했다며?"

새어머니는 그 다음이 어떻게 됐냐고 묻는 눈치마저 보였다.

"예, 그런데 아버지가 별로 내켜하시질 않아서요."

"그래? 내가 보기엔 궁금해 하시는 것 같던데? 그래, 박변호사를 만나봤니?"

"예? 아뇨. 아버지가 내게는 분명히 반대하는 뜻을 보이셨거든요. 그래서 나도 고민을 하고 있었던 참이에요."

"그렇다면 내라도 만나봐야겠구나. 박변호사 사무실이 어딘지는 알고 있

257

니?"

박변호사에게 연락처를 받은 지는 꽤 오래되었지만 나는 금새 찾아냈다. 그에게 받은 명함을 책상서랍 한 켠에 넣어 두었는데, 그 기억은 왜 그리 분명했는지 모를 일이었다. 새어머니에게도 의외였던 모양이다.

"너하고 교분이 자주 있었니?"

"교분은 무슨 교분요? 장덕수 교수에게서 소개 받았던 게 전부예요."

아무 말 없이 명함을 뚫어지게 쳐다보던 그가 뭔가 계획이 선 듯 고개를 작게 끄덕였다. 눈길이 책상 위의 시계에 머물더니 바로 일어섰다.

"어디 가시려구요?"

"음, 내가 해지기 전에 다녀올 때가 있다."

"박변호사에게 가시려면 나도 같이 가겠습니다."

"아냐, 박변호사에게 오늘 가긴 어렵구, 장청장에게 급히 갈 일이 생겼어. 너도 같이 가려면 가자."

새어머니가 나를 아버지 일을 해결하는 데 동반자처럼 생각하는 것이 좋기는 했지만, 장택상 경찰청장을 만나는 일은 내키지 않았다. 만일 장택상이 양한나를 여자경찰서장에 그대로 두었다면 아버지가 저렇게 감옥에 가는 일은 없었을 것이라는 생각이 진즉 내게 있었다. 아마 양한나도 그런 생각을 하지 않았을까. 당당하게 그만두고 부산으로 내려간 그가 김우영 일로 인해 장택상을 자꾸 찾아야 하는 게 유쾌할 리 없었으리라. 나도 그랬다.

"오늘은 말구요, 박변호사를 만나러 가실 때 같이 가겠습니다."

"왜? 특별히 할 일이 있는 게 아니면 같이 가지. 이럴 때 장청장이랑 알고 지내면 나중에라도 도움받을 일이 있을 수 있을거야. 혹 내가 부산에 있을 때 급한 연락이라도 있으면 네가 곧바로 장청장을 만날 수도 있지 않겠니?"

나는 할 수 없이 새어머니를 따라 나섰다.

버스를 타기 전 새어머니는 근처 우체국에 들러 경찰국으로 전화를 넣었다. 금새 장청장과 닿았다. 지금 그리로 간다는 새어머니의 일방적 통보를 흔쾌히 수락하는 모양이었다.

"그러나 저러나 아버지의 건강이 걱정이다."

새어머니는 앉았고 나는 그 앞에 섰다. 버스의 움직임에 따라 적당히 흔들거리던 내 몸에 힘이 들어갔다.

"네 아버지 당뇨가 심한 것 같더라. 앞이 자꾸 안 보이고 발바닥 감각이 없어진다고 하시는데…. 감옥에 있으니 음식조절도 힘들지, 몸은 춥고 피곤하지…. 빨리 나오지 않으면 큰일이야, 큰일."

나는 아버지의 빛 없는 눈동자를 떠올렸다. 면회실로 들어올 때 약간 다리를 저는 듯 싶었는데 그것도 병 탓이라고 이제야 생각됐다. 그가 불쌍했다. 나는 장청장에게 갈 것이 아니라 서대문형무소로 달려가야 될 것 같았다.

"많이 아프신가요?"

창밖으로 시선을 두던 새어머니가 비로소 고개를 내 쪽으로 돌렸다. 바로 앞에 껑충 서있는 나를 향해 눈을 치켜 떴다. 주름이 그의 이마를 가득 메웠다.

"네 아버지 감옥에 그대로 있으면 발도 썩고 눈도 멀게 돼. 빨리 나와야 돼."

새어머니의 말은 나를 충분히 겁먹게 할 만큼 비장했다.

"장청장이 아버지 석방을 도울 수 있을까요?"

"모르지. 지난번에 만났을 때는 별 방도가 없다고 하더니, 이틀 전에 부산으로 연락을 해왔더라. 상경하면 자기한테 들르라고. 그 사람이 자기한테 오라고 일부러 전화를 하면 뭔가가 일이 있다는 신호야."

"어머니를 봐서라도 장청장이 아버지를 감옥에 있게 해선 안 된다고 생각합니다."

나도 모르게 불쑥 튀어나온 말에 새어머니는 다시 눈을 치켜세웠다.

"반민특위는 장청장도 마음대로 안 된다고 하더라. 대통령이 그렇게 반대했는데도 결국 만들어졌으니 말 다했지."

새어머니의 옆자리에 앉았던 젊은 여성이 일어섰다. 내가 털석 앉았다. 새어머니는 헛웃음과 한숨을 섞었다.

"하기야 반민특위 자체를 잘못된 거라고 말할 수는 없지. 일제시대에 정말 똥개만도 못한 인간들이 얼마나 많았는지. 민족적 양심이나 자존심은커녕 오히려 일본인들보다 더 악랄하게 굴던 인간들…. 그런 것들을 잡으라는 게 반민특위인데 택도 없는 네 아버지는 왜 잡아 가두냐 이거지. 너는 어디까지 기억하고 있는지 모르겠지만, 김우영씨 정말 딱한 양반이다."

내가 고개를 반쯤 돌려 바라봤지만 새어머니는 모른 척, 오히려 더 잘 들리게 또박또박 말을 이었다.

"고민은 혼자서 다하면서 뭐 하나 제대로 한 게 없어. 관직에 있을 때 별로 일도 열심히 안 했어. 출세나 돈 버는 일에 별로 관심이 없지, 그렇다고 친구들과도 별로 안 어울리고. 어떤 때 보면 도대체 무슨 생각을 하는지도 알 수 없고. 내가 뭘 묻기 전에는 한번도 자발적으로 얘기하는 게 없고. 약주 몇 잔 걸치고 나면 잘 하지도 못하는 노래 하나 부르고 세상살이 한탄하고. 그나마 속 시원하게나 하나? 혼잣말로 몇 마디하고는 입 꼭 다물어요."

틀린 말은 아니었다. 그래도 내 표정은 뜨악했을 것이다. 눈이 마주쳤다.

"왜, 네 아버지 흉보는 게 싫으냐? 하기야…."

새어머니가 계면쩍게 반쯤 웃어 보였다. 까무잡잡한 피부 덕에 슬쩍 드러난 이가 유난히 하얗다. 아버지가 이 여자를 만나 사는 것은 행운으로 분류되어야 한다는 생각이 들었다.

"내 말은, 네 아버지가 이도 아니고 저도 아니다가 당하기만 한다는 말이다. 아유, 그만두자. 내가 문제지. 감옥에 있는 사람을 탓한다는 게 말이 되나. 그런데 이 버스는 왜 이리 더디게 가는 거야?"

나는 들은 척 해야 할지, 못 들은 척 해야 할지 판단이 서지 않았다. 맞은 편에 앉아 졸고 있는 아버지 또래의 한 남자나 응시할 뿐이었다.

"반민특위 위원들이 독립운동을 했던 사람들이라고 하는데, 어떻게 된 게 나는 한 명도 모르겠으니. 딴은 독립운동도 같은 지역에서 비슷한 시기에 하지 않았으면 알기 어렵기도 하겠지. 그래도 상해임시정부 쪽은 내가 웬만큼 알고 있는 건데…."

새어머니는 자신의 과거 경력이 반민특위 인맥과 연결되지 않는 것을 안타까워했다. 그 점은 나도 마찬가지였다. 양한나는 독립운동을 하는 사람들 사이에서 낯선 이름이 아니었다. 그가 여성경찰서장이 되었던 것도 상해임정에서 여성으로 책임있는 자리에 올랐던 경력 때문 아니던가.

"아직 멀었나요? 참, 자매여숙은 어떠세요?"

새어머니가 말을 그친 것은 내가 맞장구를 치지 못한 탓이라고 생각 들었다. 뭔가를 새어머니에게 물어야겠다는 생각 끝에 한 말이 내 스스로도 궁하게 여겨졌다.

"음, 그냥 그렇다. 네 아버지가 없으니까 아쉬운 일이 제법 있다. 다 왔다. 다음에 내리면 된다."

버스는 경찰청 입구에서 섰다. 보초 경찰관의 경례를 받으며 들어서는 새어머니를 나는 바짝 따라붙었다.

"오, 어서 오시오, 양여사. 허허."

장택상은 보고 있던 신문을 급하게 내려놓더니 두 손을 치켜올렸다.

"바쁜 분을 자꾸 찾아오게 되어서 송구스럽습니다."

새어머니의 깍듯한 인사는 내가 처음 보는 광경이었다.

"아니에요, 아니에요. 원 별 말씀을. 나야말로 바쁘신 양여사를 찾아오시게 만들어 죄송하외다."

장택상의 눈길이 내게로 옮겨오자 새어머니가 나를 소개했다.

"아, 청구선생 아드님이시구만. 반갑소. 이렇게 큰 아들이 있으니 양여사는 든든하시겠수다. 이름이 어떻게 되나?"

장택상이 손을 내밀었다. 나는 두 손으로 받으며 다시 한 번 고개를 숙였다.

"김진이라고 합니다."

"보성전문, 아, 참, 이제는 고려대학이 됐지. 거기서 법학을 하고 있어요. 아주 공부를 잘해요."

새어머니가 얼른 내 소개를 덧붙였다.

"그러고 보니 청구선생의 모습이 많이 있네. 게다가 하는 공부까지 같고."

"무슨 소식이 좀 있습니까?"

장청장이 권하는 소파에 앉으면서 새어머니가 물었다.

"양여사, 반민특위에 가서 한바탕 하셨다면서요?"

"예? 그걸 어떻게 아세요? 거기서 뭐라고 합니까?"

새어머니는 당황하는 기색이 역력했다.

"반민특위 김상덕 위원장에게서 연락이 왔어요. 위원장이 직접 전화를 해 와서 좀 놀랬어요. 양한나 여사에 대해 정보를 달라더군요."

"사실인즉 내가 가서 딱히 뭐란 것도 없어요. 하도 딱딱거리길래 몇 마디 한 것 외에는 없는데 그 일로 전화를 걸었다니 놀랍네요. 내가 내 이름을 알 려준 기억도 확실하지 않고 경찰 얘기는 하지도 않았는데 어떻게 이리로 연 락이 왔을까요?"

얼굴이 벌겋게 달아올라 변명하느라 쩔쩔매는 그녀를 장택상은 재미있다 는 듯 바라봤다.

"아, 그들이 뭔가 잘못했으니까 그렇지 양여사가 공연히 그랬겠습니까? 내가 그랬습니다, 양한나 여사 잘못 건드렸다가는 큰코다친다고. 하하."

장택상이 상황에 어울리지 않게 뭔가 농을 치고 있다는 눈치를 챈 양한나 는 다소 마음이 놓였다.

"아무튼 이 일로 청장님 심려를 끼쳤다면 죄송합니다."

"양여사, 걱정할 일은 아니예요. 처음에는 반민특위 내에서 양여사 신분 을 조사했던 모양입디다. 그러다 여성경찰서장을 지냈다는 것과 만주에서 독립운동의 선봉에 섰다는 사실을 알았나봐요. 김상덕 위원장의 목소리가 상당히 호의적이었어요."

"그래서요?"

"내가 아는 대로 다 설명해줬어요. 그랬더니 청구에 대해서도 물어봐요. 양여사도 알지만, 내가 사실, 청구는 잘 모르지 않소? 그래도 여러 가지를 꼬치꼬치 캐물어서 나중에는 양여사가 남편으로 삼은 인물이니 짐작할 수 있지 않겠느냐는 말까지 했어요."

"그래서요?"

"잘 알겠다, 좀더 조사해 보겠다면서 전화를 끊었어요. 전혀 기대치 못한 순식간에 일어난 일이긴 한데, 통화를 마치고 생각을 해보니 양여사에게 좋은 소식이 아니겠습니까. 그래서 내가 한번 들르시라고 연락을 한 거에요."

"그러면 곧 풀려날 수도 있을까요?"

"그건 알 수가 없지만 위원장이 직접 나설 정도면 특위 내에서도 사안이 큰 건 분명하겠죠. 아무튼 좀 기다려보면 조만간 무슨 소식이 있을 것도 같은데…."

"제발 그랬으면 좋겠어요. 아니면 내가 김위원장한테 연락해 볼까요?"

양한나는 바짝 조바심을 내고 있었다.

"글쎄, 내 생각에는 그러실 필요가 없을 것 같은데. 일단 위원장이 호의적으로 돌아섰으니까 상황을 지켜보는 게 안 낫겠습니까?"

"사실은 내일쯤에는 변호사를 만나려던 참입니다. 그럴 필요도 없을까요?"

"며칠 더 두고 봅시다. 별 소식이 없으면 내가 한번 김위원장에게 연락을 해보도록 하리다. 그게 양여사가 직접 나서는 것보다 모양새도 낫고, 또 저쪽에서 뭔가를 준비 중인데 여기서 변호사 운운하면 오히려 일이 뒤틀릴 수도 있지 않겠어요?"

"장청장님께 너무 미안해서 그러죠. 그렇게만 해주시면 제가 한시름 놓겠습니다."

"나 원 참, 아니 내가 하는 일이 뭐가 있다구요. 양여사를 위해서 전화 한 번 넣는 일이 뭐 그리 대단한 일입니까. 걱정 마세요. 내 맘 같아서야 당장이라도 서대문형무소로 달려가 청구를 꺼내오고 싶소이다."

새어머니는 다음날 일찍 다시 부산으로 내려갔다. 박변호사를 만나는 일은 미루었다. 나더러는 아버지를 면회하라고 말했다. 반민특위 내에서 뭔가 희망적인 상황이 전개되고 있다는 것을 알려드리라고 했다. 나는 새어머니가 떠난 뒤 곧바로 서대문형무소로 향했고 아버지에게 전날 있었던 일을 소상히 전했다. 애써 아무렇지도 않은 듯 했지만, 아버지의 눈빛이 달라지는 것을 보고 나는 기분이 좋아졌다.

그러나 새어머니의 말대로 아버지에게서는 병색이 엿보였다. 아버지는 감옥에 있으니 몸이 무료해서 그런가보다고 신경을 쓰지 말라고 했지만, 처음 면회 때보다 아버지는 더 탈진한 상태였고 다리도 심하게 절었다.

나는 아버지의 건강상태가 나빠지고 있음을 감지했다. 새어머니와 함께 장택상을 만나고 났을 때는 며칠 내로 아버지가 석방될 것 같은 예감이었지만 보름이 지나도 아무런 소식이 없었다. 새어머니도 그때 부산으로 내려간 뒤 그만이어서 여간 궁금한 일이 아니었다. 나를 만날 때마다 아버지는 무슨 소식이 없느냐고 물었지만 나는 조금 더 기다리시면 될 거라고 위로할 수밖에 없었다.

더 이상 참을 수가 없어 나는 부산으로 전화를 걸었다. 새어머니는 그렇지 않아도 내 전화를 얼마나 기다렸는지 모른다고 반가워했다. 자매여숙에서 일하는 사람들 몇이 한꺼번에 그만두는 바람에 도저히 자리를 비울 수가 없다고 했다. 아버지의 건강이 걱정된다는 내 말을 전해 듣고는 한참 말이 없었다. 나는 전화가 끊겼나 했는데 그게 아니었다. 새어머니는 울고 있었다. 장청장에게서는 아무런 연락이 없느냐고 내가 물었다. 반민특위 내에서 의견이 분분해서 조금 더 시간이 걸릴 것이라는 연락을 받았다고 했다.

아버지에게 그렇게 전해달라고 새어머니는 말했지만 나는 그리하지 않았다. 조금 더 기다리시면 될 거라는 말은 이미 했거니와, 나나 아버지나 그 말이 그대로 믿겨지지도 않았기 때문이다.

괜히 장택상의 말을 믿었다는 원망이 들기 시작할 무렵 아버지는 병보석으로 출감했다. 2월 22일이었다. 수감된 지 만 24일이었다. 출감 이틀 전, 새어머니가 장청장으로부터 연락을 받은 것으로 미루어 반민특위의 특별한 고려가 있었던 것으로 보였다.

그러나 아버지는 출감할 때 걸음을 제대로 걷지 못할 정도였으며 곧바로 세브란스 병원에 입원해야 할 만큼 건강이 악화되어 있었다.

아버지는 파상풍을 앓고 있었다. 감옥에서 당뇨가 악화된 데다 다리의 상처부분으로 파상균이 들어가 오른쪽 다리 종아리부분이 썩어 들어가고 있다는 진단이었다. 의사는 아버지의 건강이 다소 회복되는 대로 수술을 서둘러야 한다고 말했다.

23. 처음 아버지와 함께 눕다

의사가 누워있는 나를 향해 싱끗 웃었다. 나도 그만큼 웃어 보였다.

"참 장해요. 아버지를 위해 이렇게 용기를 내는 아들이 흔치 않을 거야. 큰 수술은 아니니까 안심해도 돼요. 마취를 먼저 하고 조금 있다가 수술을 시작할 거에요."

의사는 내 옆에 누워있는 아버지 쪽으로 몸을 돌렸다.

"훌륭한 아드님을 두셨습니다. 효성을 봐서라도 선생님의 이번 수술은 잘될 겁니다. 마음 편안하게 계시면 됩니다."

"굳이 아들의 살점까지 잘라다 붙이면서까지 살고 싶은 생각은 별로 없습니다. 또 그렇다고 꼭 죽는 것도 아니지 않습니까. 지금이라도 그만두는 게 어떻습니까."

"진정하십시오, 선생. 지난번에도 말씀드렸지요? 선생님은 이미 장단지 근육을 다 잘라내서 거의 뼈만 남았습니다. 이식수술을 받지 않으시면 근육은 회복될 가능성이 없습니다. 걷지도 서지도 못한 채 일생을 사시렵니까? 젊은 사람들은 허벅지에서 살점을 떼어내도 곧 회복되니까 걱정 마십시오. 아드님은 저렇게 아버지를 회복시키겠다고 누워있는데, 자꾸 아버지가 그러시면 아들도 맥 빠집니다. 아드님에게 고맙다는 말씀을 해주시고 네 덕으로 꼭 건강을 회복하겠다고 다짐해 주시는 게 지금 하실 일입니다."

감옥에서 나와 곧바로 입원한 아버지는 이미 한차례 큰 수술을 받은 터였다. 파상풍균으로 썩어 들어간 오른쪽 다리 무릎 밑과 발목 사이 상당부분을 잘라낸 것이다. 그러나 근육 부패는 계속됐다.

하는 수 없이 또 한 번 수술을 계획했다. 그런데 두 번째 절단수술을 하고 나면 근육의 대부분을 잃어버리게 된다는 진단이 나왔다.

일부 의사들은 조심스럽게 살점 이식수술을 제안했다. 이식된 살점이 상처부위에 잘 적응하면 자라나서 손상된 부분을 어느 정도 회복시킬 수 있다는 이론이었다. 선진국에서는 여러 차례 시술되었지만 한국에는 사례만 소개된 상태였다. 이식을 해줄 사람은 젊을수록 좋고 환자와 체질이 비슷하게 맞아야 부작용이 덜하다는 것인데, 따라서 환자가 아버지인 경우 아들이 가장 적합한 대상이라는 말이 된다.

새어머니는 아버지가 살점 이식수술이 필요하다는 말을 망설이고 머뭇거리던 끝에 겨우 꺼냈지만, 나는 단박에 내 살점을 떼어 아버지께 드리겠다고 말했다.

그게 어떤 일인지, 얼마나 위험한 일인지, 성공 가능성이 얼마인지는 궁금하지 않았다. 아버지를 그만큼 사랑했다거나 존경한 것도 아니었을 터, 그냥 불쌍하다는 생각만 들 뿐이었다.

살점을 뜯어내야 하니까 센 마취주사를 놓았을 것이다. 천장을 바라보다 가만히 눈을 감았다. 세 시간쯤 걸리는 수술이라고 했다. 빨리 시간이 갔으면 좋겠다고 생각했다. 정신이 서서히 몽롱해지기 시작했다.

나는 잊었던 일이 생각난 듯 얼른 고개를 돌려 아버지를 본다. 아버지는 이미 나를 쳐다보고 있었다. 내가 아무렇지도 않다는 듯 웃어 보인다. 아버지도 웃어 보였다. 웃는 바람에 그의 눈에 그대로 고여 있어도 좋았을 눈물이 탄로 났다. 나도 울컥 눈물을 만든다. 아버지는 무슨 말인가를 하려고 애썼지만 들리지 않았다. 또 아버지가 불쌍해진다. 마취 기운에 잠이 쏟아졌다.

병원에서는 수술이 성공적이었다고 말했다. 그러나 아버지는 만 5개월을 병원에 입원해야 했다. 이식된 부분이 덧나는 경우 아주 초기에 치료해야 가라앉힐 수 있다는 것이다. 병원에서는 최초나 다름없는 이 이식수술을 성공적 사례로 만들기 위해 정성을 쏟았다. 나는 사흘만에 퇴원해 일주일에 한 번씩 통원치료를 받았다. 병원에 갈 때마다 아버지 입원실을 찾았다. 이식부위가 초기에는 자주 부어올랐다. 일부는 곪아서 들어내야 했다. 그러나 시간이 지날수록 부작용이 뜸해졌다. 내 허벅지살이 아버지의 장단지에 붙었다는 것이 생각할수록 신기했다.

몸이 회복되면서 아버지는 많이 밝아졌다. 이식수술 후 처음에는 몹시 침울한 모습이어서 의사들이 걱정할 정도였다. 아마 아들의 몸에 상처를 내고 그것으로 자신이 치유 받는데 대한 죄책감이 컸던 모양이다. 의사는 내게 귀뜸했다. 아버지가 상처가 어떠냐고 물으면 무조건 잘 아물고 있다, 거의 다 나았다고 답해야 한다고. 그리고 아버지 앞에서 무조건 쾌활할 것, 아버지의 슬픈 감정을 돋구는 일은 절대 금할 것을 주문했다.

새어머니는 자매여숙 일로 여전히 고전 중이었다. 일년 삼백육십오일 하루 스물네시간, 자매여숙엔 누군가가 붙어있어야 한다. 오갈 때 없는 고아들, 여자들을 데려다 재워주고 먹여주고 다시 교육시켜서 사회로 내보낸다는 것이 이 나라에 꼭 필요한 일이고 상투적인 말로 참 훌륭한 일이라고 모두들 말했지만, 그 일이 도대체 얼마나 고된가는 아무도 헤아려주지 않았다. 어쨌거나 아들인 나조차도 새어머니는 으레 저런 일에 관심이 많은 사람이고 고생은 하지만 좋은 일이라는 정도였으니까.

그럼에도 불구하고 새어머니는 2주에 한 번 꼴로 아버지를 찾았다. 이른 새벽에 부산을 출발해 오후 반나절을 병원에서 보내고 다시 밤기차로 내려갔다. 그가 오는 날에는 나도 같은 시간대에 아버지를 방문했다. 많이 수척해 보였다. 아버지는 자신이 도와주지 못하는 것을 미안해했다. 아버지는 너무 힘들면 자매여숙을 그만두라고 했지만, 새어머니가 그럴 수 없다는 것은 익히 알고 있었다. 그렇게 말한 뒤면 아버지는 버릇처럼 덧붙였다. 내가 나으면 그동안 못했던 것까지 두 배로 돕겠다고.

어느 날이었을까. 세브란스로 들어가는 길가에서 비에 젖은 개나리를 보았으니 늦봄의 오후였나 보다. 혹시라도 아버지가 잠들었을지 몰라서 나는 최대한 조심스럽게 소리를 죽여 병실 문을 밀고 들어섰다. 불은 꺼져 있었지만 창가에서 들어오는 빛이 제법이었다. 아버지 침대는 창가 쪽으로 놓여 있었다. 그 옆에 새어머니가 문 쪽으로 등을 돌리고 앉아있었다. 미동조차 없으니 두 사람은 조각물 같았다. 인기척을 내려던 나는 조근조근 들리는 소리가 기도임을 알아채고 멈춰 섰다. 누운 채 모아 세운 아버지의 손이 보이고 그 옆으로 새어머니는 등을 잔뜩 웅크리고 고개를 숙이고 있다. 잘 들리지 않았다. 코앞에 있는 두 사람만 들을 정도로 톤이 낮았다.

무슨 기도를 저렇게 정성스레 하는 것일까. 새어머니의 소리가 멈추면 아버지의 기도가 이어졌고 아버지가 멈추면 새어머니가 계속했다. 나는 숨을 죽이고 장승처럼 지켜보고 서있었다. 기이했다. 오랜 시간을 두고 연습한 것처럼 주고받으며 끌어가는 긴 기도. 간간이 끊어지기도 했다. 하지만 다시 순서가 이어졌다. 평화롭다는 생각이 들었다. 보기도 좋고 중얼거리는 목소리도 알맞았다.

두 사람을 지탱시켜주는 버팀목이라고 생각됐다. 눈처럼 매일 내려앉는 피곤을 새어머니는 기도로 쓸어내는 신앙인이었다. 인생의 길 도처에서 찔리고 부딪히고 상처입은 아버지에게도 기도는 위로며 치유였다. 기도를 이어가는 두 사람의 영혼이 신기루처럼 어른거렸다.

나는 어느새, 기도가 끝나기를 기다리던 사람에서 기도가 끝날까봐 조바심을 내는 사람으로 변했다. 퍼뜩 아이디어가 떠올랐다. 기도가 끝나기 전내가 이 자리를 떠나면 되는 것을. 병실을 빠져나와 복도에서 서성거리다가 아예 밖으로 나왔다.

한편으로 개나리꽃들이 담장을 이루고 있다. 한줄기에 이 노란 꽃은 몇 개나 피는 걸까. 모든 줄기는 똑같은 수의 꽃을 피울까. 한줄기를 잡아 위에서부터 꽃을 세어본다. 밑으로 내려가다가 나는 꽃 세기를 그만둔다. 어느 줄기에서 떨어졌는지 모를 개나리꽃이 땅에 수북하다. 꽃은 떨어져도 예쁘다. 나는 한참을 개나리꽃과 놀다가 그냥 집으로 돌아왔다.

아버지는 병원에 입원한지 만 다섯 달 만에 퇴원했다. 장기간의 입원에 병원비는 상상도 할 수 없이 많았을 것이다. 학생이던 내가 관심 둬야 공연할뿐이지만 은근한 근심이었다. 새어머니에게 조심스레 물었더니 지인들의 도움으로 다 해결되었다고 했다. 아버지도, 새어머니도 주변사람들의 인심을 잃지 않은 이들이었다.

그사이 반민특위는 우여곡절이 많았다. 사무실을 습격 당하는가 하면 핵심인물들이 테러를 당하고 암살 위협을 받기도 했다. 아버지에게는 기소중지 처분이 내려졌다. 반민특위가 스스로 아버지에게서 혐의를 벗겨낸 것인지, 아니면 아수라장 같은 정치 소용돌이 현장이 벅차 병원에 입원한 사람까지 끝내 혐의를 추궁할 만한 여유가 없었는지는 알 수 없다.

7월 21일은 아버지가 퇴원한 날이다. 지난 며칠 무덥고 소나기까지 오더니 이날은 활짝 개었다. 새어머니가 입고 온 분홍색 투피스가 곱다. 실로 오랜만에 아버지는 말끔한 신사복을 입었다. 의사와 간호원들이 퇴원을 축하했다. 누군가가 정들어서 헤어지기 싫다는 농담을 했다. 한바탕 웃음이 터진다. 새어머니는 부산에 올 기회가 있으면 자매여숙으로 꼭 연락을 하라며 주소와 전화번호를 적어줬다. 아버지는 새어머니의 부축을 받으며 부산으로 내려갔다.

24. 수덕사로 떨어진 별

새벽불공을 끝내고 방으로 돌아가려는 일엽을 만공 스님이 불러 세웠다.

"일엽 스님, 소승이 스님에게 물어볼 게 있습니다. 괜찮으시면 대법당 뒤 뜰을 함께 걸어보시면 어떨까요."

"큰스님, 여부가 있습니까. 소승에겐 큰스님을 모시고 걷는 것만으로도 수행이 됩니다."

대법당 뒤뜰은 만공 스님이 유난히 좋아하는 곳이다. 하루 세 차례 불공인 데, 그에 앞서 꼭 이곳을 들렀다 갈 정도여서 수덕사 식구들은 여기를 야외 법당이라고 부르고 있었다. 만공 스님은 뭔가 중요한 지침이 있으면 이곳으로 담당자를 불러내곤 했다.

이른 봄 새벽 공기가 무척 차다. 푸른 어둠은 뜰의 진록색 나뭇잎과 한통 속을 이루어 아직 기세가 제법이었다. 새벽불공 때, 그렇지 않아도 평소와 다른 묘한 기운이 감지되어 다소 마음이 어지러웠던 일엽이었다. 그러다 큰 스님이 불러 세우니 화들짝 놀랠밖에. 지척 구분이 조심스러운 새벽인 걸 큰 다행으로 여겼다.

"아까 새벽불공 전에 여기를 거닐었습니다. 하늘에 깔린 별들을 보면서 미진한 소승의 존재를 흩뜨리고 있는데, 저쪽 북동에 있던 별똥별이 하나 떨어졌습니다. 가끔씩 보는 광경이지요. 또 하나의 중생이 저승으로 가는구나 명복을 빌어 드리지요. 보통 때는 그 정도로 끝나지요. 그런데 오늘은 불공을 드리는데 별똥별이 자꾸 떠오르는 겁니다. 다른 것들보다 좀 더 밝다는 느낌은 들었지만, 이렇게 불공을 드릴 때까지 쫓아와 어지럽힐 줄이야 알았겠습니까."

일엽은 만공 스님의 다음 얘기를 기다렸다. 그러나 만공 스님은 염불만 몇 번 중얼거리고 그만이다. 제법 거리가 되는 뒤뜰 모서리를 세 번 돌았을 때 일엽은 더 이상 기다리기가 힘들었다.

"큰스님, 소승의 우둔함을 용서하세요. 다음 말씀을 기다리고 있습니다."

"왜 그럴까요? 별똥별이 자꾸 마음에 들어서는 이유가 뭘까요?"

"소승은 소승의 마음을 헤아리기도 버겁습니다. 감히 큰스님의 마음을 헤아린다는 것은 꿈도 꿀 수 없습니다. 큰스님께서 잘 아십니다."

"내가 왜 하필이면 일엽 스님을 불렀을까요?"

"소승의 미약한 수행이 큰스님께 큰 누가 되었습니다. 가르치심을 주시면 잘 배우겠습니다."

"별똥별과 일엽 스님의 인연이 뭘까요?"

만공을 두 걸음 뒤로 쫓던 일엽이 감전된 듯 멈춰 섰다. 만공 스님도 멈춰 돌아서서 일엽을 바라봤다. 일엽이 합장하고 고개를 숙이자 만공 스님은 다시 걷기 시작했다.

"그 별은 내가 볼 게 아니었습니다. 마땅히 보여줄 이에게 보였어야 하는데, 그만 어울리지 않는 이 노중의 눈에 띈 거지요. 불공에까지 따라 들어온 건 그래서일 겁니다."

"큰스님의 헤아림이 너무 깊으신 탓 아닐까요?"

"공력이 미천하다보니 공연한 사심을 일삼는 지도 모르지요. 그래도 불공을 마칠 무렵이 되니까 편안해졌어요. 일엽 스님을 보는 순간 임자를 찾았다는 생각이 들었지요. 이건 스님이 풀어 봐야겠습니다. 별똥별이 내 눈에 띈 것은 나와도 무슨 인연이 있기 때문이겠지요."

일엽은 만공 스님을 부처님 다음으로 흠모했다. 인품과 불심이 깊은 만공 스님은 불교계에서도 명성이 높은 선승이었다. 만공 스님은 수행에 게으른 중들을 아주 싫어했다. 속세사람들보다 부지런하지 못하려면 속세로 돌아가라고 야단쳤다. 일엽은 천성적으로 부지런한 사람이었다. 그런 사람이 부지런을 떨면 당할 사람이 별로 없다. 만공 스님은 그런 일엽을 몹시 아꼈다. 제자로 받아들면서 말했다.

"네가 나보다 부지런하면 네가 내 스승이다. 너를 스승 삼지 않고 제자 삼을 각오를 단단히 해야겠구나."

만공 스님은 출가하기 전 일엽의 학업이 깊었음을 기뻐했다. 단지 수행만 하면 무딘 쟁기로 밭을 가는 격이지만 학문을 배워서 수행을 하면 날이 선 쟁기 같아서 밭을 깊숙히 갈 수 있다고 말하곤 했다.

그러나 일엽은 수계를 받을 때 글을 쓰지 않겠다는 약속을 해야 했다. 글을 쓰는 것이 수행에 결코 도움이 되지 않는다고 만공 스님은 말했다. 일엽은 절로 들어오기 전 많은 글을 썼던 작가였지만, 글 쓰는 일에 아무런 욕망이나 미련이 남아있지 않았다. 하물며 큰스님이 약조를 원하는데야.

스님이 되고 나서 일엽은 만공 스님과의 약속을 잘 지켰다. 처음엔 쉽게 했던 그 약속이 쉽지만은 않았다. 아무리 불공을 드리고 수행에 정진해도 마음과 머리를 어지럽히는 번뇌의 정체를 필을 들어 밝히고 싶은 때가 여러 번 있었다. 불공이 쌓이고 수행이 익어가면서 마음이 평안해질 때도 그 느낌과 깨달음을 적고 싶었다.

한번은 일엽이 만공 스님에게 슬며시 속내를 드러낸 적이 있다. 스님이 답했다. 수행은 비우고 닦아내는 작업이지 느끼고 정리하는 일이 아니다. 일엽이 글을 통하면 배움이 축적되고 후세에도 도움이 될 수도 있다고 말했다. 만공 스님은 빙긋이 웃으며 그건 일엽이 걱정할 일이 아니라고 잘랐다.

만공 스님은 선문답과 화두의 명수였다. 그의 선문답에 휘둘리고 나면 머리가 없어진 듯 가벼워졌고 화두를 끌어안고 며칠을 뒹굴면 전혀 예상 밖 깨달음의 소득이 생겼다. 일엽은 이 맛에 중노릇한다고 생각했다. 그럴 때면 글로 남기고 싶은 충동이 또 일어났다. 이건 욕심이다 내려놓지만, 엎드린 척 하는 아쉬움을 내쫓는 일이 며칠씩 걸리기도 했다.

큰스님이 화두를 선물하면 일엽은 무조건 가슴이 설레였다. 지금은 그저 빈주먹이지만 풀고 나면 우주를 손에 쥐는 희열이 기대되는 것이다. 새벽불공, 별똥별, 일엽, 만공, 인연…. 금시초문인 별똥별을 자신에게 풀어보라는 큰스님의 요구가 다소 황당하기는 했지만, 수많은 스님 중에서 자신이 지목된 것이 기분 좋았다.

산세 속에 파묻힌 수덕사에 아침햇살은 늘 지각이다. 밝기를 기다리던 일엽은 뒷산 선수암으로 향했다. 아무리 찾아도 싫증이 나지 않는 곳이다. 이 길을 몇 번이나 올랐을까. 수덕사에 들어온 이후 일엽은 날씨만 괜찮으면 선수암에 오르기를 거르지 않았다. 산비탈, 겨우 구분되는 좁은 길로 땀 흘리며 올라야하는 곳이다. 올해로 수덕사 생활이 십칠 년이다. 눈, 비 올 때를 빼고 나면 천 번쯤은 올랐을까. 처음길처럼 지금도 수풀이 누워있다.

선수암에서 내려다보면 모든 것이 다 작다. 그래서 지고 올라왔던 미련도 작아진다. 어떤 날은 다 깨달은 양 날 듯이 내려온 경험도 있다. 일엽은 선수암이 큰스님의 물음에 답을 줄 것이라고 믿었다.

내가 보았어야 할 별똥별을 스님이 왜 보았다고 하는가. 그 별과 내가 인연이 있다는 말은 또 무엇인가.

선수암 암자에 앉은지 꽤 시간이 흘렀다. 탁 트인 하늘과 땅이 일엽의 가슴을 시원하게 했다. 높이 자란 나무에 걸치는 바람이 소리를 낸다. 일엽은 서둘지 말자고 스스로를 달랜다. 서둘수록 별똥별은 멀어진다.

저녁불공을 마치고 방에 들어앉은 일엽은 또 생각한다. 한 칸짜리 방은 촛불하나로도 충분히 밝다. 적막하다. 이따금씩 근처를 지나는 스님들의 잰걸음소리가 들린다. 큰스님이 보았다는 별똥별은 어디에 있던 것일까.

두 무릎 합한 것보다 조금 넓은 책상을 끌어다 앞에 놓고 반야심경을 펼쳤다.

어디로 떨어진 것일까.

조금 읽다가는 덮는다. 추녀 끝에 매달린 풍경이 수줍게 소리를 낸다. 바람이 있나보다.

큰스님은 별똥별 소리는 들으셨을까.

다음날 일엽은 새벽불공 시간보다 일찍 방을 나섰다. 법당 뒤뜰로 들어선다. 큰스님이 보았다는 별똥별의 위치가 어디쯤인가. 별이 많다. 이런 날 별을 좇으면 어지럽다. 북동이 어느 방향이더라…? 대법당이 남향이니 등을 지고 서서 오른쪽 위다. 저기쯤이다. 별 하나 떨어졌지만 흔적이 없다. 오히려 새끼별이 더 늘어난 것 같다. 뒤뜰 반대편 끝에서 큰스님의 헛기침 소리가 들렸다. 일엽은 얼른 하늘에서 눈을 떼고 법당으로 향했다.

만공 스님의 화두를 맞은 것이 오늘로 나흘째다. 선수암에 또 올라왔다. 일엽은 슬슬 불안해지기 시작하는 자신을 다독거렸다.

서둘지 말자. 서둘면 별똥별은 놓친다. 나와 인연한 것들이 무엇인가.

일엽은 출가하기 전의 일들을 떠올렸다. 얼마나 파란만장했던가. 그러나 지금은 다 전생처럼 아득하다. 별똥별은 그 중에 하나일까. 아닐 것이다. 출가 전의 일을 큰스님이 물을 리가 없다. 더구나 큰스님과는 아무런 관계가 없다. 그렇다면 출가 후의 인연인가.

저 아래로 수덕사로 오는 사람들이 보였다. 꼭 개미같이 움직인다. 하나, 둘, 셋, 넷…. 길을 따라 내려가며 무심코 숫자를 세던 일엽의 눈이 갑자기 커졌다. 수덕사 초입 부분에 마치 보초막처럼 자리잡은 수덕여관을 보는 순간 나혜석이 떠올랐다.

일엽은 벌떡 일어났다. 피가 머리로 몰린다. 맞다. 나혜석이다.

일엽은 한동안 나혜석을 잊고 있었다. 수덕여관에서 마지막 조우를 했던 때가 언제인가. 햇수가 헤아려지지도 않는다. 나혜석이 파리로 떠난다고 할 즈음이었다. 세상을 한바탕 뒤집어 놓더니 파리로 간다고 했었다. 아이들이 몹시 그립다고 울었었다. 수덕여관 대문에 서서 손을 흔들며 할 수 없이 웃던 모습이 마지막이었다.

나혜석이 떠난 후 그 뒤 소식이 궁금했다. 그러나 일엽으로서는 달리 방도가 없었다. 불공 때마다 나혜석을 위한 부처님의 자비를 빌 뿐이었다. 그러던 어느날, 이게 나혜석에 대한 집착임을 알아챘다. 왜 집착하는가 고민하다가 나혜석이 아니라 일엽 자신에 대한 미련 때문이라는 생각에 이르렀다. 심각한 고민이었지만 일엽은 다 떨쳐낼 수 있었다. 그때도 선수암에 여러 번 올랐었다.

나혜석, 참으로 오랜만이다. 그래, 잊고 있었다. 그런데 무슨 일이 생긴 것일까. 별똥별이 떨어졌다면 불길한 징조 아닌가. 순간, 나혜석이 아닐지 모른다는 생각이 얼른 들었다. 큰스님을 빨리 만나야겠다. 일엽은 서둘러 선수암에서 내려왔다.

"큰스님, 일엽이 왔습니다."

"들어오시오."

햇살이 마루에서부터 스님방 쪽으로 길게 사선을 그으며 떨어지고 있다. 디딤돌 위에 놓인 스님의 신발이 가지런하다. 일엽은 신발을 벗어 한쪽 끝으로 붙여놓고 괜스레 큰스님의 신발을 한 번 더 고르게 한 뒤 마루로 올라섰다.

"미천한 중이 큰스님을 공연히 번거롭게 해드리는 것 같아 죄송스럽습니다."

일엽이 합장을 하면서 인사를 올리자 만공 스님은 손짓으로 앉기를 권했다.

"그래, 일엽 스님이 찾은 게 무엇입니까?"

"예, 큰스님. 소승은 오늘 혜석 처자를 생각했습니다."

"혜석? 혜석이라…. 그 처자가 누구인가요? 요즘은 소승의 기억력이 옛같지 않습니다."

"수년전에 큰스님을 뵈었던 처자입니다. 제가 큰스님께 데리고 왔습니다. 그림을 그리는 화가인데, 승이 되겠다고 하는데 큰스님께서 허락하지 않으셨습니다."

"그런 적이 있었나요?"

일엽은 만공 스님이 나혜석을 기억하지 못하자 다소 실망했다. 그렇다면 잘못 찾은 것일까.

"아, 그 신여성. 머리가 좀 짧았고 현대식으로 옷맵시를 부렸던 처자, 이제 생각이 납니다. 일엽 스님하고 아주 가까운 친구였지요. 그런데 그 처자가 생각났다구요?"

만공 스님의 눈치를 살피며 눈을 동그랗게 뜬 일엽이 작게 고개를 끄덕였다.

"확실한가요?"

"예?"

일엽은 자신이 없어졌다. 사실이지, 어떻게 확실하다고 할 수 있단 말인가. 내가 본 별똥별도 아니다. 나와 그것을 연관시킨 것도 만공 스님이다. 또 스님은 나혜석을 기억하고 있지 않았다. 확실해도 큰일 아닌가.

눈을 감은 만공 스님의 미간이 살짝 좁아졌다. 눈꺼풀에 작은 경련이 지나간다. 일엽은 자기 생각이 맞았다는 느낌에 전율한다.

이젠 만공 스님의 차례다. 스님이 뭔가 말씀하셔야 한다고 일엽은 생각했다. 숨이 차오르고 심장이 뛴다. 등줄기로 땀이 흐르고 오한이 느껴진다.

눈을 뜨고도 한참 말이 없던 만공 스님이 침을 굵게 삼키고 난 뒤 입을 열었다.

"일엽 스님이 혜석 처자를 끝으로 본 게 언제지요?"

"수년전입니다. 수덕여관에 머물며 며칠 소승을 만나고 갔습니다. 그 뒤로는 소식을 듣지 못했습니다. 파리로 갈 듯이 말했었는데, 그리하였는지도 모르겠습니다."

"며칠전 그 별똥별의 빛이 참 고왔습니다. 떨어지는 꼬리가 길지는 않았지만 얼마나 선명하던지 지금도 생생합니다."

"큰스님."

일엽이 다급하게 소리쳤다.

"나무아미타불 관세음보살"

나혜석의 미술학사에 찾아가 일박했을 때의 일이 생각났다. 혜석은 일엽에게 물었다. 죽은 후에는 어떻게 되느냐고. 일엽이 답했다. 불자에게는 죽는 것이나 사는 것이나 차이가 없다고. 정말 그런 것일까.

"내가 그때 혜석 처자를 받지 않은 것이 현명하지 못했나 봅니다."

"큰스님."

"승이 된 후 그림을 그리지 않겠다는 약속을 하라고 했더니, 혜석 처자는 바로 그림을 포기할 수는 없다고 했습니다. 어찌나 단호하던지 또 한 번 묻기도 어려웠지요."

"저도 그때 큰스님 곁에 있었습니다."

"그림 그리는 것은 예나 지금이나 수행에 도움이 되지 않아요. 다만 그때 혜석 처자가 수덕사로 들어왔다고 하면, 수행은 허술했어도 고해는 좀 덜 겪지 않았을까요?"

만공 스님 방에서 나온 일엽은 다시 선수암으로 향한다. 얼마만큼 오르다가 걸음을 되돌려 내려온다. 선수암으로 가다가 되돌아오기는 이번이 처음이다.

선수암과 정반대 방향으로 발을 옮긴다. 수덕사 정문을 지나 밖으로 내려온다. 사람 허리도 못 채울 도랑 건너편 둔덕에 수덕여관이 서 있다.

〈끝〉

에필로그

1949년은 참 일이 많았던 해다. 아버지 김우영은 반민특위를 겪고 병원에서 생사를 넘나들었다. 바로 그때쯤 어머니 나혜석은 걸인처럼 거리에서 숨졌다.

나혜석의 죽음은 후일에 관보에서 확인됐다. 1949년 3월 14일자 관보에 이름 석자 확인된 행려병자로 조그맣게 실렸다. 당시 나혜석을 기억하는 이들에게 관보가 읽히지 않은 것은 불행인지 다행인지.

나혜석과 깊은 교류가 있었던 일엽 스님은 불심이 깊었다. 나이는 같았지만 언니처럼 늘 차분했다. 세상사람이 모두 등을 돌렸을 때 일엽 스님이 유일하게 나혜석을 품어줬다. 쓸쓸하고 비참하게 스러진 나혜석의 영혼에게 딱 한 사람 작별인사가 허용됐다면 단연 일엽 스님이었으리라.

아버지가 퇴원해 부산으로 내려간 뒤, 나는 사법시험 준비에 몰두했다. 그러나 시험은 쳐보지도 못하고 6.25를 만났다. 어렵사리 피난에 성공해 부산으로 갔다. 그 후 UN군 포로수용소에서 통역일을 하게 되었는데, 거기서 알게 된 한국계 미군장교의 추천으로 일본으로 건너가 동경주재 유엔사령부에 근무했다.

미국에 유학 가있던 나열이 나의 미국 유학을 주선해줬다. 미국의 대학은 나처럼 공부하기를 좋아하는 사람에겐 천국이다. 예일대학교에서 법학박사 학위를 받은 후 아내와 딸을 데리고 귀국했다. 일본에서 바로 미국으로 가는 바람에 인사도 제대로 올리지 못했던 아버지는 이미 돌아가신 후였다. 나는 서울대 법대에서 교편을 잡았다.

부산에서 아버지는 다시 변호사일을 하면서 새어머니 양한나의 자매여숙을 열심히 도왔다. 전쟁 중인 1951년 7월에는 〈신생공론〉이라는 잡지를 창간했다. 시사성을 띤 일종의 계몽잡지였다. 아버지는 아마 당시의 어수선하고 비관적인 사회의 분위기를 계도할 요량이었으리라 싶다. 그러나 그의 포부는 재정적 뒷받침이 필수였다. 아버지와 의기투합한 몇몇 재력가들이 있었지만 오래가지 못했다. 1958년 4월 16일 아버지는 돌아가셨다. 내가 박사학위 논문을 거의 마무리할 즈음이었다. 조금 더 계셨더라면 좋았을텐데…. 57년 9월에는 자신의 회고록을 내셨다.

새어머니 양한나는 그렇게 투쟁적인 삶을 살았음에도 불구하고 장수하셨다. 크게 병치레를 한 기억도 없다. 내가 미국 뉴욕에서 결혼식을 올린다는 편지 하나 달랑 보냈는데, 그 시절 결혼식에 오신 분이다. 아버지와의 사이에 친자식을 두고 싶어 그렇게 애쓰셨지만 허사였다. 그가 부모 잃은 아이들, 오갈 곳 없는 무숙 여성들을 돌보게 된 데서 나는 하나님의 섭리를 발견한다. 어릴 적 기도하자며 나를 반강제적으로 꿇어앉히는 바람에 나는 하나님을 싫어했는데 하나님은 새어머니를 무척 사랑하셨나 보다. 나도 그 기도 덕을 본 건 아닌지.

법대에서 가르치는 일 외에도 내게 주어진 학교일이 많았다. 특히 관악캠퍼스 조성을 계획하면서는 재정 확보 등 중요한 일을 맡게 되었다. 공부하는 일과 가르치는 일만 알았던 내게 외교 활동은 여간 낯설지 않았다. 제일 고역은 거의 매일 가져야 하는 술자리였다. 대한민국 풍조가 그러하니 내게는 선택의 여지가 없었다. 일이 어느 정도 진척이 되자 나는 다시 미국행을 결심했다. 사실인즉 아버지에게 물려받은 달갑지 않은 당뇨병 증세가 내게도 나타나고 있었다.

고백하건대 나는 나의 생모가 나혜석이라는 사실을 드러내지 않고 살아왔다. 그에 대한 화가 오랫동안 축적되었을 것이다. 어릴 때는 잘 몰랐다. 아버지는 원래 그렇게 세상만사를 흥미 없이 살아가는 사람인 줄 알았다. 조금씩 철이 들면서 그게 어머니에게 받은 상처임을 알아채기 시작했다. 그로부터 어머니에 대한 원망은 앙금처럼 내려앉았다. 바닥에 깔린 앙금은 쳐다만 봐도 나를 화나게 했다. 다 되어진 일을 돌이켜 '만약에' 하고 가정하는 것이 무슨 소용이랴. 그러나 돌아가신 아버지를 생각하면 그 '만약'을 떠올리지 않을 수 없었다.

어머니 나혜석에게도 만약이라는 가정을 붙여보면 크게 아쉽다. 화가로서, 문사로서 빼어난 재능을 가진 그가 그렇게 힘든 삶을 살다 갔다는 것은 당대의 큰 손실일 것이다. 만약에 그의 예술적 역량이 맘껏 발휘될 수 있었다면 작금의 사람들에게도 기뻤을 일 아니겠는가.

젊어서 펄펄 뛰게 미워했던 사람이, 내 눈에 흙이 들어갈 때까지 용서할 수 없다고 별러왔던 사람이, 특별한 계기가 있는 것도 아닌데 덜 미워지고 혹은 가물거릴망정 용서의 가능성이 부여되는 것은 나이 탓일 것이다.

오랜 친분으로 나의 출생을 다 알고 있던 젊은 부부가 있었다. 우리 부부가 그들을 알게 된 건 25년 전이다. 어느 단체의 썸머 프로그램에 강사로 갔던 처가 사귀고 돌아왔다. 그 뒤 여러 차례 서로 왕래하면서 사귐이 깊어졌다. 아들 아닌 아들이, 딸 아닌 딸이 됐다. 이 책을 내게 된 건 이 늦둥이 아들 딸 때문이다. 오랫동안 신문기자를 했던 아들이 부단히 나를 설득했고 딸은 처를 부추겼다.

내가 1차 원고를 써서 보내면 전면 수정된 원고가 돌아왔다. 어떻게 그렇게 내 마음을 나보다 더 잘 알 수 있을까. 자료와 원고가 수십 번 오가고 비슷한 수만큼 인터뷰를 하면서 서서히 글이 완성되어 갔다. 가급적 객관적 자료와 기억을 토대로 하되 소설의 형태를 띠다보니 작가적 상상이 보태진 부분도 군데군데 있다. 다시 읽어보거니와 과하지도 않았고 덜하지도 않았다는 생각이다.

무엇보다 기쁜 일은, 생모 나혜석에 대해서만 관심을 갖는 세상에 그와 어떤 인연으로든 지근에서 더불었던 가족, 친구의 이야기가 함께 섞인 것이다. 천상천하 유아독존은 아무도 없다.

책은 나에게 큰 위로가 된다. 가치의 유무를 떠나서, 그냥 묻혀 없어질 뻔한 이 이야기로 여러 사람을 되살린 기분이라면 너무 흥분한 것일까. 그래도 괜찮다. 삶의 마지막 프로젝트를 끝낸 기분은 아무나 아는 것이 아니니까.

2008년 한가위,
김 진

에필로그 2

내가 만난 나혜석, 김우영, 양한나, 일엽

이 책을 쓰기로 하고 첫 원고에 손 댄 날짜가 나를 부끄럽게 한다. 2005년 2월 27일. 탈고한 날짜는 2008년 7월 23일. 만 3년도 더 걸렸다.

생업까지 접어두고서 덤벼든 것은 아니지만, 그래도 이렇게 오래 걸릴 줄이야. 짧은 글은 십 수년을 써봤지만 이렇게 호흡이 긴 글은 이번이 처음이다. 머리를 쥐어짜도 도무지 원고의 진척이 없었던 때가 여러 번이다. 물구나무서기로 몸안의 피를 몽땅 머리 속으로 집결시키면 좀 나으려나, 처박고 다리를 들다가 나둥그러지기도 했으니 오죽 했으랴. 그러다 나는 알았다. 아하, 이래서 소설가들이 소설을 하나 쓰는데 몇 년씩 걸리는구나. 그러므로 나는 그들을 글 쓰는 이들 중에서 으뜸으로 치기로 했다.

나는 나혜석을, 김우영을, 양한나를, 일엽을 만난 적이 없다.

그러나 코 끝에 닿을 듯 친해졌다. 자료를 엮고 보충하고 살을 붙이다 보니 이들이 다시 살아난 기분조차 들었다. 아무리 가까운 친구들 이만큼 들여다보고, 쫓아 다니고, 그 생각들을 가늠해보려고 애쓸쏜가. 내 글 솜씨가 미천한 탓에 이들에 대한 접대가 소홀했기는 어쩔 수 없다지만, 알려진 삶의 범주와

증언, 역사적 사실을 고르게 깔아보려고 애썼다는 변명은 늘어놓고 싶다.

좀 뜬금없지만, 나는 생명의 영원성과 영혼의 존재를 믿는다. 산 자는 생명이 영혼을 감싸고 죽은 자는 영혼이 생명을 감싼다는 생각이다.

나혜석과 김우영과 양한나와 일엽스님의 영혼이, 무딘 삶 속에 조그만 씨앗처럼 박혀있는 내 영혼에 소근거리는 듯 싶다.

그런데 나는 그것이 무엇인지는 알 수 없다. 이 책에 대한 실수를 나무라는 것일지도 모른다. 아니면 묻혔다가 세상 밖으로 나온 이야기에 다소 기분이 좋아진 것인지도 모르겠고.

여전히 내 생각이지만, 영혼 앞에 가려지는 진실이 어디 있으랴. 설령 몇 가지를 잘못 놓는 과오를 범한들 너그럽지 않을 영혼이 또 어디 있으랴. 그렇게 자위하기로 하자.

졸고를 끝낸 속시원함이 이제는 슬슬 걱정으로 변한다. 독자의 차례이기 때문이다. 낙제점은 면해서 책으로 엮어준 해누리 출판사와 이동진 사장님께 누가 안 되었으면 좋겠다.

2009년 3월,

이연택